LA RECHERCHE EN COMMUNICATION
Éléments de méthodologie

LA RECHERCHE EN COMMUNICATION
Éléments de méthodologie

Alain Laramée
et
Bernard Vallée

Presses de l'Université du Québec
Télé-université
1991

Collection COMMUNICATION ORGANISATIONNELLE

dirigée par Alain Laramée, professeur à la Télé-université.

Conception de la page couverture : Sylvie Bernard.

Ouvrages déjà parus

LA COMMUNICATION DANS LES ORGANISATIONS
Alain Laramée

CULTURE ORGANISATIONNELLE
Yves Bertrand

Ce document est utilisé dans le cadre du cours
Méthodes de recherches en communication (COM 1011)
offert par la Télé-université.

ISBN 2-7624-0329-4 (Télé-université)
ISBN 2-7605-0685-1 (Presses de l'Université du Québec)

Dépôt légal — 4e trimestre 1991

Bibliothèque nationale du Québec
Bibliothèque nationale du Canada

Imprimé au Canada

Presses de l'Université du Québec
Case postale 250
Sillery, Québec
G 1T 2R1

Télé-université
2635, boul. Hochelaga, 7e étage
Case postale 10700
Sainte Foy, Québec
G 1V 4V9

REMERCIEMENTS

Nous tenons à remercier les personnes qui ont participé à la réalisation de ce livre. En premier lieu, Mme Michèle Martin et M. René-Jean Ravault qui ont agi comme lecteurs critiques de la première version du manuscrit. Nous tenons à souligner également le travail de Mme Marie-Thérèse Bourbonnais qui a supervisé sa qualité didactique et pédagogique. Enfin, Louise Blouin en a assuré la révision linguistique et Bernard Lépine la présentation graphique.

Alain Laramée, Ph.d.
professeur

Bernard Vallée
consultant

TABLE DES MATIÈRES

CHAPITRE 3

PARTICULARITÉ DE LA RECHERCHE EN COMMUNICATION

DEUXIÈME PARTIE

LES ÉTAPES LOGIQUES D'UNE MÉTHODOLOGIE SCIENTIFIQUE

CHAPITRE 4

CHAPITRE 5

CHAPITRE 13

CHAPITRE 14

Note : Dans ce document, le générique masculin est utilisé sans
discrimination et uniquement dans le but d'alléger le texte.

LISTE DES TABLEAUX ET DES FIGURES

PRÉFACE

C'est là un manuel de méthodologie qui, incontestablement, répond largement à une grande demande dans le champ d'études de la communication tant au Québec que dans les autres pays francophones, tant au premier qu'au second et, même, au troisième cycle, tant dans l'enseignement universitaire traditionnel que dans la formation à distance par programmes télévisés.

En effet, bien que les universités québécoises aient, depuis longtemps, offert d'excellents cours de méthodes en communication et bien qu'il existe maintenant de très bons manuels portant sur l'élaboration de projets de recherche, sur la façon de rédiger un mémoire de maîtrise ou une thèse de doctorat ou sur les méthodes de recherche en sciences humaines et dans des disciplines très connexes, à ma connaissance, il n'existait pas d'ouvrage de méthodologie portant spécifiquement sur un ensemble de domaines propres à l'étude de la communication.

Il y avait, certes, d'excellents documents sur la conduite de l'interview, sur la réalisation d'enquêtes, de sondages et de reportages, sur la dynamique des groupes, sur les analyses de contenus qu'elles soient quantitatives, sémiotiques ou relevant de l'analyse du discours mais aucun ne présentait une synthèse, épistémologiquement articulée, des approches méthodologiques les plus fréquemment utilisées dans « les sciences de la communication ».

Comme cette discipline est encore très récente et qu'elle a du mal à se faire reconnaître comme telle, surtout dans les vieux pays, et que le Québec semble davantage vouloir, pour des raisons linguistiques et culturelles, « se souvenir » de ces derniers plutôt que de s'ouvrir entièrement à la « société de communication » qui l'environne, cet ouvrage reflète bien cette hésitation sociétale entre voir la communication comme un champ d'études composé d'instruments, d'institutions, de produits et de phénomènes qu'appréhendent des disciplines traditionnelles et considérer la communication comme une nouvelle façon de voir le monde et les êtres humains susceptible de générer un vaste bouleversement épistémologique ou paradigmatique.

Cette hésitation se reflète dans la démarche même que suit cet ouvrage où il y a un certain va-et-vient entre la science « normale » soumise aux théories « dominantes » et les révolutions scientifiques ou paradigmatiques dont parle Kuhn.

Comme il s'agit d'un ouvrage d'introduction aux méthodes de recherche en communication ce va-et-vient que d'aucuns pourraient considérer comme un manque de cohérence épistémologique est en fait, pédagogiquement et didactiquement, fort heureux.

Il est fort heureux tout d'abord parce qu'il reflète un des dilemmes de notre société et ensuite, précisément, parce que ce dilemme est vécu dans l'enseignement où, après la catholicisme, le scientisme s'est imposé comme nouveau dogme. En s'inscrivant, au départ dans la science « normale » qui respecte l'ordre des théories établies, les étudiants se retrouvent en pays de connaissance où ils peuvent appliquer aux objets, aux produits, aux technologies, aux institutions et aux phénomènes qui les passionnent des grilles d'analyse élaborées dans des disciplines qui n'ont plus qu'à se reproduire. Mais, peu à peu, par les réflexions épistémologiques des auteurs et surtout par l'intérêt particulier de ces derniers pour la communication organisationnelle, les lecteurs sont amenés à considérer la science comme une organisation humaine qui, comme telle, présente certaines failles. On n'ose plus parler de « la science » mais des sciences. On devine qu'entre elles et au sein de celles-ci se dessinent des rapports de forces, se précisent des enjeux « politiques » (au sens anglais du terme avec un petit « p »), on se rend compte que les sciences, comme toutes les organisations humaines, dépendent des stratégies de communication des différents acteurs qui les constituent et les font évoluer.

En suivant une démarche pédagogique très claire et facilement accessible, en plus d'amener le lecteur à se poser de sérieuses questions épistémologiques et entrevoir ainsi ce que pourraient être des paradigmes et des méthodes tout à fait propres à la communication, cet ouvrage a aussi le rare mérite d'être très terre à terre, très pratique et, du même coup, ce qui est cohérent avec ses considérations épistémologiques, très démystificateur. En plus de retrouver des références précises aux plus importantes sources d'information sur la communication au Québec et dans les régions culturellement ou géographiquement voisines, cet ouvrage informe ses lecteurs des aléas et des va-et-vient de la recherche aussi bien sur le terrain que dans les rapports entre les enquêtes sur le terrain et le cadre théorique.

Seule ombre au tableau (et là aussi il s'agit peut-être d'un autre reflet de la société québécoise), il est regrettable que ce manuel n'aborde pas le domaine des communications internationales et transculturelles car, et c'est là ma conviction, on ne peut pas dire grand-chose de pertinent en communication si l'on n'appréhende pas (et ne vit pas) ce phénomène dans ces dimensions-là. En fait, c'est probablement la combinaison de l'étude de la communication organisationnelle avec celle des communications internationales ou transculturelles qui a donné naissance à la communication en tant que paradigme s'opposant à celui de la reproduction.

Mais cette lacune qui constitue le talon d'Achille de cet ouvrage, tout en permettant aux lecteurs d'exercer leur réflexion critique laisse ainsi de la place à d'autres qui pourraient proposer un manuel de méthodologie encore plus propre à la communication puisqu'il serait fondé, cette fois, sur une approche révolutionnariste et culturaliste de la communication.

En attendant, cet ouvrage constitue une excellente transition des sciences humaines traditionnelles vers la communication et permet à ses lecteurs de faire aussi un bon bout de chemin en communication organisationnelle. Ce manuel est donc d'une très grande utilité pour toutes celles et tous ceux qui décident de faire de la recherche en communication que ce soit au niveau du baccalauréat, de la maîtrise et du doctorat ou, tout simplement, sur le plan professionnel bien qu'il y ait tout de même un biais vers la recherche universitaire et les subventions gouvernementales.

René-Jean Ravault
professeur
Département de communication
U.Q.A.M.

Pour faire avancer une recherche, il est impératif « d'entrer en matière », ou encore de s'imprégner de certaines connaissances, de préciser ce que l'on ignore, de choisir ce que l'on veut rechercher, d'envisager la manière de le faire, etc. La méthode scientifique ne remplace pas ces connaissances, ces décisions, ces plans, mais elle permet de les ordonner, de les préciser et de les enrichir. La méthode forme, elle n'informe pas. Elle correspond à une attitude plus qu'à un ensemble de procédés de résolution des problèmes. C'est tellement vrai que la meilleure façon d'apprendre à poser et à résoudre des problèmes scientifiques ne consiste pas à étudier un manuel de méthodologie, écrit par n'importe quel philosophe, mais à étudier et à imiter des paradigmes (ou modèles) de recherche réussis (Bunge, 1983, p. 37).

INTRODUCTION GÉNÉRALE

Pourquoi l'acquisition des technologies informatisées dans une entreprise peut-elle modifier la distribution du pouvoir? Le téléspectateur est-il passif ou actif face à son petit écran? Pourquoi l'analyse de contenu d'une publicité ne peut-elle révéler le contenu non manifeste de celle-ci? Comment connaître le niveau d'adaptation et le degré de satisfaction des employés face à de nouvelles technologies d'information et de communication? Comment expliquer que deux sondages visant à mesurer les mêmes opinions arrivent à des résultats différents? Comment peut-on analyser les stéréotypes véhiculés dans les téléromans? Comment comprendre certains problèmes de communication interpersonnelle entre des supérieurs et leurs subordonnés dans une organisation?

Pour répondre à de telles questions, il faut aller bien au-delà de nos impressions et de nos intuitions aussi valables et aussi séduisantes soient-elles. En effet, une vision impressionniste de la réalité entraîne de nombreuses déformations de la réalité causées par nos perceptions, nos croyances, nos attentes, nos valeurs et nos expériences. Ces déformations, teintées de nos désirs, de nos souhaits et de notre imagination, occasionnent une perception partielle de la réalité. L'intuition est valable et même souhaitable mais elle ne suffit pas à induire une explication logique, rationnelle et argumentée d'une réalité. Livrées à elles seules, l'intuition et l'impression permettent d'exprimer la vérité d'un individu mais ne permettent pas d'extrapoler cette vérité aux autres individus.

Pour « objectiver » davantage nos impressions, nous avons besoin d'instruments et d'outils qui puissent nous permettre de démarquer et de rationaliser les liens entre nos perceptions des phénomènes, nos observations, nos souhaits et notre imagination. En fait, nous avons besoin de *méthodes*.

Même si nous n'en sommes pas toujours conscients, nous utilisons de tels instruments dans notre vie quotidienne. En effet, en argumentant ou en discutant sur tel ou tel point nous faisons fréquemment référence à la manière dont on a procédé, ou dont un autre individu a procédé pour observer, décrire ou interpréter le phénomène qui est au centre de la discussion. En fait, nous remettons en question la méthode qu'il a utilisée ou la manière dont il l'a appliquée pour arriver à des résultats différents. C'est le cas par exemple d'une divergence d'opinion entre deux individus portant sur le rôle des médias dans les crises politiques internationales, l'un s'appuyant sur des données empiriques pour illustrer son propos et l'autre argumentant à partir d'ouvrages théoriques démontrant le pouvoir des médias sur l'imaginaire social. La discussion a de fortes chances de perdre de vue son objet pour se déplacer vers les *fondements* ou les *bases* des perceptions et des références de chacun.

Dans la recherche scientifique, on procède de la même manière. Les objectifs sont les mêmes, à savoir rechercher le plus haut degré de vérité dans notre description, notre explication ou notre interprétation d'un phénomène. La différence majeure se situe sur le plan des critères de vérité. Sur le plan scientifique ces critères doivent être légitimés, c'est-à-dire reconnus et acceptés par une communauté scientifique et des établissements, alors que sur le plan individuel ces critères ne doivent être légitimés que par les individus en situation de communication; ils peuvent donc varier selon les individus.

Ainsi, comme dans toute autre discipline scientifique, la recherche en sciences de la communication doit être rigoureuse, impartiale et aussi « objective » que possible. Elle ne peut atteindre un haut niveau de qualité, de validité et de fidélité qu'à la condition de respecter des règles méthodologiques explicites. C'est, du moins, la position épistémologique que nous avons adoptée pour l'écriture du présent manuel.

Mais qu'entend-on par « méthode scientifique »? Le professeur et philosophe Mario Bunge, spécialiste des questions épistémologiques, définit la méthode scientifique comme un « procédé régulier, explicite, et reproductible pour atteindre quelque chose de matériel ou de conceptuel[1] ».

---

1. Bunge, M. (1983), *Épistémologie*, Recherches interdisciplinaires, Maloine S.A. Éditeur, Paris, p. 29.

Cette conception de la méthode scientifique n'est pas récente. En effet, bien que la méthodologie semble apparaître au cours de la période classique grecque, elle ne devient populaire qu'à la naissance de la science moderne au début du 17e siècle. À cette époque, la méthode scientifique était un ensemble de règles permettant d'observer les phénomènes et d'en tirer des conclusions. C'est Galilée qui le premier propose des hypothèses et les soumet à l'épreuve expérimentale. Depuis, de nombreuses modifications et des renforcements ont été introduits dans la méthode scientifique. Le contrôle statistique des données est l'un d'entre eux. Aujourd'hui, la communauté scientifique reconnaît la diversité des théories du fait que celles-ci sont devenues plus raffinées et plus spécialisées. Par contre, cette même communauté se montre plus exigeante en ce qui concerne la qualité des données empiriques obtenues au moyen de méthodes de collecte de données.

Par ailleurs, il est important de souligner que le critère de « testabilité » pour juger de la scientificité d'une démarche de recherche ne se limite pas à la recherche empirique mais concerne également la recherche théorique. Alors que la testabilité empirique fait intervenir des données pour appuyer la thèse avancée, la testabilité théorique fait intervenir des théories déjà testées ou testables empiriquement. C'est le cas par exemple de la soumission d'hypothèses au test de formules mathématiques.

La science évolue donc grâce à des interactions multiples et continues entre l'objet recherché, les hypothèses, les théories et les données obtenues. Il est aussi très important de souligner qu'il ne suffit pas, pour qu'une idée soit considérée comme « scientifique », qu'elle soit simplement testable. C'est là une condition nécessaire mais non suffisante car l'idée doit aussi être compatible avec l'essentiel du savoir scientifique légitimé.

En résumé, la méthodologie scientifique fournit les critères et la démarche qui permettent de faire de la recherche.

Les sciences de la communication

« Le lecteur parcourant [la] littérature sur le phénomène technique et les processus de communication se rendra vite compte de la diversité des questions comme des conclusions. Les méthodes d'investigation sont également fort diversifiées. Cette variété s'explique autant par la position idéologique personnelle du chercheur, le contexte socio-économique, politique et culturel à l'intérieur duquel il évolue que par sa formation disciplinaire initiale (Proulx, 1979). Science jeune, la science des communications est également une science « éclatée ». Elle est redevable de l'apport de multiples disciplines aussi différentes que les mathématiques, la psychologie, la logique, la sociologie, la linguistique, etc. Au plan méthodologique, elle s'est inspirée autant de l'économie et de la sociologie que de l'anthropologie et de l'histoire[2]. »

Les sciences de la communication ont la particularité d'être une science jonction, c'est-à-dire une science multi, trans et interdisciplinaire. C'est également une approche réflexive qui porte sur la perception même du savant et donc, sur le processus scientifique. L'étude de la communication emprunte donc de multiples directions.

Pour l'objet du présent manuel nous avons retenu trois axes comme domaine de recherche et d'intervention à l'intérieur desquels nous puiserons des exemples pour illustrer la démarche méthodologique présentée soit : *les aspects sociaux et culturels des médias d'information et de communication, le contenu des messages médiatisés et la communication organisationnelle.*

Rappelons brièvement le contenu de ces trois axes. Il y a d'abord *les aspects sociaux et culturels des médias d'information et de communication.* Ce secteur de recherche concerne entre autres les influences mutuelles des communications de masse (télévision, publicité, radio et presse) et des comportements (renforcement des opinions et des valeurs) des destinataires. Ces dernières études s'inscrivent dans une optique presque uniquement unidirectionnelle alors que les études sur les nouvelles technologies, tel le vidéotex ou la messagerie électronique, s'inscrivent dans une optique interactive.

---

2. Tremblay, G., Sénécal, M. (1987), « La science des communications et le développement technique » dans *Sciences sociales et transformations technologiques : les actes d'un colloque,* Gouvernement du Québec, Conseil de la science et de la technologie, document no 87.02, p. 147.

Le deuxième domaine concerne *le contenu des messages mé-diatisés*. Ces messages sont construits à partir d'un langage verbal ou iconique commun aux membres d'une collectivité. L'analyse des messages médiatisés devient l'analyse de la construction et de la production sociales du sens. L'analyse systématique de ces messages fait appel à l'analyse de contenu alors que l'analyse sémiologique examine la signification non manifeste de ces messages. Il s'agit non seulement de méthodes d'analyse différentes mais de façons différentes de concevoir la signification.

Le troisième domaine est *la communication organisationnelle*. Dans cet axe, on considère la communication et l'organisation selon une relation cogénétique. Cette relation est examinée à partir de deux perspectives. La perspective de l'approche fonctionnaliste examine la structure et le fonctionnement formel des organisations ainsi que la dynamique des relations informelles entre les membres de l'organisation, alors que la perspective interprétative met l'emphase sur les processus de construction et de représentation de la réalité. La nature des recherches s'étend de la communication interpersonnelle jusqu'à l'impact des nouvelles technologies qui tendent à modifier les structures du travail autant que les structures communicationnelles.

C'est donc à travers ces trois axes d'étude que seront examinées, analysées et illustrées les méthodes de recherche propres aux sciences de la communication.

Certains seront portés à se demander : pourquoi un ouvrage spécifique sur la recherche en communication? Un principe fondamental en épistémologie stipule qu'une méthode ne peut s'étudier séparément du domaine spécifique de recherche qu'elle se propose d'ordonner, de clarifier et d'enrichir (Bunge, 1983). La méthode scientifique, c'est la manière de mener des recherches; elle ne peut donc pas s'étudier séparément de ces mêmes recherches.

Même s'il existe de nombreux ouvrages sur la recherche en sciences sociales, les méthodes de recherche en sciences de la communication n'ont pas encore fait l'objet d'un ouvrage spécifique. De plus, certaines méthodes de recherche sont propres aux sciences de la communication.

Plan du livre

Nous tenons à prévenir le lecteur que le présent ouvrage, portant essentiellement sur les méthodes de recherche, est conçu de manière à être complété d'un second volume qui développera les notions relatives aux *méthodes de collecte et d'analyse de données*.

Le volume se présente en quinze chapitres regroupés sous trois parties, abordant respectivement des notions d'épistémologie, de méthodologie et de pratique de la recherche en sciences de la communication.

La première partie comprend trois chapitres qui traitent respectivement des caractéristiques de la méthode scientifique, de quelques notions d'épistémologie (c'est-à-dire de la philosophie de la science et de l'émergence des paradigmes), et des particularités de la recherche en communication. Ces trois chapitres constituent, sans aucun doute, les bases indispensables à l'étude plus approfondie des méthodes de recherche en sciences de la communication.

Dans la deuxième partie du livre, nous entrons au cœur du processus de la méthode scientifique. Nous présentons en détail les étapes logiques de la méthode scientifique. Les cinq chapitres constituant cette partie visent à faire connaître les processus conduisant à : l'identification d'un problème de recherche, la définition d'une problématique, le développement d'une perspective théorique, la construction des hypothèses ou des questions de recherche, la validation et l'opérationnalisation des hypothèses et des questions de recherche. Le dernier chapitre inclut également un aperçu sommaire des autres étapes de la recherche.

La troisième partie du manuel porte sur la pratique de la recherche en sciences de la communication. Cette partie comprend sept chapitres. Les quatre premiers sont consacrés aux divers types et méthodes de recherche utilisés dans les sciences de la communication. Par la suite, nous examinerons les problèmes de déontologie et les notions d'éthique qui constituent des préoccupations morales pour le chercheur. Le quatorzième chapitre présentera des exemples de parcours concrets d'une recherche. Il existe en effet diverses contraintes qui obligent les chercheurs à emprunter des parcours différents dans l'élaboration de leurs recherches. Enfin, le dernier chapitre présentera une vision historique ainsi que l'état de la recherche en communication au Québec.

PREMIÈRE
PARTIE

LES FONDEMENTS D'UNE MÉTHODOLOGIE SCIENTIFIQUE

OBJECTIF

Familiariser l'étudiant avec les notions fondamentales qui caractérisent la méthode de recherche en communication.

INTRODUCTION

La première partie du manuel comprend trois chapitres qui traitent respectivement des caractéristiques de la méthode scientifique, de quelques notions d'épistémologie (c'est-à-dire de la philosophie de la science et de l'émergence des paradigmes), et des particularités de la recherche en communication.

En quoi consiste exactement une méthode scientifique et quelles sont ses fonctions? Le premier chapitre répond à ces questions. Le deuxième chapitre précise l'évolution du raisonnement scientifique et la façon dont la science progresse. Nous examinerons alors le concept de « révolution scientifique » ainsi que quatre grandes écoles de pensée. Enfin, nous aborderons les sciences de la communication afin de cerner et de dégager les objets et les axes d'étude qui sont investigués par la méthodologie scientifique.

Ces trois chapitres constituent, sans aucun doute, les bases indispensables à l'étude plus approfondie des méthodes de recherche en sciences de la communication.

CHAPITRE

1

CARACTÉRISTIQUES
D'UNE MÉTHODE SCIENTIFIQUE

OBJECTIF

Apprendre à distinguer les caractéristiques de la méthode scientifique.

INTRODUCTION

Ce premier chapitre vise à définir clairement les caractéristiques d'une méthode scientifique. Il s'agira de saisir premièrement ce qu'est une méthode et deuxièmement ce qu'est une méthode scientifique. Il est important de comprendre ce qui distingue la méthode scientifique de l'observation intuitive des phénomènes. Ensuite, nous examinerons les fonctions et l'utilité de la démarche scientifique. Nous verrons comment l'*idéal scientifique* s'articule à partir de la connaissance « objective » et à travers la logique de la neutralité. Le chapitre se terminera sur l'importance du caractère systématique, prédictif et reproductif de la méthode scientifique. L'utilisation d'une méthode doit donc être constante. Par exemple, un chercheur situé à Montréal doit utiliser, pour une méthode particulière, la même procédure qu'un chercheur situé à San Francisco ou à Paris. De plus, même si les méthodes peuvent évoluer dans le temps, elles visent toutes une certaine permanence et la stabilité.

1. LA DÉMARCHE SCIENTIFIQUE ET LE SENS COMMUN

Chaque personne possède sa vision du monde, c'est-à-dire sa propre manière d'appréhender les phénomènes et les événements. Tous les individus ont soit une opinion personnelle sur tel ou tel sujet, soit aucune opinion. Qui n'a pas tendance, dans une discussion animée, à tout ramener à son expérience personnelle et à sa perception? C'est une tendance normale et très humaine de percevoir en fonction de son expérience et de ses intérêts mais cette tendance est inévitablement subjective.

Il ne s'agit pas de savoir si un individu a ou n'a pas raison dans les méandres de son exposé, mais plutôt de vérifier si sa vision, aussi convaincante soit-elle, est valide. L'ensemble des impressions qu'un individu développe à propos d'un événement ou d'un phénomène ne constitue pas une vérité absolue. Ces impressions sont valables car nous sommes des êtres subjectifs et dans ce sens, nous possédons chacun nos certitudes. Cependant, cette « vérité » personnelle n'est peut-être pas la même « vérité » que celle du voisin et encore moins peut-être, celle de l'ensemble de la collectivité. Contrairement à cette « vérité » individuelle, la recherche d'une vérité scientifique tend vers l'objectivité. Même si cette recherche de l'objectivité *demeure toujours un idéal scientifique*, il n'en demeure pas moins qu'elle détermine un processus de connaissance qui permet de relativiser les points de vue individuels qui, sans elle, pourraient demeurer trop hermétiques ou trop biaisés. L'objectivité n'est pas la moyenne des opinions personnelles; la vérité dite « objective » existe *indépendamment* de l'ensemble des impressions personnelles. Pour s'approcher *le plus possible* de cette vérité, il faut utiliser une méthode.

Mais qu'est-ce qu'une méthode? Le *Petit Robert* la définit comme étant : « [...] un ensemble de démarches que suit l'esprit pour découvrir et démontrer une vérité ». Ainsi, une méthode est l'ordonnancement de règles pour parvenir à un but. La méthode est l'outil privilégié de la démarche scientifique.

Pour investiguer objectivement, par exemple, un événement communicationnel, il faut aller au-delà de nos idéologies et de nos intuitions aussi valables et séduisantes qu'elles puissent être. Notre expérience personnelle des phénomènes est liée à une vision impressionniste de la vie. Elle nous permet de nous situer psychologiquement et socialement par rapport à notre environnement mais elle entraîne de nombreuses déformations dans la perception objective de la réalité. Chacun est biaisé par ses valeurs, ses croyances, ses attentes, ses besoins et son expérience. La portée de l'expérience personnelle est immédiate, c'est-à-dire qu'elle se limite souvent à ce qui est familier et conforme à des préjugés, des stéréotypes et des intérêts propres. Prenons un exemple pour illustrer ce que peut être une vision impressionniste.

Dans le cadre d'un programme d'échange entre étudiants, vous recevez chez vous un étudiant étranger pour quelques jours. Très vite vous constatez qu'il critique tout et qu'il déteste particulièrement les sports à la télévision. Sa visite a lieu au mois d'octobre, au moment où la saison de baseball est à son apogée, que l'on recommence la télédiffusion des parties de hockey et que l'on présente également des matchs de football. Votre invité allume le téléviseur à la même chaîne trois fois durant la fin de semaine et à chaque fois, il est confronté à une émission sportive. Il se lance alors dans une envolée oratoire et il critique sans vergogne la programmation de la chaîne de télévision. Il poursuit en précisant que si l'on ne programme que ce type d'émission, c'est que la majorité des gens le désire et que le peuple est aliéné, etc. Il évoquera l'évidence : « Il n'y a que du sport, je l'ai vu de mes propres yeux », vous dira-t-il. Vous tenterez de lui expliquer que, d'une part, c'est une coïncidence si à chaque fois qu'il a allumé le téléviseur il y avait des émissions sportives et que, d'autre part, le mois d'octobre est un mois où il y a beaucoup de chevauchements dans les activités sportives professionnelles. Vous tenterez en dernier recours de lui expliquer qu'à cette chaîne de télévision, il n'y a pas plus de 20 % des émissions qui sont à caractère sportif. Rien à faire, ce qu'il a vu ne fait que renforcer ses préjugés.

Cette vision relève de l'expérience personnelle et du sens commun dont la manière de penser consiste à fournir une preuve en fonction de l'évidence, qui trop souvent réfère à des cas isolés. Pour la logique du sens commun, l'univers est surtout constitué de données sensibles qui ne sont pas sujettes à une procédure de vérification objective. L'opinion fondée sur la logique du sens commun ne se préoccupe pas de respecter des critères justifiant le caractère général des observations. Elle considère l'intuition, la perception immédiate comme la vérité incontestable.

Par ailleurs, il faut éviter de tomber dans les excès du rationalisme où tout ce qui relève de la personne ou de son expérience doit être rejeté. L'intuition est valable et même souhaitable, mais elle constitue plutôt un point de départ. La limite de la logique du sens commun apparaît lorsque l'on constate que l'intuition devient en même temps le point de départ et le point d'arrivée. La démarche scientifique, en visant « l'objectivité » présume que le premier regard peut être source d'erreur. Aussi celui qui adopte une telle démarche examinera une seconde fois, avec rigueur, le même phénomène. Ce deuxième regard vise à vérifier la validité de nos perceptions, de nos intuitions et de nos observations, et à les expliciter dans un langage légitimé.

La démarche scientifique permet aussi d'objectiver le réel en présentant une diversité de points de vue tout en corrigeant et en élargissant la perception.

Prenons l'exemple d'un journal hebdomadaire spécialisé dans le reportage d'affaires criminelles de toutes sortes : meurtre, vol, fraude, viol, agression, etc. Lors d'une publication récente le journal lance un sondage maison et demande à ses lecteurs de téléphoner afin de se prononcer sur la question suivante : « Avez-vous peur de vous promener seul dans les rues de Montréal? » La semaine suivante, le journal publie les résultats. Sur 348 répondants, 335 ont répondu oui et 13 ont répondu non, ce qui correspond à environ 96 % de réponses positives (335/348). Le journal accorde une place très importante aux résultats de ce sondage et on peut lire en gros caractères sur la première page : « Montréal est une ville très dangereuse », puis en sous-titre : « 19 individus sur 20 ont peur de se promener seuls dans les rues de Montréal ».

Que pouvons-nous conclure de ce sondage? D'abord, ce n'est pas un sondage scientifique car l'échantillonnage retenu ne représente pas la population dans son ensemble mais uniquement les lecteurs les plus assidus de ce type de journal. Ce sondage ne reflète donc pas une diversité de points de vue car le profil du lecteur de ce journal n'est représentatif que d'un sous-ensemble très précis de la population : celui qui aime consommer ce genre de nouvelles sensationnelles. On pourrait ajouter que seuls ceux qui voulaient donner leur opinion l'ont fait, alors que, normalement, des employés du journal auraient tenter de rejoindre des individus. Il est aussi plausible de prétendre que les lecteurs ayant donné leur opinion ont cru qu'il s'agissait d'une promenade la nuit alors que cela n'était aucunement précisé dans la question. De plus, il est légitime de prétendre que toutes les rues de Montréal ne présentent pas le même danger. Un répondant qui s'est toujours limité à son voisinage immédiat n'a qu'une vision parcellaire de ce que signifie « les rues de Montréal ». Il faut aussi considérer l'âge et le sexe des répondants. En effet, une personne âgée est sans doute beaucoup moins téméraire qu'un jeune homme et, par conséquent, cette personne âgée aura tendance à percevoir plus de danger que le jeune homme n'en percevrait.

Ce que l'on veut illustrer ici, c'est que ce sondage reflète un point de vue subjectif qui n'offre pas une diversité de points de vue. Il est intuitivement probable que plusieurs citoyens peuvent avoir peur de se promener seuls, la nuit, dans les rues de Montréal. Cependant, ce sondage ne permet aucunement de rendre compte de la situation réelle dans toutes ses nuances, car il n'offre pas une diversité de points de vue représentant l'ensemble des citoyens. En effet, on est en droit de s'attendre à ce que le lecteur assidu de ce type de presse soit biaisé dans sa perception du monde qui l'entoure. Ce lecteur s'alimente régulièrement de contenus violents et il est possible qu'il perçoive la société comme étant plus violente qu'elle ne l'est en réalité. Toute approche méthodologique devrait donc relativiser son objet d'étude. Si tel n'est pas le cas, le chercheur doit préciser les conditions, le contexte et la représentativité limitée de sa recherche.

La méthode scientifique vise donc des standards rigoureux qui peuvent lancer un défi aux croyances populaires. L'exemple précédent illustre en partie ce point de vue mais certains préjugés ont la vie dure. Par exemple, beaucoup de gens croient encore aujourd'hui que la vitesse de chute des corps est directement proportionnelle à leur masse, comme l'avait affirmé Aristote; ainsi, le *Petit Robert* tomberait environ six fois plus vite qu'un livre de poche échappé par mégarde! On peut pourtant facilement vérifier qu'il n'en est rien. C'est Galilée qui a remis en cause cette croyance qui jusqu'alors était considérée vraie. C'est la résistance à l'air qui est responsable des différences dans la vitesse de chute et cette résistance provient de la relation entre le poids, la masse et la forme d'un corps.

La démarche scientifique repose sur des postulats et des règles strictes. Elle vise à expliquer et à valider nos hypothèses dans le but de les filtrer et de les mettre ainsi à l'épreuve. Elle pourra alors vérifier les théories anciennes et en créer des nouvelles. La démarche scientifique, contrairement au sens commun, se base sur des lois et des principes généraux. Elle vise donc globalement à décrire, à expliquer, à comprendre et à prédire l'évolution des phénomènes de notre environnement. Cette compréhension « objective » de l'environnement permet d'orienter et de planifier nos actions en vue d'interventions dans cet environnement (voir le tableau 1.1).

1.1 Le rôle, la fonction, l'utilité et la pertinence de la méthode scientifique

La majorité des connaissances que l'on acquiert dans notre vie proviennent de nos expériences personnelles. Cependant, comme nous venons de le voir, ces connaissances personnelles ne constituent pas, de façon générale du moins, des connaissances généralisables. Il faut les examiner avec rigueur une seconde fois avant de tendre vers cette extrapolation. C'est la méthode utilisée qui permet de s'assurer du degré d'« objectivité » de la recherche scientifique. La recherche de l'objectivité constitue le rôle sinon la mission première de la méthodologie scientifique.

TABLEAU 1.1 **La démarche du sens commun opposée à la démarche scientifique**

DÉMARCHE DU SENS COMMUN	*DÉMARCHE SCIENTIFIQUE*

1. Subjectivité
  a) repose sur des impressions
  b) portée immédiate : ce qui est familier
	1. Objectivité, Intersubjectivité
	  a) repose sur des postulats
	  b) portée universelle : corriger et étendre sa perception

2. Évoquer l'évidence en guise de preuve
  a) observation de cas isolés
	2. Examiner une seconde fois avec rigueur
	  a) observation systématique

3. Un seul point de vue hors contexte
  Ex. : Tous les corbeaux sont noirs...
	3. Diversité de points de vue et mise en contexte des données
	  Ex. : Tous les corbeaux que j'ai vus étaient noirs...

4. Croyances populaires et mythes
  a) vérité = intuition, impression
  b) explique le monde selon nos opinions et nos préjugés
	4. Procédure de vérification selon des standards rigoureux
	  a) vérité = lois et principes généraux
	  b) explique le monde par la remise en question de nos hypothèses pour les mettre à l'épreuve

Le concept d'objectivité n'est pas entendu ici comme une abstraction philosophique qui se manifeste par l'absence de parti pris. Gauthier *et al.* (1986) définissent l'objectivité comme « [...] une attitude d'appréhension du réel basée sur une acceptation intégrale des faits (ou l'absence de filtrage des observations autre que celui de la pertinence), sur le refus de l'absolu préalable (ou l'obligation du doute quant à toute conception préexistante) et sur la conscience de ses propres limites. » L'objectivité implique également que l'on puisse reproduire l'observation au moyen de la même méthode.

Cet état de fait signifie par exemple qu'un phénomène observé par une seule personne ne pourrait être l'objet d'une connaissance scientifique. Par conséquent, ce phénomène ne serait pas considéré comme étant objectif. C'est le cas par exemple d'une expérience mystique qui peut être vraie sur le plan personnel mais pas nécessairement vraie au sens de la généralité de cette expérience. Donc, globalement, le rôle fondamental de la méthode scientifique est d'objectiver les actes par des observations et des descriptions. C'est ce rôle qui permet de lier l'observation personnelle à un ensemble de connaissances légitimées et validées.

1.1.1 Le rôle de médiation de la recherche scientifique sur le plan sociétal

Maintenant, reportons-nous dans une perspective plus large, où nous pourrons situer le rôle de la méthodologie scientifique sur le plan sociétal. La figure 1.1 illustre l'importance de la médiation entre dirigeants et dirigés dans la société occidentale contemporaine en comparaison avec la société tribale. Dans les sociétés « tribales », les relations et les communications entre dirigeants et dirigés s'effectuaient oralement et directement. L'accessibilité à l'information était directe et se réalisait par des communications en face à face. Les membres de ces sociétés étaient relativement peu nombreux et tout le savoir se transmettait directement, sans l'intermédiaire de qui que ce soit. On communiquait directement d'un individu ou d'un groupe à l'autre.

Toutes les lois, les obligations, les droits, les us et coutumes, bref, l'ensemble du savoir de la société tribale était reproduit de génération en génération par la tradition orale. Les relations et les communications entre les dirigeants et les dirigés étaient caractérisées par une autorité constamment légitimée, une symbiose dans la vie sociale, un partage identique des expériences par chacun ainsi que le partage du temps et d'un espace identique pour tous. En somme, les communications étaient directes et chacun percevait la même signification « objective » de l'ensemble des messages communiqués. L'évolution des sociétés vers les organisations complexes que nous connaissons aujourd'hui a rendu presque marginales les anciennes communications directes entre dirigeants et dirigés.

FIGURE 1.1 **L'importance de la médiation entre dirigeants et dirigés dans la société occidentale contemporaine versus la société tribale**

SOCIÉTÉ TRIBALE

Dirigeants

NATURE DES COMMUNICATIONS

directe

ACCESSIBILITÉ DIRECTE À L'INFORMATION PAR :
  – face à face
  – orale

POUR :
  petits groupes d'individus

  Reproduction de la société par la tradition orale

CARACTÉRISTIQUES DES RELATIONS

  – autorité perpétuellement légitimée
  – symbiose
  – même partage du vécu
  – communication en temps réel
  – espace identique

Dirigés

SOCIÉTÉ OCCIDENTALE CONTEMPORAINE

Dirigeants

NATURE DES COMMUNICATIONS

médiatisée

ACCESSIBILITÉ DIFFÉRÉE À L'INFORMATION PAR :
  – média de masse
Biais – groupe de support
  – groupe d'intérêt
  – groupe de pression

POUR :
  Masse d'individus

  Reproduction de la société par des conventions écrites de droits

CARACTÉRISTIQUES DES RELATIONS

  – autorité temporairement légitimée
  – spécialisation des fonctions et des connaissances
  – intermédiaire hiérarchique
  – communication en temps réel et différé
  – espaces multiples et distanciation

Dirigés

Dans les sociétés modernes, l'accès à l'information est différé par les médias de masse, les groupes de support, les groupes d'intérêt ou les groupes de pression ou par tout autre intermédiaire. Tous ces « intermédiaires » constituent un biais dans le flux des informations. Cela est d'autant plus vrai que les communications s'adressent à une masse anonyme d'individus. La reproduction de l'ensemble du savoir de la société moderne est déterminée par des conventions écrites de droits (Charte des droits de la personne, Constitution, lois écrites, etc.). Toute cette complexité juridique est appuyée par une autorité sporadiquement légitimée. De plus, la spécialisation des connaissances et des fonctions ainsi que les niveaux hiérarchiques complexifient encore davantage le parcours des messages entre les dirigeants et les dirigés. Qui plus est, la communication s'effectue souvent dans un temps différé et simultanément dans de multiples lieux.

La recherche scientifique est intimement associée à cette évolution des sociétés. Dans les sociétés modernes, elle joue un rôle de médiation sur une très grande échelle entre les nombreux acteurs sociaux et les faits et phénomènes qui sont l'objet de la recherche. La recherche scientifique est une médiation (ou un intermédiaire) parce que la distance qui sépare les acteurs des faits et des événements qui les affectent est beaucoup trop grande. L'accès différé à l'information dans la société moderne est responsable de nombreuses déformations. Une médiation « objective » est nécessaire et c'est là le rôle de la méthodologie scientifique sur le plan sociétal.

Prenons un exemple pour illustrer ce rôle de médiation que joue la recherche scientifique. Quand on se rappelle la très large couverture réalisée par les médias des démonstrations antimilitaristes des années soixante aux États-Unis, il est sans doute surprenant d'apprendre que, parmi la population américaine, ce sont les jeunes qui appuyaient le plus la guerre du Viêt-Nam (Selltiz, Wrightman, Cook, 1977). À cette époque, les médias de masse montraient presque quotidiennement les manifestations des étudiants contre la guerre du Viêt-Nam. Cette large couverture des médias laissait croire aux téléspectateurs que les jeunes manifestaient intensivement contre l'autorité des dirigeants. Cette vision des rapports entre « dirigeants » et « dirigés » était biaisée par les médias de masse. Une recherche scientifique sur ce phénomène a permis d'« objectiver » les faits. Les résultats de cette recherche ont démontré que la plupart des jeunes à cette époque n'étaient pas des étudiants. Les étudiants étaient évidemment répartis dans des centaines de collèges et les manifestations qui ont eu lieu se sont déroulées dans une infime minorité de collèges. De plus, la plupart des étudiants, fréquentant les collèges impliqués, n'ont pas participé à ces manifestations. Bref, vous êtes plus au courant, grâce aux médias de masse, des activités d'une minorité non représentative d'étudiants que des activités de l'ensemble des jeunes Américains.

Ce que nous venons d'expliquer est une description objective, à l'échelle de la société, de la situation des jeunes à cette époque. Dans ce cas, c'est la recherche scientifique qui a permis la médiation parce que la distance entre les individus (les téléspectateurs) et les faits dans leur véritable contexte était trop grande. Le simple bon sens, c'est-à-dire la croyance que les jeunes étaient sur le point de réaliser un véritable soulèvement populaire d'après ce qui se dégageait des messages médiatiques, était trompeur. Il a fallu un deuxième regard, à travers les lunettes du temps de la recherche scientifique, pour situer d'autres aspects de l'événement dans leur contexte.

1.1.2 La fonction de la méthode scientifique

Cela nous amène à discuter de la fonction de la méthode scientifique. Elle vise surtout à fournir des modèles de compréhension. Un modèle est en quelque sorte une représentation simplifiée du processus expliquant un phénomène. Un modèle permet de généraliser des observations, c'est-à-dire que l'on peut, à la suite de l'analyse systématique de certains faits, les faire « entrer » en quelque sorte dans un cadre explicatif. Une des fonctions importantes du chercheur consiste, à partir des observations, à tirer des conclusions lui permettant de généraliser et d'expliquer les phénomènes. Un ensemble de généralisations peut favoriser la conception d'un modèle explicatif.

En sciences de la communication (et en sciences sociales en général), un modèle est une représentation abstraite, idéale, mathématique ou symbolique de la réalité qui fournit une vision simplifiée mais caractéristique d'un phénomène. La construction d'un modèle s'appuie sur les observations des faits et des données statistiques. Le modèle cristallise les liaisons fonction-nelles entre les observations. En résumé, modéliser c'est con-cevoir puis dessiner une image à la ressemblance de l'objet. Le modèle permet donc de représenter le lien entre la forme et la fonction. À ce moment, un modèle peut devenir un outil tangible permettant des interventions réelles. On peut ajouter à cela que la méthode scientifique a la mission de repousser les limites de la connaissance.

Quant à l'utilité et à la pertinence sociale de la méthode scien-tifique, mentionnons en premier lieu l'amélioration de la qualité de la vie. En effet, la recherche scientifique permet de faire ressortir des inégalités et des injustices sociales et économiques. De nombreux exemples peuvent illustrer cela : parmi ceux-ci mentionnons qu'une simple enquête peut démontrer les inéga-lités salariales entre les hommes et les femmes dans un secteur particulier de l'économie. La recherche scientifique est sans doute un instrument de cohésion sociale car elle sert à favoriser une prise de décision optimale et démocratique. Lorsqu'une décision implique d'importantes sommes d'argent et des réfor-mes à moyen terme, on comprend l'utilité primordiale de la quantité et de la qualité des informations nécessaires à la prise de cette décision. Ces informations se structurent par l'utilisa-tion adéquate de la méthodologie scientifique qui permet de prévenir l'apparition de multiples contraintes. Chacun sait que des prises de décisions improvisées, fondées uniquement sur l'intuition, peuvent avoir des conséquences catastrophiques.

1.1.3 L'utilité et la pertinence de la méthode scientifique

Nous démontrerons l'utilité et la pertinence de la méthode scientifique par un exemple précis. Dans la société québécoise, nous connaissons tous le débat social entourant la protection de la langue française. Nous pouvons aborder ce thème de recherche à travers les médias de masse et plus particulièrement celui de la télévision. Plus précisément encore, étudions l'écoute de la télévision de langue anglaise par les Québécois francophones.

Des chercheurs ont réalisé un vaste sondage pour évaluer les habitudes d'écoute des émissions de télévision anglophones et ont constaté que les Québécois francophones consacraient plus de temps à la télévision anglophone de nos jours qu'il y a quelques années. Ce déplacement du nombre d'heures d'écoute vers la télévision anglophone s'est effectué au détriment de la télévision francophone. Ce changement dans les habitudes des téléspectateurs s'est manifesté progressivement et rien ne laisse supposer un revirement de la situation. Après avoir consulté les résultats de cette recherche, le ministère des Communications a pris la décision de commander une étude de faisabilité pour instaurer une nouvelle chaîne privée de télévision francophone au Canada. L'étude a démontré qu'effectivement une nouvelle chaîne française pourrait freiner la progression de l'écoute des émissions de télévision de langue anglaise par les francophones. Il serait même possible d'espérer récupérer une partie des cotes d'écoute au profit des réseaux francophones.

Évidemment, le succès d'une nouvelle chaîne francophone dépend surtout des contenus qu'on y offrirait et de ce qu'y opposeraient les compétiteurs, tant anglophones que francophones. Ainsi, l'implantation d'une nouvelle chaîne s'étant concrétisée, il faudrait, avec l'aide de la méthode scientifique, faire une nouvelle analyse des habitudes d'écoute de la télévision anglophone par les francophones afin de mesurer l'impact de cette implantation. Cet exemple visait à démontrer l'utilité et la pertinence de la méthode scientifique en communication. Si l'on considère la moyenne du nombre d'heures d'écoute (environ 25 heures) de la télévision par semaine dans les foyers au Québec et en Amérique du Nord, tout effort pour favoriser la consommation de contenus culturels télévisés en français est utile et pertinent face à un but politique de protection de la langue française.

Lorsque l'on discute de la recherche scientifique, on ne peut éviter de questionner sa pertinence. Toutes les recherches dites scientifiques ne nous paraissent pas utiles et pertinentes. Imaginons une très grande recherche répartie en cinq volets majeurs qui s'intitulerait : « Histoire de l'évolution des moyens de communication en Amérique : du chemin de fer à la télématique ». Quel est l'utilité de réexaminer l'histoire d'un point de vue communicationnel? Les auteurs de cette hypothétique recherche vous répondront, une argumentation solide à l'appui, qu'il faut manifester beaucoup d'ouverture aux recherches qui font avancer les connaissances même si elles ne sont pas applicables immédiatement. Ce type de recherche relève de la recherche fondamentale qui travaille à élaborer des théories, des modèles, et dont la finalité est la connaissance pure, hors du temps et de l'espace concret. Cela signifie que la recherche fondamentale a pour but premier la compréhension profonde d'un phénomène en dehors de toute préoccupation d'application immédiate. Son but final est l'avancement des connaissances relatives à la compréhension du réel sans égard aux applications pratiques. Ce type de recherche se distingue de la recherche appliquée qui porte sur des problèmes concrets de développement et d'intervention. La recherche appliquée a pour but premier de trouver une application à de nouvelles connaissances. Dans l'exemple précédent, la recherche sur les habitudes d'écoute de la télévision chez les francophones (nouvelles connaissances) a permis l'implantation d'une nouvelle chaîne de télévision francophone (application pratique). Ainsi, le but final de la recherche appliquée est l'*avancement des connaissances relatives à l'intervention immédiate sur la scène socio-économique*.

1.2 Les contraintes de la recherche

L'intérêt et le bien-fondé de la démarche scientifique sont liés aux contraintes de la recherche. Ces contraintes englobent, entre autres, les intérêts personnels du chercheur, ses expériences, sa compétence et les ressources financières qui permettent l'exécution de la recherche. Les ressources financières constituent probablement la contrainte majeure.

La production du savoir se trouve en majeure partie financée directement ou indirectement par les fonds publics et comme la demande de fonds s'accroît à un rythme auquel les gouvernements ne peuvent ou ne veulent s'accorder, des priorités surgissent, des orientations se dégagent et par conséquent des critères s'imposent. Lorsque l'on parle des fonds fournis par les gouvernements, il est surtout question du gouvernement fédéral et du gouvernement provincial. Ce sont les deux paliers de gouvernement qui octroient le plus de fonds pour la recherche. Il se peut qu'à l'occasion le gouvernement municipal ainsi que d'importantes compagnies privées engagent des chercheurs pour effectuer des recherches précises. Certains diront, malheureusement, que la recherche fondamentale doit céder le pas à la recherche appliquée. La recherche fondamentale est utile parce qu'elle permet une vision à plus long terme et plus profonde que la recherche appliquée; elle lui est d'ailleurs souvent préalable.

Dans ce contexte, il n'est pas étonnant de voir se dégager une certaine mode intellectuelle qui impose ou du moins favorise certains types de recherche. Par exemple, dans les années quatre-vingt, le ministère des Communications à Ottawa a octroyé des fonds de recherche aux chercheurs qui présentaient des projets reliés « au virage technologique ». Ce « virage technologique » réfère à l'implantation massive des nouvelles technologies (ordinateur, micro-ordinateur, télématique, messagerie électronique, réseaux locaux, etc.) dans les milieux d'affaires, les bureaux gouvernementaux, les entreprises diverses et les universités. Il y a donc d'une part la nécessité pour le chercheur de s'insérer dans un courant de recherche qui concorde avec les visées des organismes (gouvernements fédéral et provincial, firmes privées) qui subventionnent les recherches et d'autre part, il y a la contrainte de la commande. Par « visées des organismes », on entend la mission de l'organisme ainsi que ses orientations générales, lesquelles sont généralement planifiées pour quelques années. Cela signifie que les recherches doivent s'inscrire dans le créneau des objectifs particuliers de l'établissement. En plus de planifier son développement, tout organisme (université, gouvernement, firme privée) véhicule une idéologie. Par exemple, certaines universités véhiculent l'idéologie de l'excellence et même de l'avant-gardisme par une promotion particulière des études supérieures sur l'ensemble du territoire qu'elles desservent (le Québec). Toute idéologie est aussi accompagnée d'une volonté de projeter une image de l'organisation. Une des constituantes de l'Université du Québec, l'INRS (Institut national de la recherche scientifique) veut favoriser la recherche et le développement des énergies alternatives. Cet établissement d'enseignement et de recherche désire donc véhiculer une image « avant-gardiste » de son établissement. Le chercheur doit composer avec l'ensemble des pressions financières, politiques et idéologiques et il se peut que dans cette optique, les organismes subventionnaires lui commandent une recherche. La commande peut venir, par exemple, du ministère des Communications du Québec qui reconnaît la compétence d'un chercheur ou d'un groupe de chercheurs rattachés à une université ou à un centre de recherche. Il est possible aussi que ce soit l'établissement (université ou centre de recherche) qui perçoive des fonds pour faire avancer un type de recherche en particulier. Dans ce contexte, il est aussi possible que les chercheurs tentent de revendiquer un peu plus d'autonomie vis-à-vis de la direction de leur propre établissement afin de pouvoir choisir le type de recherche qui les intéresse ou encore faire avancer leur propre recherche.

1.3 L'impartialité et la logique de la neutralité comme idéal scientifique

Nous avons vu que le rôle premier de la méthode scientifique était la recherche de l'objectivité comme idéal. On pourrait dire que son idéal absolu est d'être totalement impartiale et d'appliquer la logique de la neutralité.

L'impartialité réfère à ce qui est équitable et juste. Cela peut paraître plus ou moins pertinent d'associer ces concepts à la méthode scientifique, pourtant c'est très important. On peut citer certains livres anciens d'histoire du Canada dans lesquels on évoquait avec éclat les batailles remportées par les Français contre les Amérindiens. On parlait alors de « victoire » tandis qu'une bataille gagnée par les Amérindiens était souvent considérée comme un « massacre ».

Le problème de l'impartialité pourrait se manifester, par exemple, durant une campagne électorale qui opposerait principalement le Parti libéral et le Parti québécois au cours de laquelle la presse écrite publierait, à quelques jours d'intervalle, trois sondages différents. Le premier sondage aurait été effectué par une firme associée au Parti libéral. On annoncerait avec éclat que le Parti libéral possède une solide avance de 18 points (18 %) sur son adversaire. Deux jours plus tard, une autre firme de sondage, publierait, pour le compte de trois quotidiens indépendants, les résultats d'un sondage dans lequel elle mentionnerait que le Parti libéral jouit d'une avance de 13 points. Enfin, trois jours après ce dernier sondage, une firme de sondage associée au Parti québécois publierait à son tour un sondage dans lequel elle annoncerait que l'avance du Parti libéral est réduite à 9 points.

De tels sondages, sauf pour celui de la firme non partisane, même s'ils peuvent être véridiques, laissent croire à un certain « parti pris », c'est-à-dire que ceux qui ont mené ces sondages n'ont pas démontré leur impartialité quant à la conduite de l'enquête et à l'analyse des résultats. Tout en prétendant respecter la rigueur scientifique, il est possible que cette partialité se manifeste soit par des questions piégées, soit par un échantillon biaisé (par exemple et dans un cas extrême évidemment, on aurait choisi bon nombre de membres du parti parmi l'ensemble des individus interrogés). Il est aussi possible que l'on ait fait des inférences douteuses dans l'interprétation des résultats. Une inférence douteuse serait par exemple, le fait d'affirmer que 90 % des gens contactés sont satisfaits des politiques du parti, alors qu'en réalité le seul fait qui soit réel est que 10 % des gens ont manifesté une insatisfaction. Or, ne pas se plaindre ne signifie pas nécessairement que l'on soit satisfait. Il est donc évident que le manque d'impartialité dans ces sondages, lorsque c'est le cas, a pour objectif d'influencer le vote. D'où l'importance de connaître les méthodes utilisées de même que la manière dont elles ont été appliquées pour juger de l'impartialité de ces sondages.

Quant à la logique de la neutralité comme idéal scientifique, cela signifie que l'on doive approcher la connaissance du monde tel qu'il est et non pas tel qu'il devrait être. Cette proposition implique que les valeurs des chercheurs doivent être explicitées et différenciées du processus scientifique puisqu'elles ne peuvent produire qu'une vision biaisée d'un phénomène. Le chercheur ne doit pas confondre les faits et les valeurs car les faits concernent le monde ou l'objet d'étude tel qu'il est et les valeurs concernent ce qui devrait ou pourrait être. Le chercheur doit donc éviter de lier faits et valeurs au niveau de la logique de la méthode scientifique. Les valeurs ont une place centrale dans l'orientation du comportement humain. Elles se manifestent par des préférences et des désirs et elles peuvent alors devenir des faits parce qu'elles se manifestent dans des comportements observables.

La recherche de la neutralité nous conduit à éliminer les interférences possibles par rapport à l'observation du monde réel. Les sources les plus évidentes de distorsions et de biais dans les perceptions du monde réel sont probablement les valeurs. Celles-ci peuvent (sous la forme de préférences ou de désirs) constituer consciemment ou inconsciemment un biais dans l'acceptation intégrale des faits. Gauthier *et al.* (1986) abondent dans ce sens lorsqu'ils affirment que la méthode scientifique : « [...] veut reconstruire fidèlement l'état de l'objet d'analyse et sa situation dans la réalité globale, et non pas l'altérer dans le sens d'une quelconque valeur explicite ou implicite qui déterminerait ce que la réalité doit être ». *La logique de la méthode scientifique considère donc que les valeurs occasionnent des distorsions dans la perception de l'objet et que les explications qui découlent de ces biais seraient souvent plus en accord avec les désirs du chercheur qu'avec la réalité.* Mais attention! Cette dichotomie fait/valeur est beaucoup plus simple en théorie qu'en pratique.

Considérons un exemple. Imaginez un chercheur qui se voit confier par la direction de son entreprise une étude d'impact de l'implantation des nouvelles technologies de bureau dans son organisation. Ce chercheur possède déjà un micro-ordinateur chez lui et il constate qu'advenant le cas où il découvrirait, par son enquête, des attentes positives du personnel quant à l'utilisation généralisée de nouvelles technologies, il bénéficierait lui-même, à sa grande satisfaction, de l'implantation de ces nouvelles technologies de bureau dans son organisation.

Si le chercheur n'est pas suffisamment vigilant par rapport au biais potentiel de ses intérêts dans la recherche, on peut s'attendre à ce que les résultats soient plus en accord avec ses préférences et ses désirs qu'avec la réalité. Il y a plusieurs façons de contourner ce critère de neutralité tout en donnant l'impression de respecter rigoureusement les balises de la démarche scientifique.

Par exemple, si le chercheur fait des entrevues, il peut simplement choisir surtout des individus susceptibles d'être en accord avec lui. Si le chercheur distribue des questionnaires, il peut utiliser des questions dont la réponse doit être inscrite au choix sur une échelle asymétrique allant de « moyennement d'accord » à « tout à fait d'accord ». De cette manière, il n'y aura jamais de « tout à fait en désaccord » dans la compilation des données (cette façon de faire ne résisterait toutefois pas à une analyse rigoureuse de la technique de cueillette des données). Le chercheur peut aussi tenter, subtilement, de convaincre les individus questionnés des avantages de l'utilisation des nouvelles technologies sans que personne ne s'en aperçoive. Enfin, le chercheur peut interpréter les résultats de son enquête en mettant l'emphase sur les aspects positifs tout en atténuant les aspects négatifs.

La raison première de la méthode scientifique est la *recherche de la vérité*. C'est pourquoi l'idéal scientifique se manifeste par l'*impartialité* et la *neutralité*.

1.4 La méthode scientifique et la prévision des phénomènes

Nous venons de voir que la méthode scientifique doit suivre une logique rigoureuse. Cela nous amène à traiter d'une autre de ses caractéristiques : son caractère prévisionnel.

On pourrait illustrer brièvement le processus cyclique de la démarche scientifique de la façon suivante : d'abord il y a l'identification d'un problème à résoudre; puis il y a une consultation des diverses théories pertinentes à ce problème; ensuite on émet une ou des hypothèses ou on pose une question de recherche, c'est-à-dire que l'on appréhende, d'après les différentes théories et la situation du problème, ce que l'on devrait observer; par la suite, on utilise une méthode pour mesurer dans le réel notre objet d'analyse; enfin, on découvre des faits nouveaux que l'on confronte avec les hypothèses de départ.

Ce ne sont pas toutes les recherches qui cherchent à prévoir. En effet, bon nombre de recherches en communication ne vise qu'à comprendre un phénomène ou un événement. Lorsque les chercheurs étudient les effets, les impacts, les fonctions ou la symbolique d'une publicité ou de l'ensemble des messages médiatisés (messages émis par la télévision, la radio, la presse), ils ne veulent pas « prédire » ces effets ou ces fonctions mais ils veulent décoder le « sens » ou la signification de ces messages.

Le caractère prédictif se retrouve uniquement dans la recherche expérimentale. Ce type de recherche se déroule en laboratoire avec des sujets confinés à des tâches très précises. La recherche expérimentale a comme principale caractéristique la manipulation et le contrôle très précis de certaines variables que l'on peut isoler. Sans entrer dans le détail de ce type de recherche, notons que c'est par des contrôles rigoureux de l'expérimentation en laboratoire que l'on peut réellement prévoir les résultats d'une expérience. La réalité sociale des phénomènes de communication ne peut se réduire à des expérimentations en laboratoire.

Par ailleurs, la rigueur que sous-tend l'approche scientifique ne signifie pas que la science considère tout objet, événement ou phénomène d'une manière absolue. Pour faire des prévisions de différents ordres, la méthode scientifique doit recourir à des paradigmes, à des théories, à des propositions ou encore à la loi des probabilités.

La loi des probabilités est un instrument représentant l'exemple idéal pour l'illustration du caractère prévisionnel de l'approche scientifique. Cette théorie a pour objet de mesurer ce que l'on ne peut déterminer avec précision. Cette mesure s'effectue par des calculs visant ce qui est probable selon des principes logiques et cohérents. Son origine émerge de la théorie des jeux de hasard. Certains scientifiques répugnent à l'idée que les phénomènes communicationnels et les comportements humains puissent être étudiés avec les mêmes méthodes que les jeux de hasard. Cependant, il faut comprendre qu'il ne s'agit pas ici de réduire les événements communicationnels à de simples jeux de hasard, mais plutôt de voir dans la loi des probabilités, un instrument pour décrire la variabilité et l'indétermination.

Prenons l'exemple d'une compagnie d'assurance-vie pour illustrer la théorie des probabilités. La prospérité de ces compagnies repose sur des données dans un domaine très imprévisible, celui des décès. Le décès est un événement qui est, dans la plupart des cas, hautement imprévisible à l'échelle individuelle. Toutefois, si l'on prend un ensemble déterminé d'individus, c'est-à-dire les hommes de soixante-cinq ans, il est possible de prédire avec un degré de certitude élevé la proportion de ces hommes qui mourront avant leur soixante-quinzième anniversaire. Cette prédiction peut être déduite de l'analyse de la régularité des décès chez les hommes de ce groupe d'âge depuis les dix dernières années. Dans cet exemple, la prédiction sert à mesurer la régularité qui apparaît lorsque l'on observe des événements imprévisibles dans un ensemble que l'on étudie.

Le caractère prédictif de la démarche scientifique se manifeste lorsque le chercheur décide de l'orientation précise de sa recherche, c'est-à-dire lorsqu'il émet une ou des hypothèses. Nous examinerons d'ailleurs dans la deuxième partie du cours, les caractéristiques d'une hypothèse de recherche. Nous verrons alors qu'elle est une affirmation plausible qui présente une relation entre deux ou plusieurs variables. Le fait de présenter une relation entre deux variables consiste justement à prévoir l'effet de la variable « X » sur la variable « Y ». La prévision est l'aboutissement de la réflexion théorique sur un problème. Elle permet essentiellement de vérifier comment les généralisations seront rendues opératoires dans une nouvelle situation.

1.5 La méthode scientifique et la reproduction de la recherche

Comme on peut le constater jusqu'à maintenant, la méthode scientifique impose un certain nombre de règles et de conventions. Une des conventions les plus importantes qui confère à une connaissance son caractère scientifique est que l'on puisse en quelque sorte répéter le processus conduisant à la découverte. Cela signifie que le même chercheur ou d'autres chercheurs soient capables de refaire l'observation, reprendre le raisonnement et confronter de nouveau l'hypothèse et les faits. Le cadre méthodologique doit permettre d'avoir des données utilisables pour toute autre recherche. La reproduction d'une recherche peut donc être observée selon le point de vue suivant : l'utilisation de plusieurs méthodes sur un même objet d'étude permet de reproduire l'analyse d'un même objet d'étude.

Reproduire une recherche, c'est d'abord la soumettre à la vérification. Cela peut se faire, comme nous venons de le voir, par diverses approches méthodologiques du même objet d'étude et par plusieurs investigateurs. La vérification d'une recherche peut aussi s'effectuer, comme dans le cas de la méthode expérimentale, par la reproduction de la même méthode sur le même objet d'étude par un autre chercheur (ce qui n'est pas toujours possible, car la recherche sur les humains influencent les sujets). Dans les deux cas, les chercheurs en arrivent à la possibilité de généraliser des faits, des observations directes ou encore des conséquences déduites des observations. Reproduire une recherche, c'est aussi fournir une deuxième preuve de ce qui a été avancé dans les hypothèses. Nous donnerons un exemple pour démontrer l'importance du caractère reproductible d'une recherche.

Imaginons une étude sur la communication organisationnelle. L'importance de la communication au sein de l'organisation est aujourd'hui universellement reconnue. C'est essentiellement en communiquant que les membres d'une organisation échangent l'information dont ils ont besoin pour effectuer leur travail, prendre des décisions et faire en sorte que ces décisions se transforment en action.

L'exemple que nous voulons utiliser ici est une étude sur les réseaux de communication. Un réseau est entendu comme l'ensemble des voies par lesquelles circulent les messages à travers l'organisation. Cette recherche vise à connaître quels sont les réseaux qui sont le plus fréquemment utilisés par les cadres supérieurs pour envoyer deux catégories précises de messages aux contremaîtres de l'usine. Imaginons que l'organisation est une entreprise qui fabrique des chaussures. Donc, ces deux catégories de messages sont les suivantes : les messages qui concernent spécifiquement le produit, son contenu et sa fabrication (par exemple : « le cuir utilisé pour la confection de la nouvelle série de souliers de course « super marathon » doit être découpé uniquement par la machine ZX22-B »); les messages qui concernent, entre autres, les sentiments et les attentes des employés et des employeurs ainsi que leur degré de satisfaction au travail (par exemple : « Félicitations aux employés de la section 4 pour la qualité exceptionnelle de leur travail durant la semaine qui a précédé les vacances annuelles »).

Ainsi, un jour, un éminent chercheur rencontre quelques cadres supérieurs de cette manufacture de souliers. Après avoir expliqué le but de sa recherche (tout en mentionnant que celle-ci serait publiée dans une importante revue), le chercheur établit son plan de travail et décide d'utiliser la méthode de l'entrevue. Après avoir interrogé quelques cadres supérieurs et quelques contremaîtres et après avoir visité l'usine et les bureaux, il analyse ses entrevues, puis il les interprète et finalement il rédige son rapport.

Les résultats de la recherche indiquent que les messages liés à la production sont indirectement acheminés au contremaître à travers la structure hiérarchique de l'organisation soit par affichage dans le département, soit par l'intermédiaire des cadres moyens. Par contre, les messages relatifs aux contacts humains sont directement acheminés aux contremaîtres par téléphone ou parfois de personne à personne. Voilà donc en résumé les résultats de cette recherche.

Cependant, quelques mois plus tard, deux chercheurs sceptiques quant aux résultats de cette recherche décident de la reproduire afin de vérifier s'il est justifié de généraliser ces observations. Ils utilisent pour cela une méthode différente. Les deux chercheurs émettent l'hypothèse que les cadres supérieurs, de connivence avec les contremaîtres, ont fourni de fausses informations au chercheur afin de donner une bonne image de leur entreprise. On voulait montrer que les relations étaient excellentes entre les supérieurs et les subordonnés surtout parce que l'on savait que les résultats de la recherche seraient publiés dans une prestigieuse revue. Il est effectivement avantageux pour les patrons qu'une recherche démontre qu'ils demeurent très près de leurs employés. Les patrons savent que d'autres dirigeants d'entreprises et des dirigeants de syndicats peuvent éventuellement lire les résultats de la recherche et montrer à tous que cette entreprise qui fabrique des chaussures est un véritable modèle en ce qui concerne la qualité des relations de travail. De plus, on peut penser que le fait de donner des détails sur le réseau de messages lié à la production pourrait fournir des informations précieuses aux compétiteurs.

Les deux chercheurs ont donc refait une étude dans cette entreprise. Plutôt que de réaliser des entrevues avec les dirigeants et les contremaîtres comme l'avaient fait les chercheurs précédents, ils ont décidé de faire de l'observation participante. L'observation participante consiste à s'intégrer dans les activités quotidiennes des acteurs de l'organisation et à observer, tout en prenant des notes, leurs agissements et leurs comportements communicationnels. Les chercheurs ont prétendu vouloir étudier les différentes formes communicationnelles (téléphone, mémo, lettre, face à face, etc.). De plus, les chercheurs ont prétendu être des étudiants de premier cycle à l'université. En simulant être des étudiants, ils devenaient moins crédibles aux yeux des supérieurs car ceux-ci les considéraient comme de simples apprentis qui tentent d'apprendre les rudiments de la recherche scientifique. Les supérieurs n'avaient donc aucune raison de se méfier, c'est-à-dire qu'ils n'avaient pas à entrer dans le jeu « du gestionnaire idéal dans ses relations avec les employés ». Toutefois, nous verrons plus tard que ce type d'approche comporte des choix éthiques importants.

Les chercheurs sont arrivés à des résultats opposés à ceux de leurs prédécesseurs, c'est-à-dire qu'ils ont réalisé par leurs observations que les messages concernant la production étaient directement acheminés vers les contremaîtres et que les messages relatifs aux contacts humains transitaient par l'intermédiaire des cadres moyens à travers différents départements.

Cet exemple démontre l'importance de pouvoir reprendre une étude afin de vérifier l'exactitude des résultats. Dans ce cas-ci, les chercheurs ont remis en question la véracité des informations recueillies dans la première étude en relevant des observations contradictoires aux résultats de l'étude précédente. Ils ont constaté un manque de validité évident des données de la première étude puisque les cadres supérieurs ainsi que les contremaîtres avaient plus à cœur l'image positive de l'entreprise que le caractère objectif des informations.

CONCLUSION

Dans ce premier chapitre, nous avons abordé les caractéristiques de la recherche scientifique. Nous avons d'abord fait la distinction entre la démarche scientifique et le sens commun, c'est-à-dire les croyances, les stéréotypes, bref la vision impressionniste des phénomènes reliés à l'expérience personnelle. Nous avons par la suite analysé la recherche d'objectivité et le rôle de médiation que l'on confère à la méthode scientifique. Nous avons vu sa fonction qui consiste surtout à fournir des modèles de compréhension pour ensuite spécifier son utilité.

Après avoir entrevu les diverses contraintes de la recherche, nous avons souligné que l'idéal scientifique visait l'impartialité et la logique de la neutralité. Nous avons aussi démontré que, pour la recherche expérimentale, la prévision permet de faire progresser les recherches alors que pour la majorité des recherches en communication, l'objectif est de comprendre les significations des phénomènes. Enfin, pour pouvoir vérifier en quelque sorte l'application de toutes ces caractéristiques, il doit être possible de les reproduire ou de réutiliser des données afin de s'assurer de la justesse de la méthodologie utilisée ainsi que du résultat obtenu.

Tout au long des chapitres suivants, nous reviendrons fréquemment sur l'ensemble des caractéristiques de la méthode scientifique, pour les préciser ou en donner des exemples.

Nous poursuivrons le cours en abordant dans le prochain chapitre quelques notions élémentaires d'épistémologie. L'épistémologie est l'étude critique des sciences; elle permet de déterminer leur origine logique et leur portée. Il est nécessaire de posséder quelques notions de base en épistémologie afin d'être critique et vigilant concernant les différentes applications de la méthode scientifique.

Lecture suggérée

GAUTHIER, B. (1984), les pages 1 à 45 définissent bien ce qu'est la recherche et donnent un aperçu de la sociologie de la connaissance.

Note : *En vous référant à la bibliographie, à la fin de ce document, vous trouverez pour chacun des chapitres des références bibliographiques.*

CHAPITRE

2

QUELQUES NOTIONS D'ÉPISTÉMOLOGIE

OBJECTIF

Familiariser l'étudiant avec quelques notions d'épistémologie. Lui faire prendre connaissance des principales écoles épistémologiques et des paradigmes dominants en sciences de la communication.

INTRODUCTION

L'épistémologie est l'étude, d'un point de vue philosophique, de la science. Elle étudie les fondements et les postulats qui sous-tendent les démarches visant à connaître et à appréhender la réalité. L'épistémologie, c'est également l'étude critique des prin-cipes, des hypothèses et des résultats des diverses sciences dans le but de déterminer leur origine logique, leur valeur et leur portée objective. Grawitz (1984) précise qu'au sens strict, l'épistémologie est une étude critique réalisée *a posteriori*, axée sur la validité des sciences considérées comme des réalités que l'on observe, décrit et analyse. Globalement, l'épistémologie étudie la recherche scientifique et son produit : la connaissance scientifique.

Ce chapitre présente quelques notions d'épistémologie; il n'a pas pour but d'approfondir l'épistémologie mais simplement de souli-gner son importance dans la recherche scientifique. Dans un premier temps, nous tracerons un bref historique de la méthode scientifique et discuterons de sa « testabilité » et de sa portée. Ensuite, nous examinerons deux concepts majeurs, indispensa-bles à la compréhension de la méthode scientifique concernant la façon dont on appréhende la réflexion scientifique : par raison-nement *inductif* ou par raisonnement *déductif*. Nous ferons par la suite un rapide survol des principales écoles épistémologiques de la communauté scientifique moderne (l'empirisme, le positivisme, l'évolutionnisme et le révolutionnisme). Nous privilégierons l'école révolutionniste pour situer les approches en sciences de la communication. Cette école postule que l'histoire des sciences se construit à travers des révolutions scientifiques qui débouchent sur des paradigmes. Ce sont quelques paradigmes dominants qui orienteraient les approches en sciences de la communication.

1. UN BREF HISTORIQUE DE LA MÉTHODE SCIENTIFIQUE

L'idée de « méthode » est ancienne mais celle d'une méthode générale l'est beaucoup moins. Bunge (1983) définit la méthode scientifique comme un « procédé régulier, explicite, et reproductible pour atteindre quelque chose de matériel ou de conceptuel ». Cette conception de la méthode scientifique serait apparue au cours de la période classique grecque avec la méthode d'Archimède pour le calcul des figures planes à bords courbes.

Le concept de méthode scientifique dans sa forme moderne remonte au 17e siècle. C'est à cette époque que naît la science moderne avec des penseurs d'envergure qui ont fortement marqué la science tels que Descartes et Bacon. Pour Bacon, la méthode scientifique est un ensemble de règles permettant d'observer les phénomènes et d'en tirer des conclusions. Ces règles étaient très simples et il fallut attendre la parution du « Discours de la méthode » de René Descartes (1637), le fondateur du rationalisme, pour approcher la méthode par l'analyse et la déduction.

À cette époque, on a vu surgir certaines croyances douteuses quant à la nature de la méthode, comme par exemple la méthode de l'invention suggérée par Leibniz (fin du 17e siècle) et qui ne fut jamais inventée! Cette attitude constituait une forme de « méthodolâtrie ». Cette expression de Bunge (1983) signifie qu'à cette époque, on croyait que l'utilisation d'une méthode et de son application ne réclamait ni talent ni préparation approfondie préalable. La « méthodolâtrie » était caractérisée par une croyance de la méthode dénuée de tout sens critique.

La science moderne naît en marge de ces *a priori* philosophiques. On considère Galilée (1564-1642), mathématicien, physicien, astronome italien, comme le père de la science moderne. Galilée ne s'arrête pas à l'observation pure, ni à la conjoncture arbitraire; il est le premier qui propose des hypothèses et les soumet à l'épreuve expérimentale. C'est alors que naît la méthode scientifique moderne. Depuis Galilée, de nombreuses modifications et renforcements ont été introduits dans la méthode scientifique. Le contrôle statistique des données est l'un d'entre eux. Aujourd'hui, la communauté scientifique reconnaît la diversité des théories, du fait que celles-ci sont devenues plus raffinées et plus spécialisées. Par contre, cette même communauté est devenue plus exigeante en ce qui concerne la qualité des données empiriques obtenues au moyen de méthodes de collecte de données. Le fardeau de la preuve repose désormais sur la véracité des faits appuyant l'argumentation et la démonstration.

1.1 « Testabilité » empirique et théorique

Les théories modernes en sciences pures, en sciences appliquées et en sciences sociales sont si compliquées qu'elles sont souvent difficiles à comprendre. Les sciences pures sont les sciences pratiquées sans préoccupation d'application technique comme les mathématiques. Les sciences pures correspondent à la recherche fondamentale. Elles servent à vérifier notre conception et notre compréhension du monde. Les sciences appliquées sont les sciences orientées vers des réalisations concrètes (souvent de nature technique). Les sciences appliquées permettent de créer et d'évaluer des moyens d'action adaptés à la réalité pratique quotidienne. Cependant, pour juger de la scientificité d'une démarche de recherche, on ne doit pas se restreindre uniquement aux seules données empiriques, on doit analyser aussi la recherche théorique. La « testabilité » empirique signifie qu'une hypothèse ou une question de recherche doit être associée à des données issues de l'expérience et de l'observation. Si, par exemple, on demande à des gens de nommer les sujets ou les événements les plus importants dans la société et qu'ils énumèrent, pour la très grande majorité d'entre eux, ceux qui sont présentés à la télévision et ce, dans le même ordre de priorité, on peut, à partir de ces données expérientielles (80 % des gens énumèrent les mêmes sujets que les médias ont présentés et dans le même ordre), émettre une hypothèse selon laquelle les médias établissent l'ordre de priorité sociale pour les membres d'une société donnée. Cette hypothèse peut être testée avec les données empiriques puisque 80 individus sur 100 reprennent les mêmes événements que les médias et dans le même ordre.

La « testabilité » théorique fait intervenir des théories déjà testées ou testables empiriquement. Si vous émettez l'hypothèse que les médias peuvent inciter les gens à faire n'importe quoi, cette hypothèse risque d'être réfutée si vous la soumettez à la « testabilité » théorique. En effet, la théorie de la toute puissance des médias a été remplacée par une théorie des effets relatifs des médias, c'est-à-dire que ceux-ci peuvent influencer les gens mais dans certaines conditions seulement. Votre hypothèse ne résiste donc pas à la « testabilité » théorique. On peut aussi ajouter que d'une façon générale, quand une hypothèse ou une théorie propose des généralités, il devient presque impossible de la tester.

Il est évident que de prime abord, une idée considérée comme scientifique doit être testée, mais cette condition bien que nécessaire n'est pas suffisante. Pour être légitimée, une idée ou une hypothèse doit être compatible avec l'ensemble du savoir scientifique. Cela signifie que les éléments constituants d'une hypothèse doivent référer à des connaissances théoriques reconnues par la communauté scientifique. Cette compatibilité entre une hypothèse et un savoir scientifique constitue une condition de « testabilité » théorique.

On peut dire que ce qui sépare les hypothèses et les théories scientifiques de celles qui ne le sont pas n'est pas la testabilité à elle seule, mais la testabilité et la compatibilité avec l'essentiel du savoir scientifique reconnu. Par exemple, l'astrologie est considérée comme une pseudo-science parce que d'une part, elle ne peut pas être testée empiriquement et que d'autre part, et c'est la raison majeure, elle est incompatible avec les critères établis par la communauté des astrophysiciens scientifiques.

En résumé, pour ce qui est de la méthodologie scientifique, l'épistémologie fournit des critères basés sur la logique formelle pour évaluer la scientificité des projets de connaissance (théories, méthodes, systèmes de représentation) que nous construisons. On peut donc conclure sur la notion de testabilité en affirmant que la science progresse réellement par l'interaction multiple et continue entre l'objet recherché, les hypothèses (ou questions de recherche), les théories et les données obtenues.

1.2 La portée réelle de la méthode scientifique

Il est important de comprendre que la méthode scientifique n'est ni miraculeuse, ni d'une portée aussi courte que veulent nous le faire croire ses détracteurs. La méthode scientifique n'est ni plus ni moins, comme l'illustre Bunge (1983), que « la façon de faire de la bonne science ». Cela est vrai autant pour les sciences naturelles, que pour les sciences sociales, les sciences pures ou les sciences appliquées.

Les humains ont inventé une multitude de procédés pour construire des objets très complexes et pour atteindre un niveau conceptuel très élevé. Lorsque ces procédés sont énoncés de façon explicite, formelle, nette, claire et précise, on les nomme généralement méthodes (ou ensemble de règles). Cependant, il faut bien comprendre que toutes les activités intellectuelles ne constituent pas un ensemble de règles en soi. Il n'y a et il n'y aura probablement jamais de méthode permettant d'inventer des idées ou des objets.

Il n'y a pas non plus de méthode pour l'investigation de tout et de n'importe quoi. Il existe des méthodes scientifiques qui sont efficaces mais elles ne correspondent pas automatiquement à un ensemble de recettes exhaustives et infaillibles. Autrement dit, il n'y a pas de recettes pour la recherche, il n'y a que des stratégies de recherche.

La méthode dicte des façons concrètes d'organiser la recherche particulière. La méthode est constituée de l'ensemble des opérations intellectuelles par lesquelles une discipline cherche à atteindre les vérités qu'elle poursuit afin de les démontrer et de les vérifier.

Dans le cadre de ce manuel, nous étudierons la méthode scientifique à l'œuvre dans les sciences de la communication. Puisque la méthode scientifique est la manière de mener des recherches scientifiques, elle peut difficilement s'étudier en dehors du contexte de ces dites recherches. On peut même modifier ou adapter une méthode au fur et à mesure que l'on réalise une recherche spécifique.

Il faut donc, en mettant la méthode scientifique à l'œuvre dans les sciences de la communication « entrer en matière », c'est-à-dire traverser le pont qui relie la théorie à la pratique. Ainsi, il ne suffit pas de lire le contenu d'une méthode dans un manuel pour pouvoir la comprendre, il faut l'expérimenter concrètement. C'est à ce moment que l'on peut saisir une méthode (dans le contexte de son objet d'étude) et l'analyser. Alors que la théorie définit le « pourquoi » d'une recherche, la méthode en définit le « comment ».

Le scientifique qui plonge dans une recherche s'imprègne de certaines connaissances afin de choisir son sujet d'étude et d'envisager la manière de l'étudier. La méthode scientifique permet d'ordonner, de préciser et d'enrichir ces connaissances. La méthode forme, elle n'informe pas.

2. LES RAISONNEMENTS INDUCTIF ET DÉDUCTIF

La démarche de réflexion est en quelque sorte le moteur du processus de fonctionnement et d'application de la méthode scientifique. À la suite de plusieurs spécialistes de la méthode scientifique, Ouellet (1981) décrit la méthode scientifique selon une approche systémique, c'est-à-dire en présentant tous les éléments du processus de recherche comme étant inter-dépendants. Dans cette optique, il considère que les trois éléments fondamentaux de la méthode scientifique sont l'*in-duction*, l'*hypothèse* et la *déduction*. Ces trois éléments consti-tuent un processus de va-et-vient entre les propositions et les faits, ou si l'on veut, un dialogue entre la théorie et la pratique. Nous examinerons donc les caractéristiques des raisonne-ments inductif et déductif.

2.1 Le raisonnement inductif

La démarche du raisonnement inductif est le contraire de celle du raisonnement déductif. Prenons l'exemple suivant : vous suivez régulièrement quelques téléromans et quelque chose que vous ne parvenez pas à identifier vous agace de plus en plus dans le comportement des personnages. Puis un jour, vous êtes stimulé par une forte intuition et vous rassemblez l'ensemble des indices sur ce « quelque chose qui vous agace » et puis vous faites le constat que tous les téléromans véhiculent un ensemble de valeurs qui correspondent d'après vous à des « valeurs dépassées », c'est-à-dire un ensemble de valeurs typiques des préoccupations des années soixante-dix. Par exemple, la femme au foyer com-mence à manifester son désir de travailler à l'extérieur. Il est aussi timidement question de famille monoparentale, etc. Vous savez qu'aujourd'hui ces deux phénomènes sont répandus et socialement acceptés. Vous concluez en affirmant que les valeurs véhiculées dans les téléromans ne correspondent pas aux valeurs actuelles de la société. Le raisonnement que vous venez de faire est un raisonnement inductif.

L'induction, dans son sens premier, signifie que l'on procède d'abord par l'observation de faits particuliers. L'induction pro-cède par le passage du particulier au général. L'induction est une opération mentale qui consiste à remonter des *faits à la loi*. Le chercheur qui utilise le raisonnement inductif fait en quel-que sorte une extrapolation, c'est-à-dire qu'à partir de l'obser-vation de quelques expériences, il induit une formule ou une proposition générale. Le raisonnement inductif, c'est donc tirer des conclusions à partir des données réelles. C'est Aristote qui a introduit le mot « induction ». Son sens a évolué et actuellement ce mot désigne, en sciences expérimentales, le procédé qui consiste à s'élever de l'observation des faits à l'hypothèse d'une loi explicative.

Le raisonnement inductif ne constitue pas vraiment une méthode. Il n'y a pas de règles ou de recettes pour passer du particulier au général. Le fait de remonter de certains indices à des faits se réalise souvent par l'intuition et un bon sens de l'observation. C'est l'induction qui est en quelque sorte le raisonnement à l'origine de l'empirisme, approche qui s'appuie sur l'expérience. Selon cette approche, toutes nos connaissances sont le résultat d'acquisitions et d'expériences.

Dans le processus scientifique, *l'induction précède l'hypothèse*. En fait, l'hypothèse constitue le lien naturel entre l'induction et la déduction. La nature du raisonnement inductif est la base même de la déduction et elle fonde aussi toute connaissance déductive. C'est donc l'induction qui permet de généraliser vers l'universel. En effet, à partir d'un certain nombre de choses ou de faits particuliers, observés et associés entre eux, l'observateur énoncent des hypothèses générales soulignant la probabilité que de telles associations se manifestent en d'autres occasions. Les généralisations deviennent alors sources de déductions et de prévisions. Autrement dit, le raisonnement inductif repose sur des probabilités et la généralisation des faits observés sert à valider des hypothèses et à élaborer des théories.

2.2 **Le raisonnement déductif**

Pour illustrer la déduction, nous reprendrons le même genre d'exemple que celui que nous avons utilisé pour l'induction. Imaginez que vous lisez un article sur une recherche traitant des messages médiatisés. La description des résultats démontre que l'on peut théoriquement affirmer que les séries télévisées américaines véhiculent des stéréotypes et des croyances qui évoluent très lentement par rapport à la pratique sociale. Vous pouvez alors déduire des hypothèses à partir de cet élément théorique. Par exemple, vous émettrez l'hypothèse que le contenu des téléromans québécois véhiculent des idéologies et des valeurs qui ne sont pas représentatifs de la société actuelle car celle-ci

54

évolue plus rapidement que les valeurs véhiculées par les téléromans. Vous venez d'énoncer un raisonnement déductif.

À l'inverse du raisonnement inductif, le raisonnement déductif trouve sa source dans des formulations générales et universelles dont on tire des hypothèses pour analyser et comprendre des cas particuliers. La déduction est un type de raisonnement direct, progressif et rigoureux. La déduction, c'est le passage de l'universel au particulier puisque le chercheur déduit des hypothèses à partir de théories. Donc, la déduction consiste à raisonner à partir de théories dont on tire une ou des hypothèses que l'on applique à un cas particulier.

Le raisonnement déductif permet aussi d'établir un lien entre les faits. On peut établir des liens entre des faits bruts et la théorie. De ces liens naîtra un fait scientifique. Le mécanisme de raisonnement logique inhérent à la déduction possède la caractéristique de tirer des conclusions à partir d'antécédents et de faits conséquents. Toutefois, la déduction ne fait pas nécessairement appel au principe de la causalité. Il se peut que l'on observe des phénomènes qui s'accompagnent régulièrement, sans pour autant que l'un ne cause nécessairement l'autre. Le raisonnement déductif permet dans ce cas d'expliquer la relation entre les phénomènes par la fréquence de leur apparition simultanée.

Dans le raisonnement déductif, le chercheur se demande quelles sont les conséquences de la théorie ou quelles sont les implications spécifiques d'une théorie générale sur tel ou tel objet de recherche. Ce type de raisonnement sert donc à dégager des attentes ou des tendances à partir d'une théorie. C'est Kant (1788) qui le premier a montré clairement que le raisonnement déductif permet de partir de principes généraux et d'en tirer des connaissances tout à fait nouvelles (les conclusions).

Le processus de réflexion dans la méthode scientifique inclut souvent l'induction, l'hypothèse (dont il sera question dans la deuxième partie du cours) et la déduction. L'induction se juge à partir de la validité des rapports entre les propositions expérimentales conçues comme prémisses (c'est-à-dire comme point de départ) et la découverte d'une loi naturelle en conclusion. La déduction se juge à partir de la logique qu'elle établit entre des propositions constitutives d'une théorie. La déduction est un

raisonnement rigoureux alors que l'induction est un raisonnement dont la conclusion n'est que probable (voir tableau 2.1).

TABLEAU 2.1 **Comparaison du raisonnement inductif et
du raisonnement déductif**

INDUCTION	*DÉDUCTION*
1. Raisonner à partir des faits vers une loi : a) du particulier au général b) vers l'hypothèse par observation et intuition c) pas de règle ou de méthode.	1. Raisonner à partir des théories vers une hypothèse pour un cas précis : a) du général au particulier b) vers l'hypothèse par observation et analyse c) raisonnement direct, progressif et rigoureux.
2. Les conclusions reposent sur des probabilités.	2. Les conclusions reposent sur un raisonnement rigoureux.
3. Se juge par la validité des rapports entre les propositions conçues comme prémisses vers une loi naturelle.	3. Se juge par la logique qu'elle établit entre des propositions constitutives d'une théorie.

Après avoir défini quelques concepts importants concernant le
processus de la méthode scientifique, nous élargirons notre
point de vue jusqu'aux grandes perspectives philosophiques qui
abordent l'objet scientifique. Pour cela, nous ferons un survol des
principales écoles épistémologiques : l'*empirisme*, le *positivisme*,
l'*évolutionnisme* et le *révolutionnisme*. Nous terminerons le chapitre en présentant quatre paradigmes dominants (concepteurs
de la connaissance) en communication.

3. SURVOL DES PRINCIPALES ÉCOLES ÉPISTÉMOLOGIQUES

Les principales écoles épistémologiques présentent des perspectives différentes de l'objet scientifique. Chaque école préconise
en quelque sorte sa manière d'observer, d'analyser et d'interpréter
la réalité.

Nous présenterons donc les quatre grandes écoles épistémologiques suivantes : l'empirisme, le positivisme, l'évolutionnisme
et le révolutionnisme. Cette liste n'est évidemment pas exhaustive mais elle répond néanmoins aux objectifs de ce cours.

3.1 L'empirisme

Dans son sens très courant, le mot « empirisme » signifie : usage
exclusif de l'expérience, sans théorie et même sans raisonnement. À la base de l'empirisme, il y a le raisonnement inductif.
Rappelons que ce raisonnement part de l'observation des faits et,
grâce à l'intuition, s'oriente d'une manière probabiliste vers une
loi générale. Cependant au-delà du sens souvent péjoratif attribué
à ce mot, l'empirisme est une doctrine philosophique. Il ne s'agit
assurément pas dans cette école de constituer une science sans
théorie, mais plutôt de proposer que toutes nos connaissances
sont issues de l'expérience.

Le postulat philosophique de l'empirisme s'oppose à celui de
l'innéisme. L'innéisme considère que la connaissance découle de
principes innés, qui constituent la structure même de l'esprit.
L'innéisme croit que l'entendement lui-même est indépendant
des données des sens. Pour les empiristes, au contraire, rien
dans la connaissance humaine n'est véritablement donné *a
priori*. Pour eux, les principes de l'entendement et de la raison
résultent de l'expérience. L'esprit est second par rapport à la
nature et la connaissance humaine est le fruit de l'apprentissage.
Le propre de l'empirisme est de s'efforcer de découvrir dans
l'ensemble des données provenant de l'expérience, les conditions
d'émergence de ces données.

La relation causale (de cause à effet), par exemple, que l'on peut
observer dans certains phénomènes s'explique à partir de l'expérience acquise par le sujet. Les faits que nous présente
l'expérience externe font naître en notre esprit des associations
habituelles, capables d'engendrer des inductions spontanées.
C'est la répétition des successions qui développe en nous l'habitude d'attendre le second terme lorsque le premier est donné :
si je mets une bouilloire sur le feu, je m'attends à voir bouillir l'eau
parce que j'ai toujours constaté que l'eau placée sur le feu entre
en ébullition. La raison, et ses principes, naissent ainsi de

l'expérience. Tel est, entre autres, un exemple du fondement de la philosophie empiriste.

L'école empiriste imprègne les théories de sa vision. On peut dire d'une théorie qu'elle est empiriste si elle invoque, à titre explicatif, des données indépendantes de toute élaboration intellectuelle, logique ou verbale. Pour l'école empiriste, c'est toujours une « expérience », interne ou externe qui constitue la norme souveraine de la vérité. On peut donc appeler empiriste toute philosophie selon laquelle la connaissance naît de l'expérience, en découle dans ses principes mêmes, et doit s'y référer pour prétendre à la vérité scientifique.

Pour l'empirisme, la preuve tire son origine, directe ou indirecte, des organes sensoriels normaux de l'être humain. Aucune autre sorte de preuve n'est admissible. Les individus, par exemple, peuvent voir une émission de télévision mais pas un neutron. Mais ils peuvent voir les neutrons indirectement, par l'examen des impressions photographiques des trajets que ces derniers suivent. L'empirisme ne peut expliquer les ovnis (objet volant non identifié), car même si certains individus prétendent en avoir observés, on ne peut d'aucune manière (jusqu'à aujourd'hui du moins) en faire une observation systématique. L'empirisme postule que toute personne normale doit être en mesure de faire les mêmes observations, ce qui n'est pas le cas avec les ovnis. Par conséquent, l'empirisme permet l'élaboration de théories scientifiques sur le contenu des émissions de télévision et les neutrons mais pas sur les ovnis.

L'empirisme est donc l'orientation selon laquelle les connaissances s'acquièrent par la pratique, l'expérience et l'observation. Cette école est catégorique lorsqu'il s'agit de connaissances scientifiques : pour elle, la seule preuve valable est celle qui s'appuie sur des données observables et mesurables. Ces données doivent provenir des sens et toute personne normale doit être en mesure de faire les mêmes observations.

Pour qu'il soit justement possible pour d'autres individus de faire les mêmes observations, un chercheur empiriste attachera beaucoup d'importance à la description des détails dans l'exécution d'une expérimentation pour que d'autres puissent éventuellement reproduire les données qui en résulteront.

Mentionnons aussi que le chercheur empiriste peut développer des outils d'observation afin de mieux saisir les éléments de la réalité. Le chercheur empiriste utilisera des enquêtes, par exemple, comme outil d'investigation du quotidien. L'idée de réaliser des enquêtes, c'est-à-dire de chercher dans la réalité des éléments plus précis et plus objectifs que de simples impressions, est typique de l'empirisme.

3.2 Le positivisme

Pour le positivisme, c'est l'observation systématique qui permet la théorisation et la détermination des faits. L'observation est possible uniquement si elle est dirigée et interprétée par une théorie qui elle-même est élaborée à la suite d'observations systématiques.

Auguste Comte (1798-1857) est le plus illustre représentant du positivisme. Comte est aussi le père de la sociologie. Le positivisme n'est pas l'apanage de la sociologie mais ce qu'apporte la sociologie, c'est le point de vue social, qui pour Comte, est incontournable. Pour lui, tout « le réel » appréhendé par l'esprit humain comporte inévitablement une part de social. Comte affirme que notre entendement dépend simultanément de l'histoire naturelle et de l'histoire sociale. C'est avec la venue de la sociologie que la doctrine positiviste renverse la classification des sciences jusque-là tenue sous l'empire des mathématiques.

Alors que les mathématiques constituent la science modèle du passage du concret à l'abstrait, le positivisme étudie le passage de l'abstrait au concret par l'entremise, entre autres, de la sociologie. Le positivisme épistémologique sous-entend que nos connaissances sont limitées et par conséquent, il exige que la science parte de faits observables.

Pour le positivisme, n'a de sens et n'est intelligible que ce qui est vérifiable ou susceptible de vérification scientifique. Pour Comte, il n'y a de science que positiviste et celle-ci se fonde exclusivement sur des faits observés. Plus précisément, l'observation sur la base d'une hypothèse coordonne les divers éléments que sont les faits spécifiques et définit ainsi la science positiviste. Le positivisme envisage les théories, de quelque ordre d'idées qu'elles soient, comme ayant pour objet la coordination des faits observés. C'est en établissant entre les faits un enchaînement réel que l'on peut construire « une théorie objective ». De plus, la conséquence du positivisme épistémologique est le concept de progrès. Le progrès ne se réalise qu'en observant les faits, ce qui rend possible l'extraction des lois du monde observable nous permettant, si on applique ces lois, de progresser socialement.

Comte affirme que la méthode objective des sciences de la nature trouve son complément dans la méthode subjective des sciences sociales desquelles dépendent finalement les sciences de la nature. Le positivisme a acquis la certitude de la prééminence de la sociologie sur les mathématiques, la logique des mathématiques s'étant montrée impuissante à résoudre les problèmes humains, car elle ignore la filiation historique.

En résumé, le positivisme est une école de la recherche scientifique qui implique l'observation systématique, la théorisation et la détermination des faits. C'est donc une orientation selon laquelle les connaissances reposent sur la mesure des phénomènes observables.

3.3 L'évolutionnisme

L'évolutionnisme est une école dont la tendance générale suppose et recherche une loi d'évolution dans la série des changements observables ou prévisibles. C'est dans le domaine biologique que l'évolutionnisme a pris sa forme la plus déterminée avec les théories de Darwin (1809-1882) sur l'évolution des espèces vivantes. Le darwinisme allait fournir plus de consistance à l'hypothèse d'une évolution régulière dans les organisations des sociétés.

Les principes fondamentaux de l'évolutionnisme culturel et social émanent de la comparaison entre divers types de civilisations, ce qui a pu suggérer l'idée que les uns représentaient des formes arriérées et les autres des formes avancées de la société. L'interprétation des résultats de ces comparaisons proposait que la civilisation moderne se présentait comme une étape avancée dans un processus continu, les sociétés primitives correspondant alors à des étapes ou des arrêts dans cette grande évolution vers le progrès.

Les tenants de l'évolutionnisme radical affirment que l'humanité évolue à partir de l'état de sauvagerie vers la civilisation en passant obligatoirement par l'état de barbarie. La technologie apparaît comme le facteur essentiel qui conditionne le développement social. À chaque étape de l'évolution sociale, il y aurait des corrélations entre l'équipement technique et les autres aspects de la vie sociale.

Avec le temps, la communauté scientifique a commencé à émettre des doutes concernant le caractère unilinéaire de l'évolution et surtout les biais ethnocentriques de cette école. On critiquait certains ethnologues qui, pour forcer les faits à entrer dans leurs plans évolutifs, ignoraient certains aspects des réalités observées sur le terrain. Bien que l'évolution des sociétés pourrait présenter des régularités et s'inscrire dans des catégories successives, il est dangereux d'en déduire des lois de transformation. Les critiques de l'évolutionnisme préfèrent s'orienter vers l'explication des cultures particulières ou vers la recherche de structure.

L'évolutionnisme universel explique le progrès culturel et social par l'augmentation quantitative de l'énergie rendue utilisable. L'évolutionnisme multilinéaire conduit à trouver des rapports de causalité et des lois générales dans les changements qui peuvent survenir au sein d'un groupe social, en mettant l'accent sur les connexions entre le milieu, le développement technologique, l'appareil social et les idéologies. Cela permet de distinguer des paliers dans le progrès culturel et social.

L'évolutionnisme est donc une école qui, dans son analyse des faits observables, considère ceux-ci selon un processus évolutif du plus simple au plus complexe. Parfois les objets sociaux d'étude stagnent dans une étape évolutive et souvent ils tendent vers un état plus évolué.

3.4 Le révolutionnisme : la notion de paradigme de Thomas Kuhn

Avant d'aborder la description de l'école révolutionniste, il serait pertinent de la situer par rapport aux autres écoles épistémologiques que nous avons étudiées jusqu'ici, c'est-à-dire l'empirisme, le positivisme et l'évolutionnisme. Nous avons expliqué, dans l'introduction de ce chapitre, que l'épistémologie étudie les fondements et les postulats qui sous-tendent les démarches de connaissance. Nous avons donc examiné brièvement les origines logiques des démarches de connaissance de ces trois écoles. Globalement, nous avons fait un survol des caractéristiques de ces trois écoles des 18e et 19e siècles à travers leurs approches de la connaissance scientifique.

L'école révolutionniste se distingue des écoles précédentes par deux aspects. D'abord, c'est une approche moderne de l'épistémologie (Kuhn, 1970); de plus, cette école n'a pas pour fonction de vérifier la validité d'une science en particulier, mais de réaliser une critique de l'histoire des sciences. Cette perspective historique procure une nouvelle vision du développement de la connaissance scientifique à travers les siècles. Son plus célèbre représentant, Thomas Kuhn, étudie les moments de crise que traverse la science au cours de son évolution. Ces crises suscitent des « révolutions » scientifiques qui consacrent un nouvel ensemble de théories par un bouillonnement intellectuel. Ces révolutions créent ce que Kuhn appelle des *paradigmes*. Un paradigme est une vision normalisée et légitimée du monde. Cette conception partagée définit l'ordre des préoccupations, des questions, des théories et des méthodes qui sont à l'œuvre pour une science donnée.

La découverte des paradigmes est étroitement liée à l'étude historique des sciences (Kuhn, 1970). L'histoire de la science ne se limite pas au compte rendu historique de l'activité de recherche elle-même. En fait, on pourrait dire que la conception historique des sciences au 18e et au 19e siècle considérait la science comme l'ensemble des faits, des théories et des méthodes rassemblés dans des ouvrages importants. Selon cette conception, les grands chercheurs sont ceux qui ont ajouté un élément à ce grand ensemble.

Dans cette optique, le développement de la science était perçu comme un processus fragmenté par lequel des éléments sont ajoutés pour former la continuité qui constitue la technique et la connaissance scientifiques. Retracer ces apports successifs ainsi que les obstacles qui ont nui à leur accumulation définissait l'histoire des sciences.

Toutefois, certains historiens des sciences ont éprouvé des difficultés avec ce concept de développement par accumulation. Les historiens qui considéraient la science comme une accumulation de découvertes et d'inventions individuelles furent confrontés à un problème, celui de trouver une façon de discriminer les observations scientifiques du passé d'avec les croyances ou les mythes; en effet, rien ne laissait croire que les conceptions de la nature qui furent courantes au 17e, au 18e et même au 19e siècle n'étaient pas le fruit d'une démarche scientifique. Plus précisément, le problème consiste à se demander si les méthodes et les raisonnements qui ont conduit à ce que l'on considère aujourd'hui comme des croyances dépassées étaient les mêmes que ceux qui ont permis de faire des découvertes scientifiques à cette époque. Si tel est le cas, la science a alors contenu des ensembles de croyances absolument incompatibles avec ceux qui sont les nôtres. Une conclusion s'impose : les anciennes théories (considérées de nos jours comme croyances ou mythes) ne sont pas par principe incompatibles avec celles qui sont aujourd'hui les nôtres. Autrement dit, les croyances (les « vérités » de l'époque) qui sont maintenant considérées comme fausses n'en sont pas moins scientifiques. Avec cette nouvelle conception historique de la science, il est désormais difficile de considérer le développement scientifique comme un processus d'accumulation d'inventions et de découvertes individuelles.

La difficulté de considérer le développement scientifique comme un processus d'accumulation a provoqué une sorte de révolution dans l'approche historique des sciences et l'on commence à se poser des questions d'un genre nouveau. Comment se développe la science est une question qui met en évidence des tendances qui, dans les sciences, impliquent moins une accumulation qu'un développement. Ainsi, plutôt que de tenter de chercher les contributions durables de la science au progrès d'une époque, on s'efforce de mettre en lumière l'ensemble des faits pertinents qui constituaient cette science à cette époque. On tentera par exemple, de lier les conceptions de Galilée à celles de ses maîtres, de ses contemporains et de ses successeurs immédiats. Il s'agit donc de comprendre l'histoire de la science dans le *contexte* de son époque.

Cette nouvelle vision permet de considérer d'un œil nouveau l'ensemble de l'évolution des sciences. Kuhn (1970) a constaté que les stades primitifs du développement de la plupart des sciences ont été caractérisés par une concurrence entre quelques conceptions opposées de la nature. C'est de ce constat qu'est apparue la nécessité de réduire l'éventail des croyances scientifiques admissibles car sans cet état réductionniste, il n'y aurait pas de science.

La réduction des croyances scientifiques admissibles ne se concrétise pas uniquement par l'observation et l'expérience mais aussi et surtout par un « élément apparemment arbitraire » (Kuhn, 1970). Cet élément arbitraire résulte de hasards personnels et historiques et il est toujours un des éléments qui forment la croyance adoptée par un groupe scientifique à un moment donné. Il est important de mentionner que la recherche réelle sur la nouvelle croyance adoptée ne commence que lorsqu'un groupe scientifique estime être en possession de réponses *satisfaisantes* à des questions fondamentales du type : « Quelles sont les entités fondamentales dont l'univers est composé? », « Quelles questions peut-on se poser sur ces entités et quelles méthodes employer pour chercher des solutions? »

C'est de cette façon que s'élabore la science « normale » et la recherche qui y est associée constitue une tentative pour forcer les faits observés dans la nature à s'intégrer et à se ranger dans les catégories conceptuelles élaborées par les scientifiques adhérant à la formation de la science « normale ». La science normale est fondée sur la présomption que le groupe scientifique sait comment est constitué le monde. Les scientifiques vont toujours défendre cette supposition au prix de nombreux efforts.

3.4.1 Les révolutions scientifiques

Lorsque survient, à la suite d'une observation ou d'une expérience, une nouveauté fondamentale qui risque d'ébranler les convictions de base de cette science normale, on assiste alors à une très forte résistance de la communauté scientifique. Le groupe scientifique manifeste dès lors le réflexe de vouloir supprimer cette nouveauté. Néanmoins, la nature même de la méthode scientifique garantit que cette nouveauté ne sera pas supprimée pour très longtemps. En effet, tout problème qui serait normalement résolu par des méthodes et des procédés connus, s'il résiste aux assauts répétés des chercheurs les plus compétents, est destiné à ébranler la science normale jusqu'à la remise en question de ses postulats les plus fondamentaux.

Il survient nécessairement un moment, tôt ou tard, où les spécialistes ne peuvent plus ignorer ces anomalies qui bouleversent la tradition établie dans la pratique scientifique de l'époque. C'est alors que commencent les investigations extraordinaires qui conduisent éventuellement à un nouvel ensemble de convictions et à une nouvelle base pour la pratique de la science. Kuhn (1970) qualifie ces épisodes extraordinaires où les convictions des chercheurs spécialistes se modifient de « révolutions scientifiques ».

Les travaux de Copernic, de Newton et d'Einstein illustrent de grandes révolutions scientifiques dans l'histoire des sciences physiques. Chacune de ces révolutions exige le rejet d'une théorie scientifique consacrée à l'époque en faveur d'une autre qui est incompatible avec la précédente. Cette substitution de l'ancienne théorie par la nouvelle provoque aussi un déplacement des problèmes qui préoccupent les chercheurs scientifiques. De ces nouveaux problèmes émergent des critères à partir desquels les savants décident de ce qui doit être considéré comme un problème admissible ou comme une solution légitime. Ces révolutions scientifiques transforment la science au point de transformer la vision du monde dans laquelle s'effectuait ce travail scientifique.

La nouvelle théorie qui émerge de ce changement révolutionnaire n'est jamais un simple accroissement de ce que l'on connaissait déjà. Elle exige, pour être bien assimilée, la reconstruction de la théorie antérieure (et peut-être quelquefois son abandon) et la réévaluation des faits antérieurs expliqués par l'ancienne théorie. Il faut bien comprendre que ce processus révolutionnaire est rarement réalisé par un seul savant et jamais du jour au lendemain. On comprend mieux pourquoi les historiens ont eu des difficultés à jeter sur papier des dates se rapportant à ce long processus puisque leur façon de voir l'évolution scientifique par « accumulation » les contraignait à considérer ces révolutions comme des événements isolés.

Les révolutions scientifiques sont suscitées par une nouvelle vision du monde que l'on appelle *paradigme*. Le paradigme naît d'un bouillonnement intellectuel qui s'installe progressivement dans la science « normale » en suscitant des révolutions scientifiques. Les paradigmes sont donc des découvertes qui doivent, pour être considérées comme telles, avoir en commun, selon Kuhn (1970), deux caractéristiques. Premièrement, ces découvertes doivent être suffisamment remarquables pour soustraire un groupe cohérent de chercheurs à d'autres formes d'activité scientifique concurrentes. Deuxièmement, ces découvertes doivent offrir des perspectives suffisamment vastes pour fournir à ce nouveau groupe de chercheurs un ensemble varié de problèmes à résoudre.

Le paradigme crée une nouvelle normalisation dans une science en y incorporant les éléments reconnus d'un travail scientifique. Ces éléments sont principalement une loi, une théorie, une application et des outils expérimentaux. Ils se structurent et en viennent à fournir des modèles qui donnent naissance à des traditions particulières et cohérentes de recherche scientifique.

Voilà donc qui termine la présentation des quatre écoles épistémologiques. Le tableau 2.2 présente une comparaison des principales caractéristiques de ces quatre écoles. Vous pourrez y retrouvez, pour chaque école, l'époque, le précurseur, le raisonnement privilégié, le postulat, les caractéristiques et la conception du progrès que chacune d'elles privilégie. Parmi ces écoles, nous avons opté pour le révolutionnisme comme fondement épistémologique pour illustrer les méthodes de recherche en communication. En effet, la notion de paradigme est la plus appropriée pour expliquer le caractère multidisciplinaire des sciences de la communication. Ainsi, pour l'objet de notre exposé, nous présenterons quatre paradigmes dominants en communication.

TABLEAU 2.2 **Comparaison des caractéristiques des écoles épistémologiques**

École	EMPIRIQUE
Époque	18ᵉ siècle
Précurseur	*David Hume (1711-1776)*

Raisonnement privilégié
> Le raisonnement inductif. La vérité est l'accord de nos tendances et de nos sensations : si attendant une sensation, nous la voyons survenir, nous pouvons dire que notre inférence est vraie.

Postulat
> Les principes de la raison résultent de l'expérience.

Caractéristiques
> La connaissance s'acquiert par la pratique et tout résulte de l'expérience. Il faut trouver dans les données de l'expérience les conditions d'émergence du phénomène. La preuve est valable si, et seulement si, elle s'appuie sur des données empiriques observables par les sens humains.

Conception du progrès
> La véracité des données empiriques nous permet de comprendre le monde et d'agir sur celui-ci.

École	POSITIVISME
Époque	19ᵉ siècle
Précurseur	*Auguste Comte (1798-1857)*

Raisonnement privilégié
> Le raisonnement déductif. C'est en observant les faits qu'on déduit les lois naturelles.

Postulat
> Nos connaissances sont limitées et cela exige que la science parte de faits observables.

Caractéristiques
> Les lois émergent de la nature et des faits sociaux observables. La connaissance n'est possible que si elle repose sur la mesure des faits observables et l'expérience scientifique. Une théorie a pour objet la coordination des faits observés.

Conception du progrès
> L'observation des faits rend possible l'extraction des lois du monde qui permet de progresser socialement.

École	ÉVOLUTIONNISME
Époque	19ᵉ siècle
Précurseur	*Charles Darwin (1809-1882)*

Raisonnement privilégié

Le raisonnement déductif. En comparant les étapes d'une évolution de diverses civilisations, on conclut à des lois de transformation.

Postulat

Cette école suppose une loi d'évolution de la nature entière fondée sur la biologie et qui inclut le phénomène social.

Caractéristiques

Les civilisations obéissent à des lois de transformations évolutives allant d'une société simple à une société complexe. Une société devient complexe si elle augmente sa capacité technique et ses ressources d'énergie.

Conception du progrès

Le progrès s'explique par l'augmentation quantitative de l'énergie utilisable.

École	RÉVOLUTIONNISME
Époque	20ᵉ siècle
Précurseur	*Thomas Kuhn (1962) première édition de son livre* La structure des révolutions scientifiques.

Raisonnement privilégié

Un raisonnement dialectique allant de l'inductif au déductif et vice versa. Il faut comprendre le contexte du développement d'une science pour saisir la vision d'un développement de la science sous forme paradigmatique plutôt que sous forme d'accumulations linéaires de connaissances.

Postulat

La science ne se développe pas par accumulations mais par révolutions scientifiques qui engendrent de nouveaux paradigmes.

Caractéristiques

L'histoire de la science s'explique par les moments de crise que traverse la science au cours de son évolution et qui provoque des révolutions scientifiques qui déplaceront les fondements de la science « normale ». Le paradigme est une vision du monde qui naît d'un bouillonnement intellectuel et qui s'installe dans la science normale en suscitant des révolutions scientifiques.

Conception du progrès

L'avènement d'un nouveau paradigme suscité par une révolution scientifique est un facteur de progrès scientifique.

4. QUATRE PARADIGMES DOMINANTS EN COMMUNICATION

La communication est une science multidisciplinaire. Tout en provoquant leur révolution paradigmatique, la communication s'inspire et emprunte à plusieurs disciplines, particulièrement aux sciences sociales. Certains chercheurs affirment avec conviction que la communication est une nouvelle science, d'autres plus audacieux avancent qu'elle est un nouveau paradigme, de sorte que les débats polémiques continuent d'alimenter la communauté scientifique. Cependant, tous s'accordent sur le fait que la communication est un nouvel objet d'étude.

Les paradigmes peuvent transcender les disciplines. Même si Thomas S. Kuhn (1970) disserte surtout sur les grandes révolutions scientifiques et les paradigmes dominants qui ont influencé l'histoire des sciences, il affirme que des chercheurs qui travaillent dans un même domaine ou dans des domaines très connexes, peuvent acquérir des paradigmes assez différents au cours de leur carrière. Cela signifie que les chercheurs peuvent se situer dans différents paradigmes pour explorer et appréhender les phénomènes de communication. Chaque paradigme privilégie sa vision du monde pour aborder l'étude des sciences de la communication.

Nous présenterons donc quatre paradigmes dominants qui sont utilisés dans l'étude des objets communicationnels : le paradigme cybernétique, le paradigme behavioriste, le paradigme fonctionnaliste et le paradigme interprétatif. Notons que cette liste n'est absolument pas exhaustive et que c'est uniquement à des fins d'illustration que nous nous limitons à ces quatre catégories.

4.1 Le paradigme cybernétique

Le paradigme cybernétique est issu de cette science qui étudie les mécanismes de communication et de contrôle dans les machines et chez les êtres vivants. Ce paradigme est une variante du paradigme systémique. En biologie, ce paradigme s'intéresse par exemple à la recherche d'équilibre dans la température d'un organisme. Dans l'univers des machines, on pourrait mentionner que la façon dont s'ajuste automatiquement la température à l'intérieur d'un édifice, selon les écarts de température à l'extérieur, relève aussi de la cybernétique.

La cybernétique est la science des systèmes dirigés et contrôlés; elle étudie particulièrement les mécanismes de la finalité qui commande l'évolution d'un système. Un système est finalisé lorsqu'il évolue vers un nouvel état antérieurement défini (imaginez simplement que vous réglez le thermostat de votre appartement à une certaine température; alors ce degré de température constitue la finalité de votre système de chauffage). La poursuite de la finalité peut se faire par le mécanisme de la rétroaction et par celui de la mémoire. La rétroaction est l'effet réactionnel engendré dans un mécanisme par son propre fonctionnement dont il assume un contrôle. La cybernétique permet donc l'autorégulation.

Les chercheurs dans le domaine de la communication organisationnelle en sciences de la communication ont emprunté des concepts théoriques de la cybernétique tels que la notion de cheminement de l'information et la notion de contrôle.

Le paradigme cybernétique permet de considérer l'organisation comme un réseau de communication qui transite par différents nœuds. On peut donc suivre le cheminement progressif de l'information à travers ces nœuds afin d'évaluer comment le réseau affecte la performance, le rendement et la satisfaction dans le groupe. De cette façon, l'information recueillie permet de réduire l'incertitude en augmentant le contrôle et même la manipulation dans les organisations.

La cybernétique est une approche systémique et cette vision considère que tous les éléments de la chaîne communicationnelle sont interdépendants, c'est-à-dire qu'une modification à un seul niveau du réseau entraîne des répercussions sur l'ensemble de l'organisation. Le point de départ de l'information est le lieu de contrôle du système.

4.2 Le paradigme behavioriste

Le paradigme behavioriste et son modèle du stimulus-réponse est quant à lui issu de la psychologie. En effet, au début du 20e siècle, la conception de l'homme « psychologique » s'ajoutait à celle de l'homme « social » pour faire de l'individu un être isolé, vulnérable, soumis à de multiples influences.

Le modèle du stimulus-réponse implique qu'à tout stimulus correspond une réponse appropriée et prévisible. Issu d'expériences de laboratoire menées sur des animaux, ce modèle fut transposé au comportement humain que l'on considérait comme réagissant selon une série de mécanismes biologiques. Ce modèle engendra le paradigme behavioriste qui à son tour fut utilisé en communication pour l'élaboration de théories concernant, par exemple, les effets des médias de masse sur les individus. On considérait alors les médias comme des stimuli très puissants face à des individus très faibles, c'est-à-dire des récepteurs vulnérables. Avec l'appui d'exemples puisés dans la propagande et dans la publicité à la radio et dans les journaux, on a considéré que les messages des médias pouvaient provoquer ou modifier les comportements dans le sens souhaité par la source (le média de masse).

On attribuait ainsi aux médias un pouvoir tout-puissant : celui de manipuler les gens au point de leur inculquer de nouvelles opinions, de nouvelles valeurs, de nouvelles croyances. Le paradigme behavioriste a été ultérieurement critiqué et rejeté mais il a néanmoins grandement orienté la recherche dans le domaine des médias de masse.

4.3 Le paradigme fonctionnaliste

Le paradigme fonctionnaliste sert de toile de fond à plusieurs théories relatives au fonctionnement général de la société. Le postulat fondamental de ce paradigme consiste à percevoir la société comme une totalité organique dont les divers éléments s'expliquent par la fonction qu'ils y remplissent. Le paradigme fonctionnaliste envisage la manière dont certains phénomènes affectent le fonctionnement d'un système social donné. La communication de masse constitue justement un de ces phénomènes sociaux tout à fait pertinent à l'analyse fonctionnaliste.

Ce paradigme a suggéré aux chercheurs qui s'intéressaient aux médias de masse, une nouvelle façon d'aborder cet objet d'étude. Il s'agit d'étudier les utilisations faites par le public ainsi que les satisfactions retirées. L'attention des chercheurs était désormais canalisée moins sur l'impact des médias sur les gens que sur l'utilisation que les gens font des médias. Cette nouvelle perspective a présidé tout au long des années soixante à de nombreuses recherches s'articulant autour de la théorie des « Uses and Gratifications ». Les chercheurs qui ont élaboré ce modèle se sont demandés pourquoi les gens avaient recours aux médias. Ils se sont interrogés sur le comportement des individus avant qu'ils ne s'exposent aux médias. Ils ont donc cherché à découvrir les groupes de gens qui consommaient un contenu de média déterminé et ont ensuite demandé à ces individus pourquoi ils le consommaient. Ces nombreuses recherches empiriques sur l'utilisation que les gens font des médias ont ébranlé sérieusement le paradigme behavioriste stimulus-réponse qui fut abandonné au profit d'une nouvelle représentation de l'influence des médias. Désormais, les messages des médias n'agissent que dans la mesure où le récepteur leur est réceptif. Autrement dit, on étudie les attentes, les demandes et les besoins du public face aux médias.

Les approches permises par le paradigme fonctionnaliste sont nombreuses. On peut, entre autres, attribuer aux médias de masse des « fonctions » manifestes ou latentes : fonction de divertissement, fonction d'information, fonction d'évasion, fonction de renforcement des valeurs, etc. On peut aussi attribuer aux médias de masse des dysfonctions manifestes ou latentes : l'apathie, l'invasion culturelle, la diminution de l'esprit critique, l'augmentation du conformisme social, etc. Par la suite on vérifie, par diverses méthodes et techniques, quels sont les effets de ces fonctions et de ces dysfonctions sur les individus.

4.4 Le paradigme interprétatif

Le paradigme interprétatif est une compilation de diverses traditions philosophiques et sociologiques. Ces traditions proviennent surtout de l'idéalisme germanique de Kant (1724-1804) qui croyait que la réalité sociale existe dans une « idée » ou dans un « esprit » plutôt que dans les faits concrets.

Pour le paradigme interprétatif, le cœur des actions se situe dans les actions sociales. Les approches interprétatives visent à expliquer et parfois à critiquer les significations subjectives et les significations qui font consensus sur l'interprétation de la réalité. Ainsi, pour le paradigme interprétatif, l'étude des significations se concentre sur la façon dont les individus donnent un sens au monde à travers leurs comportements communicationnels. En ce sens, ce paradigme considère la société comme une construction théorique constituée des expériences subjectives de ses membres.

Le paradigme interprétatif est particulièrement utilisé dans le domaine de la communication organisationnelle. Il a inspiré deux approches : l'approche naturaliste et l'approche culturelle. L'approche naturaliste englobe l'interactionnisme symbolique et l'ethnométhodologie. L'approche naturaliste cherche à comprendre les systèmes symboliques dans l'organisation, les règles et les normes qui constituent les routines et les pratiques organisationnelles quotidiennes.

L'approche culturelle des organisations se compare à l'étude anthropologique des formes du travail, du folklore et des rituels d'une culture. Il s'agit, par exemple, d'étudier la réalité construite à partir des plaisanteries, des histoires, des mythes, des échanges de politesse, etc. Dans cette optique, le partage des normes et des rituels procurent aux membres un terrain symbolique commun. L'approche culturelle peut expliquer les conflits, le manque d'engagement, les motivations et elle permet d'anticiper de futurs événements communicationnels.

Le paradigme interprétatif investit la communication dans l'organisation quant à son contenu et sa substance. Il privilégie la méthode participante de sorte que la réalité est partiellement construite par le chercheur.

Voilà donc des exemples de l'influence des paradigmes en sciences de la communication sur un même objet d'étude ou sur plusieurs objets d'étude qui structurent l'ensemble du domaine de la recherche. Le tableau 2.3 présente une synthèse comparative des quatre paradigmes dominants en sciences de la communication, soit les paradigmes cybernétique, behavioriste, fonctionnaliste et interprétatif.

TABLEAU 2.3 **Comparaison de quelques paradigmes dominants en communication**

PARADIGME CYBERNÉTIQUE	PARADIGME BEHAVIORISTE	PARADIGME FONCTIONNALISTE	PARADIGME INTERPRÉTATIF
Issu du paradigme systémique	**Issu de la psychologie et du positivisme**	**Issu du positivisme**	**Issu de l'idéalisme germanique**
Caractéristiques	*Caractéristiques*	*Caractéristiques*	*Caractéristiques*
Communication et contrôle dans les machines et chez les êtres humains. Sciences des systèmes dirigés et contrôlés. Vise l'autorégulation donc la finalité et l'équilibre par la rétroaction. Ex. : thermostat dans un appartement ou la température dans le corps humain.	Modèle du stimulus-réponse. À tout stimulus correspond une réponse appropriée et prévisible. Suppose des réactions mécanistes.	Perçoit la société comme une totalité organique dont les éléments s'expliquent par la fonction qu'ils remplissent. La réalité sociale est objective. La communication est un processus. Le message est ce qu'il y a d'important dans le processus. La recherche de l'universel.	Les significations se situent dans les actions sociales. Analyse les significations subjectives qui font consensus sur l'interprétation de la réalité. Les gens donnent un sens à leur monde par leurs comportements communicationnels. La société est une construction faite des expériences subjectives de ses membres.
Type d'étude	*Type d'étude*	*Type d'étude*	*Type d'étude*
Dans le domaine de la communication organisationnelle, étude des réseaux de communication; constat de l'interdépendance des éléments de la chaîne de communication.	Effet des médias de masse sur les gens. Propagande et persuasion. Sous-entend un pouvoir tout-puissant des médias de masse. A dirigé et orienté les recherches sur les effets des médias de masse.	« Uses and Gratifications ». Les utilisations que les publics font des médias et les satisfactions que ceux-ci procurent. Études des fonctions et des dysfonctions manifestes et latentes des médias. En communication organisationnelle, étude de la distribution de rôle, de l'incertitude et des messages.	En communication organisationnelle, les approches culturelle et naturaliste font l'étude des histoires, des mythes, des rituels, des conflits et des systèmes symboliques dans l'organisation. Étude du contenu et de la substance de la communication.

CONCLUSION

Nous avons, dans ce deuxième chapitre, examiné un peu plus en profondeur les fondements de la méthodologie scientifique. Le raisonnement inductif et déductif et la testabilité nous ont permis de mieux cerner le processus de construction des connaissances scientifiques. Quant aux écoles, elles constituent en quelque sorte les lunettes avec lesquelles un problème scientifique est abordé. Même si nous n'en avons pas explicitement discuté, il est bon de savoir que chaque école est sujette aux critiques. La vérité scientifique n'est jamais totalement acceptée et c'est un des rôles de l'épistémologie que de critiquer les sciences, leurs lois, leurs fondements ainsi que leur façon d'aborder un objet d'étude. Nourrir le doute face à toute connaissance scientifique ne signifie pas que l'on fait preuve d'un scepticisme chronique mais de modestie et de sagesse professionnelle.

Enfin, après avoir présenté, dans la dernière partie du chapitre, les paradigmes dominants en sciences de la communication, nous terminerons cette première partie du cours en présentant la particularité de la recherche en sciences de la communication. Toutes les étapes du processus méthodologique seront par la suite présentées en fonction de ce champ disciplinaire.

Lectures suggérées

BUNGE, M. Chapitre premier (Qu'est-ce que l'épistémologie et à quoi sert-elle?) et deuxième chapitre (Qu'est-ce que la méthode scientifique et à quoi peut-elle s'appliquer?).

KUHN, T.S. (ouvrage cité plus haut), Introduction (le rôle de l'histoire) et chapitre VI (crise et apparition des théories scientifiques).

MORIN, E. (1983), *Pour sortir du XXᵉ siècle*, Seuil, Paris.

CHAPITRE

PARTICULARITÉ DE LA RECHERCHE EN COMMUNICATION

OBJECTIF

Comprendre la particularité de la recherche en communication. Se familiariser avec les angles de recherche et connaître les axes de recherche en communication.

INTRODUCTION

Nous avons vu précédemment qu'une des notions fondamentales en épistémologie stipule qu'une méthode ne peut s'étudier séparément du domaine de recherche spécifique qu'elle se propose d'ordonner, de clarifier et d'enrichir (Bunge, 1983). Ce chapitre a ainsi comme objectif de présenter ce domaine de recherche qu'est la communication. C'est donc en référence au contenu de ce chapitre que nous verrons plus en détail les différentes étapes logiques de la méthode de recherche.

Nous présenterons d'abord ce que nous entendons par les sciences de la communication. Puisqu'une méthode sert à analyser un objet d'étude précis, nous présenterons la nature de l'objet communicationnel. Ensuite nous verrons, à partir d'un schéma général, les multiples « portes d'entrée » ou les perspectives selon lesquelles on peut aborder un problème de communication.

Le cœur du chapitre consistera à présenter les trois axes de recherche en communication qui seront retenus pour l'illustration subséquente de l'ensemble de la démarche méthodologique.

1. QU'ENTEND-ON PAR LES SCIENCES DE LA COMMUNICATION?

Avant de décrire ce que sont les sciences de la communication, il serait bon de définir très brièvement ce qu'est la communication. Il existe probablement autant de définitions de la communication que de chercheurs qui en ont traité. Nous tenterons de dégager quelques éléments fondamentaux se retrouvant dans plusieurs définitions de la communication. La communication est un lien établi entre deux partenaires par l'intermédiaire d'un moyen de transmission et qui permet l'échange d'informations symboliques entre ces correspondants. Edgar Morin (1977, p. 236) définit la communication comme suit : « La communication constitue une liaison organisationnelle qui s'effectue par la transmission et l'échange de signaux. »

Présentées schématiquement et succinctement, les éléments de base du processus de communication sont l'émetteur qui émet un message, le destinataire qui le reçoit, le message lui-même (signal chez Morin), un code ou un langage commun au destinateur et au destinataire, un canal de communication, l'intention de communiquer, les effets du message sur le destinataire et la rétroaction. Afin de mieux visualiser ces éléments de base du processus de communication, consultez la figure 3.1 présentée ultérieurement dans ce chapitre.

La communication permet une interaction symbolique par le langage et les gestes et par des moyens techniques tels que les médias et la télématique (ordinateur utilisé comme moyen de transmission à distance).

Considérons maintenant les sciences de la communication proprement dites. Les sciences de la communication constituent un champ de recherche socialement et académiquement reconnu. L'importance des fonds de recherche alloués à la communication ainsi que la création de nombreux programmes universitaires témoignent de cette reconnaissance.

La communication est un champ de recherche ou un champ d'investigation. Un champ d'investigation, comparativement au champ de recherche, se définit selon un ordre de problèmes plutôt que selon un découpage disciplinaire. Cependant, on ne peut passer sous silence le fait que la communication soit une science éclatée. En effet, la communication se développe en bénéficiant de l'apport de plusieurs domaines de connaissances. La communication est donc une science jonction dont l'originalité réside dans son caractère trans, multi et interdisciplinaire.

La raison pour laquelle on appelle ce champ de recherche « les sciences de la communication » plutôt que la science de la communication est justement son caractère multidisciplinaire. La communication jouit des apports scientifiques de plusieurs disciplines, de sorte qu'il est légitime d'utiliser l'appellation « les sciences de la communication ».

Les sciences de la communication sont redevables de l'apport de diverses disciplines incluant les mathématiques, la psychologie, la logique, la sociologie, la linguistique, l'anthropologie, la sémiologie, etc. Les méthodes d'investigation, également fort diversifiées, sont inspirées autant de l'économie, que de la sociologie, de l'anthropologie ou de l'histoire. Les enquêtes et les études statistiques, les études de cas, l'observation participante, etc., témoignent de cette grande diversité. Comme le mentionne Proulx (1979), cette variété s'explique par la position idéologique personnelle du chercheur, par le contexte socioéconomique, politique et culturel à l'intérieur duquel il évolue de même que par sa formation et ses antécédents disciplinaires.

Il nous semble important de signaler que le développement des sciences de la communication est sans aucun doute fortement associé à celui du phénomène technique (Tremblay, Sénégal, 1987). En effet, les écrits scientifiques abondent en observations empiriques et en réflexions théoriques sur le phénomène technique dans les processus de communication, suscitant ainsi un ensemble très diversifié de questions et de conclusions.

Les grandes théories de la communication, celles de la culture de masse, des effets des médias, de l'opinion publique, de la transmission de l'information, de la dynamique des réseaux organisationnels, trouvent toutes leur origine dans une interrogation sur les innovations techniques de leur temps (presse écrite, radio, télévision). Il en est évidemment de même pour les études sur le câble interactif, les satellites de communication, la bureautique et les applications télématiques (vidéotex, messagerie électronique, télécopie, vidéodisque interactif, conférence assistée par ordinateur, carte à mémoire, etc.). Même les théories de la communication interpersonnelle comme la pragmatique de la communication (les règles de la métacommunication) de Watzlawick *et al.* (1972) empruntent plusieurs concepts centraux à la cybernétique et à la théorie statistique de l'information. Le phénomène technique qui accompagne les transformations de l'ordre social est donc au cœur de la réflexion qui a donné naissance aux sciences de la communication.

Ainsi, les sciences de la communication optent pour la globalité et la complexité d'une approche multidisciplinaire tout en respectant une rigueur méthodologique et scientifique.

2. L'OBJET COMMUNICATIONNEL

Les sciences de la communication ont pour objet, nous disent Gaétan Tremblay et Michel Sénégal (1987), la production, la transmission et la réception des signaux, les liens de ceux-ci à un système symbolique, et leur influence sur les comportements, les croyances, les valeurs des individus et des groupes sociaux, aussi bien que sur les modes d'organisation collective.

Nous présenterons dans ce chapitre les axes de recherche en communication qui serviront à illustrer, à démontrer et à expliquer ces divers objets de recherche. Pour l'instant, nous examinerons brièvement quelques objets de recherche qui sont étudiés dans ces axes de recherche.

Dans le cadre des études sur les aspects sociaux des médias de masse, l'objet d'investigation est, pourrait-on dire, le canal de communication. Le canal est un support : c'est un instrument, un appareil ou un moyen qui permet aux messages de circuler entre les destinataires et le destinateur. Le téléphone et la télévision sont des appareils qui constituent un canal de communication puisque ce sont des techniques utilisées pour la transmission de la voix et des images à distance. Plus précisément, nous étudierons les incidences, sur les plans individuel et social, qu'entraîne le recours à ces canaux pour communiquer. Ces canaux sont unidirectionnels ou bidirectionnels. Dans ce cas, nous nous préoccupons autant des notions de contenant et de transmission que des notions de contenu, d'échange, de relation, d'interaction et de comportement.

Quant aux études sur le contenu des médias de masse, l'objet communicationnel est le signal proprement dit. Le contenu d'un téléroman, c'est-à-dire la structure du récit, les personnages, l'environnement, ou la représentation d'une affiche publicitaire constituent des exemples du contenu d'un média de masse qui peuvent être analysés d'une manière manifeste ou d'une manière symbolique. Autrement dit, l'objet (le message) peut être analysé quantitativement et qualitativement. Il sera étudié selon les notions de sens, de signification, de symbole, de code, d'interprétation, de dénotation et de connotation du message.

Dans les études sur la communication organisationnelle, les objets d'étude concernent, par exemple, le parcours des messages qui circulent dans l'organisation sous forme de mémo et le contexte de leur production. L'objet fait donc référence au contenu d'une communication relié spécifiquement aux diverses fonctions de l'organisation. Prenons par exemple la fonction de maintien aux efforts de production. Dans cette fonction, il y a l'apprentissage consistant à donner de l'information pour la maîtrise efficace d'un travail. Dans ce contexte, les objets d'étude incluent les instructions, les orientations, les buts et les objectifs. L'objet peut être la description d'un emploi que l'on communique à un nouvel employé; il y a également les objets de communication relatifs aux dimensions humaines, au travail opérationnel et à l'innovation dans l'organisation. L'objet communicationnel porte aussi sur les réseaux de communication et les actes communicationnels (le dire, le faire, le non-verbal, le non-dit, etc.), sur les notions de lieux et de temps communicationnels.

En somme, les objets d'étude et de recherche en communication portent sur la raison d'être d'une communication, sur le « pourquoi » et le « comment » de celle-ci, sur sa signification et sur son influence.

FIGURE 3.1   **Schéma général du processus de communication**

DESTINATEUR

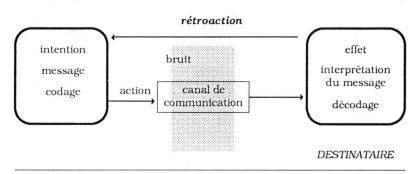

3. **LES ANGLES DE RECHERCHE EN COMMUNICATION**

Le processus communicationnel peut être représenté par une description schématique. La figure 3.1 présente un schéma général du processus de communication. Bien sûr, dans la réalité la communication est beaucoup plus complexe. Ce processus n'est pas isolé car il s'intègre à l'ensemble des activités humaines et sociales. De plus, le processus n'est pas systématiquement linéaire car les signaux de l'environnement, par exemple, peuvent s'interposer à tout moment dans chacune des étapes et modifier l'attention des participants. Le schéma est donc théorique et simplifié et nous le présentons dans le but d'illustrer simplement les angles de recherche en communication.

En se référant au schéma, on constate que le destinateur envoie un message reçu par le destinataire. Cependant, celui-ci peut changer de rôle et la communication devient bidirectionnelle comme dans un dialogue. Le destinateur peut être un individu, un groupe ou une masse et possède une intention de communiquer. Cela peut être, dans le cas d'une communication interpersonnelle, la simple volonté de vouloir échanger des informations ou d'être en relation avec quelqu'un. Les intentions peuvent être conscientes ou non. Ainsi, en publicité, existe manifestement l'intention de persuader afin d'inciter le destinataire à acheter. Dans le domaine politique, l'intention peut se traduire par de la propagande. Enfin, les études sur les stratégies de programmation à la radio et à la télévision relèvent également de l'intention du destinateur.

Le message est considéré en tant que contenu de la communication. On peut analyser le discours de la presse, les nouvelles à la radio, les émissions de télévision, ou on peut analyser le contenu non manifeste d'une publicité ou d'un film. Le codage fait appel au contenant du message ou à sa forme. La forme peut être iconique, linguistique, verbale, non verbale, etc. Le codage concerne également la transformation des données pour leur transmission dans le canal de communication. Du point de vue technique, le codage consiste à transformer par exemple la voix en signal électrique ou le texte en données binaires. Le code peut signifier également un ensemble de normes et de procédures à respecter concernant la politesse, les « bonnes manières », les rituels, du protocole ou l'ensemble des règlements d'une organisation.

L'action correspond à la mise en branle du processus communicationnel. Les études sur la dynamique interactionnelle ou sur les actes de communication dans l'organisation (Stohl, Redding, 1987) se réfèrent à cet élément. Pour ce qui est du canal de communication, on peut y associer les études sur les réseaux de communication, les médias de masse, l'impact des différents types de médias et les technologies de télécommunication. Le bruit, quant à lui, correspond à une interférence, à une incertitude dans la transmission du message. Celle-ci peut être d'ordre symbolique, comme une interprétation différente du même concept, ou d'ordre technique. Le bruit, c'est aussi la modification de l'information dans le parcours d'un message à travers le réseau de communication d'une organisation. Tous les nœuds de transfert entre un destinateur et un destinataire sont des sources possibles de bruit.

TABLEAU 3.1   **Angles de la recherche en communication selon les éléments du schéma général du processus de communication**

Destinateur	étude des médias de masse, moyens de production des médias de masse, réglementation pour la diffusion, pouvoir et crédibilité de l'entreprise.
Intention	étude sur la persuasion en publicité, propagande politique, stratégie et grille de programmation.
Message	analyse de contenu de la presse, des émissions télévisées, de textes divers, analyse sémiologique de la publicité.
Codage	étude de la forme iconique, textuelle, verbale, non verbale, le contenant du message.
Action	la dynamique interactionnelle et les actes de communication dans l'organisation.
Canal	les divers médias de masse, les réseaux de communication dans les organisations, les technologies de télécommunication.
Bruit	transformation humaine et interférence physique d'un message dans son parcours.
Destinataire	qu'est-ce que le public fait avec les médias, étude d'auditoire.
Décodage	étude de la perception, la détection des signaux non verbaux et analogiques.
Interprétation	compréhension de textes, symbolique publicitaire, le sens, la signification partagée entre le destinateur et le destinataire d'un message.
Effet	étude de l'effet des médias de masse, effets sociaux et culturels de la violence, de la publicité, effets sur les comportements, les valeurs et les opinions.
Rétroaction	étude cybernétique de l'organisation, étude sur les communications interpersonnelles.

Le destinataire est un individu, un groupe ou une masse d'individus à qui s'adresse le destinateur. Les études sur l'utilisation que les individus font des médias relèvent de cet élément, de même que les études d'auditoire des médias de masse. Puis vient le décodage qui est le processus inverse du codage, c'est-à-dire la transformation des signaux électriques et des données binaires en voix et en texte, incluant le décodage d'un signal non verbal ou analogique.

L'interprétation du message est le sens et la valeur que le destinataire attribue au message, depuis le sens que l'on donne à une publicité jusqu'à l'analyse de la signification symbolique d'un message. L'effet, quant à lui, est l'élément qui concerne le résultat de la communication. Les études sur les médias de masse ont longtemps centré leurs efforts sur les effets sociaux et culturels de ces médias, c'est-à-dire sur le comportement, les valeurs et les opinions des destinataires. Enfin, la rétroaction est le résultat de la communication envoyé en retour au destinateur. L'approche cybernétique en organisation et les études sur les communications interpersonnelles s'intéressent particulièrement à la rétroaction.

Ce schéma très général (l'ensemble des éléments n'est probablement pas exhaustif) nous permet de comprendre la diversité des angles de recherche en communication. Le tableau 3.1 dresse une synthèse de ces angles de recherche selon les éléments du schéma général de communication.

4. LES AXES DE RECHERCHE EN COMMUNICATION

Le champ des études en communication est solidement établi dans le domaine des sciences sociales. Comme nous l'avons vu, l'étude des communications emprunte de multiples directions. Pour notre propos, nous avons retenu les trois axes suivants comme domaine de recherche et d'intervention :

1. les aspects sociaux et culturels des médias d'information et de communication,
2. le contenu des messages médiatisés,
3. la communication organisationnelle.

Nous puiserons des exemples dans ces trois domaines de recherche pour illustrer la démarche méthodologique présentée. Le dernier axe, communication et développement, exigeant des références et un développement spécifique, nous avons préféré nous restreindre, pour l'objet de notre propos, aux trois premiers. La présentation de ces trois axes est largement inspirée de l'ouvrage de Danielle Charron (1989).

4.1 Les aspects sociaux et culturels des médias d'information et de communication

Cet axe de recherche et de développement traite de la communication médiatisée, particulièrement des médias de communication suivants : la radio, la télévision, la grande presse et le cinéma. Cet axe traite également des médias d'information issus des nouvelles technologies, tels le vidéotex, le télétex et d'autres applications de la télématique. Les chercheurs qui travaillent dans ce domaine s'intéressent à l'utilisation que les individus font de ces médias ainsi qu'aux effets et aux impacts de leur utilisation au point de vue individuel, social et culturel.

L'étude de la communication médiatisée est donc l'étude du canal de communication dont le rôle ne se réduit pas à être un support favorisant la communication entre des personnes éloignées. L'étude du canal (plus précisément, l'étude des incidences du recours à un canal) est déterminant dans la communication médiatisée. Celle-ci s'effectue par des canaux de communication électroniques qui peuvent être unidirectionnels, comme c'est le cas pour les médias de masse, ou bidirectionnels dans le cas de la communication informatisée ce qui implique deux perspectives d'analyse différentes.

4.1.1 Les médias de masse traditionnels

La communication de masse se caractérise par le fait d'être médiatisée. Le destinateur et le destinataire communiquent par le biais d'un média. Cette forme de communication est unidirectionnelle, c'est-à-dire qu'un groupe ou un individu conçu comme une entité émet un message (ensemble de signaux) qui atteint simultanément un grand nombre d'individus. Enfin, les destinataires sont perçus comme un ensemble d'individus, d'où le terme de masse.

Dans ce contexte, les chercheurs ont supposé que les médias de masse provoquaient des effets chez les destinataires, c'est-à-dire des changements d'opinions, de comportements et d'attitudes. On a donc développé plusieurs modèles pour interpréter les effets des messages médiatisés sur les membres de la société.

Un premier modèle est inspiré du paradigme behavioriste et du stimulus-réponse. Ce modèle implique qu'à tout stimulus correspond une réponse prévisible. Les premières études sur les médias de masse datent d'après la Première Guerre mondiale. Durant cette guerre, la propagande s'est avérée être le moyen de réveiller les sentiments patriotiques de la nation ainsi que la haine de l'ennemi. Les instruments de propagande étaient les journaux, les films, les publicités, les affiches, les photographies. Peu après, le phénomène de la publicité de masse vint confirmer l'influence quotidienne des médias.

Le behaviorisme considère que le média est un stimulus tout-puissant et les individus sont des récepteurs facilement influençables. On attribue donc aux médias un énorme pouvoir de manipulation qui permet d'induire chez les individus des comportements prévus et souhaités. Cette première théorie sur les effets des médias a été critiquée en même temps, évidemment, que la conception behavioriste du fonctionnement de la société a été remise en cause.

Un nouveau courant de pensée sur les effets des médias s'est développé des années trente jusqu'au début des années soixante. Il se distingue de l'approche behavioriste par la méthodologie utilisée dans les recherches et par les résultats de ces recherches. Les tenants de ce courant ont eu recours à des données empiriques, dont les sondages et les enquêtes, pour évaluer les effets des médias.

Ce courant a remis en question la toute-puissance des médias pour admettre qu'il faut tenir compte des différences individuelles : les médias ne provoquent pas de réactions similaires chez tous les individus à cause des différences de personnalité, d'intelligence et d'intérêt de chacun. De plus, la crédibilité de la source, le contenu des messages et l'appartenance des destinataires à un groupe social constituent des facteurs filtrant l'effet direct des médias.

Parallèlement à ces études, la nouvelle vision psychologique et sociale avait transféré son objet d'étude de l'individu isolé aux petits groupes d'individus dans lesquels l'individu retrouve ses plus grandes influences sociales. De là se sont constitués deux modèles importants : le modèle du « two-step-flow communication » et le modèle des « uses and gratifications ».

Le modèle du « two-step-flow communication » (Katz, Lazarsfeld, 1955) prétend que les messages atteignent d'abord les leaders d'opinion qui, à leur tour, les transmettent à leurs groupes d'appartenance composés de gens plus ou moins exposés aux médias. Le leader d'opinion constitue un relais entre les médias et le grand public. Ce modèle a été développé dans le cadre d'une étude sur les facteurs influençant le choix des électeurs dans une campagne électorale (Roosevelt aux États-Unis). Ainsi, l'influence des médias se réalise en deux étapes et n'est donc pas directe mais médiatisée. L'influence personnelle semble plus forte que celle des médias.

Le modèle des « uses and gratifications » (McQuail, 1972) adopte une autre approche selon laquelle on cherche à connaître le comportement des gens avant leur exposition aux médias. Cette perspective fonctionnaliste donne une orientation nouvelle aux recherches. Désormais, l'attention est moins centrée sur l'influence que les médias ont sur les individus que sur l'utilisation que les gens font des médias. Cette approche soutient que les gens font un usage (« uses ») conscient et volontaire des médias pour aller y chercher quelque chose de spécifique : une information, un conseil, une aide, la confirmation d'une opinion, bref, une satisfaction (« gratifications »). Les chercheurs ont découvert que les gens s'exposent aux médias pour s'informer, affirmer leur identité, s'intégrer et interagir socialement ou se divertir. Les médias exercent une influence quand ils vont dans le sens des valeurs et des opinions de l'individu. Dans le cas contraire, ils sont susceptibles d'être rejetés ou de n'exercer aucune influence.

Dans les années soixante, alors que la communauté scientifique acceptait l'idée selon laquelle les médias de masse n'avaient que peu d'effets, il y a eu un mouvement inverse et on a reconsidéré la notion d'effet. On ajoute alors des éléments aux premiers modèles et on analyse les effets concernant les systèmes de valeurs, les croyances et les comportements en société.

Ces effets contribuent à apporter des changements aux valeurs ou à renforcer celles qui existent déjà.

Plusieurs approches définissent cette redécouverte des effets : la socialisation, la construction de la réalité, le contrôle social et l'« agenda setting ». Seule cette dernière résulte de la recherche empirique, les trois autres correspondant davantage à une approche théorique. Brièvement, le modèle de l'« agenda setting » consiste à affirmer qu'à défaut de modifier le comportement, les médias font partager leurs préoccupations aux individus. Les gens, lorsqu'on leur demande de décrire leurs préoccupations d'ordre social, énumèrent les mêmes événements sociaux importants que ceux présentés dans les médias de masse et, qui plus est, dans le même ordre de priorité. Les médias réussissent ainsi à établir l'ordre des priorités sociales (« set the agenda ») pour les membres d'une société donnée.

Les méthodes utilisées pour en arriver à ces résultats sont l'analyse de contenu des messages diffusés par les médias et les sondages auprès des publics qui consomment ces messages.

4.1.2 Les nouvelles technologies d'information et de communication

Les nouvelles technologies désignent principalement celles qui sont reliées à l'ordinateur : les bases de données, le courrier électronique, la conférence assistée par ordinateur, le vidéotex ainsi que le magnétoscope, la télévision par câble interactif et le système de vidéodisque.

En quoi consiste la communication par l'intermédiaire de ces nouvelles technologies? L'élément central étant d'abord et surtout l'ordinateur, il permet à des utilisateurs de communiquer interactivement avec divers services d'information comme les bases de données. Les gens peuvent aussi se rejoindre entre eux à travers diverses formes de transmission de l'information comme le courrier électronique et la conférence assistée par ordinateur.

Généralement, l'individu qui veut utiliser ces services doit, à partir du terminal de son ordinateur, passer par un réseau transporteur de données informatiques par « paquets » (que l'on appelle « Datapac » au Canada). Le transporteur met l'utilisateur en contact avec un ordinateur central appelé « serveur », où sont logés les services de communication mentionnés précédemment.

Nous verrons rapidement quelques-unes de ces technologies que l'on désigne aussi sous l'appellation d'« application télématique » (télématique signifie : ensemble des techniques et des services qui mettent en œuvre à la fois les télécommunications et l'informatique).

Une *base de données* est une réserve de données informatiques organisées un peu comme les livres dans une bibliothèque. Dans ce cas, l'utilisateur va chercher l'ensemble des informations dont il a besoin par une requête (ensemble des commandes faites à partir du clavier de l'ordinateur). Dès que l'information est regroupée dans le serveur à distance, celui-ci effectuera un téléchargement des données pour l'envoyer à l'utilisateur.

Le *courrier électronique* est un système de communication, géré par un ordinateur « serveur », qui permet la création et la distribution instantanée de messages à des individus ou des groupes, en laissant au destinataire le choix du moment et du lieu à partir duquel il prendra connaissance des messages qui lui sont destinés. Il s'agit ni plus ni moins d'une sorte de boîte aux lettres informatique.

La *conférence assistée par ordinateur* est un système qui utilise l'ordinateur pour structurer, stocker, et effectuer le traitement des communications écrites par un groupe de personnes. Ce système, très interactif, constitue une sorte de bulletin public ou semi-public consulté par un groupe d'individus.

Le *vidéotex* est un système qui permet de visualiser sur un terminal l'information alphanumérique et graphique transmise par un réseau de télécommunication. Le vidéotex vise le grand public en permettant un acheminement rapide des informations et en offrant une mise à jour en temps réel des données.

Le *magnétoscope*, le *vidéodisque* et la *télévision par câble interactif* sont d'autres technologies permettant l'interaction entre l'utilisateur et la technologie. C'est d'ailleurs la plus importante caractéristique des nouvelles technologies : l'interaction, c'est-à-dire le dialogue seul à seul entre l'utilisateur et la technologie ou le fait que plusieurs personnes puissent communiquer par l'intermédiaire de ces technologies. Une deuxième caractéristique est l'individualisation de la communication informatisée qui s'oppose tout à fait à la communication de masse. Une dernière caractéristique est l'asynchronie, c'est-à-dire la possibilité pour l'utilisateur de différer sa communication ou de consulter les messages au moment qui lui convient.

Les deux principaux champs d'intérêt des chercheurs qui analysent la communication informatisée sont la diffusion et le processus d'adoption des nouvelles technologies, et leur impact social. L'étude de la diffusion d'une innovation est le processus par lequel les membres d'une société connaissent et évaluent l'innovation puis, avec le temps, l'adoptent ou la rejettent. L'étude de l'impact social des nouvelles technologies inclut, entre autres, les déplacements et les transformations de la main-d'œuvre, l'augmentation du niveau de connaissance d'une population donnée et la centralisation ou la décentralisation des pouvoirs dans les organisations.

À cause de la nature de ces nouveaux objets d'étude communicationnels, les chercheurs ont dû modifier leur perspective d'analyse en examinant le processus communicationnel dans son ensemble et non plus seulement du point de vue de la réception des messages. Bien des chercheurs adhèrent au constat que les technologies de communication déterminent la structure sociale. Cette position déterministe a cependant été critiquée et on a défendu l'idée de l'autonomie des nouvelles technologies. Cette autre vision s'inscrit dans une perspective historique où l'on considère les technologies comme une production sociale issue d'un ensemble d'intentions et de projets d'une société à un moment donné et dans une conjoncture particulière.

4.2 Le contenu des messages médiatisés

Cet axe de recherche traite d'un autre aspect du processus communicationnel : le message. Les études, dans cet axe de recherche, se concentrent sur le message perçu comme une production de sens. La clarté des messages n'est pas toujours immédiate puisque l'on questionne souvent les messages que l'on reçoit tout comme l'on précise ceux que l'on émet.

C'est dans le contexte des médias de masse que l'on analyse les messages puisqu'ils sont diffusés à partir d'une seule source et atteignent un très grand nombre de destinataires. L'analyse des messages vise donc à découvrir le sens qu'il véhicule. Les messages d'un téléroman ne semblent être que les éléments d'un récit mais ils peuvent véhiculer certaines valeurs implicites. Le contenu symbolique d'une publicité de bière véhicule autre chose que les qualités du produit, en l'occurrence l'image d'une façon de vivre associée à ce produit.

Cet axe de recherche favorise deux perspectives d'analyse. Ce sont l'analyse de contenu traditionnelle et l'analyse sémiotique. Ces deux méthodes d'analyse des messages cernent les sens véhiculés par les messages (signaux) médiatisés selon une technique différente. Mais plus encore, il s'agit de façons différentes de concevoir la signification. Nous examinerons très rapidement ces deux approches puisque nous réaborderons l'analyse de contenu et la sémiotique dans la troisième partie au chapitre dix.

4.2.1 L'analyse de contenu

Examinons d'abord l'analyse de contenu des médias de masse. Le contenu d'un message, c'est le sens qui lui est attribué. Ce contenu est véhiculé par la forme linguistique, iconique fixe ou en mouvement, la combinaison linguistique/iconique ainsi que tout ce qui concerne les gestes (la kinésique).

L'analyse de contenu est apparue aux États-Unis au début du 20e siècle et s'est concentrée presque exclusivement sur les articles de presse pendant près de quarante ans. C'est à Berelson (1952) que l'on attribue la définition la plus fiable de cette méthode : « Une technique de recherche pour la description objective, systématique et quantitative du contenu manifeste de la communication ».

La fonction de l'analyse de contenu est de dégager le sens et les caractéristiques du contenu d'un texte. Toutefois, à partir des années soixante, on commence à entrevoir une nouvelle fonction à l'analyse de contenu. On prend conscience qu'un message peut véhiculer plusieurs sens selon le contexte de sa production, de son énonciation et de sa réception. Le sens du message est désormais fonction de son contexte. Mais l'interprétation des caractéristiques extratextuelles d'un texte (par exemple, un journal « de droite » ou un journal « de gauche ») n'est pas chose facile car cela nécessite un mélange d'induction et d'intuition, un recours à un cadre théorique ainsi qu'une procédure d'investigation.

Une analyse de contenu se réalise en cinq étapes principales. D'abord, le choix des documents doit être fait selon un thème bien précis. Il faut constituer un corpus d'analyse qui doit être exhaustif. Si cela est impossible, il faut créer un sous-ensemble représentatif et proportionnel des éléments du corpus. Puis vient la formulation des hypothèses qui consiste à supposer en fonction d'une connaissance, d'une observation ou d'une intuition, l'explication d'un phénomène. L'hypothèse doit être claire et précise car cette étape oriente déjà l'analyse. Ces deux premières étapes sont interchangeables car l'hypothèse peut se réorienter après le choix des documents et l'ensemble des documents peut être élargi ou rétréci après l'élaboration de l'hypothèse.

L'analyse commence par un découpage du texte en unités d'analyse. Cette unité d'analyse est un aspect significatif du texte (ex. : segments de phrases, de mots) déterminé en fonction d'un objet d'analyse. Celui-ci forme un concept commun à tous les segments de texte du corpus. L'objet d'analyse peut être un thème qui porte sur un événement précis, un personnage ou une idée qui véhicule une signification isolable. À la fin de cette étape, le texte n'est plus une suite de phrases mais une suite de thèmes.

L'étape subséquente est la quantification des thèmes. Il s'agit alors de compter le nombre de segments appartenant à chaque thème, c'est-à-dire leur fréquence d'apparition dont on fera ensuite une pondération. Lors du relevé des thèmes, on a pu constater que la longueur du segment des thèmes n'est pas toujours identique d'un segment à l'autre. On doit donc pondérer ces inégalités afin d'attribuer à chaque segment une valeur plus ou moins importante par rapport aux autres segments. L'étape de la quantification des thèmes comprend une dernière évaluation : l'orientation des thèmes. Cette orientation est une prise de position de l'analyste pour chaque segment de texte en fonction de l'hypothèse reliée au thème correspondant.

L'étape finale de l'analyse de contenu est la description des résultats. Il s'agit de présenter le plus fidèlement possible les caractéristiques du texte. On peut décrire les résultats d'une manière quantitative (pourcentage d'apparition des sous-thèmes). On appuie certains constats par des exemples puis on discute des thèmes ambigus et des points restés obscurs car les données chiffrées ne font pas apparaître toutes les nuances.

4.2.2 L'analyse sémiologique

L'autre méthode pour analyser les contenus des médias de masse est la sémiologie. C'est la science qui étudie les systèmes de signes. La sémiologie étudie essentiellement les signes linguistiques et iconiques. Mais qu'est ce qu'un signe? Le signe est la réunion d'une réalité perçue et de l'image mentale associée à cette réalité. Si l'on parle, par exemple, du signe « chaise », les six lettres de ce mot sont la réalité perçue avant même que l'on y attribue un sens. Ces lettres regroupées ensemble forment une image mentale qui correspond à une réalité. Cette réalité, c'est le « référent » du signe, c'est-à-dire le meuble réel que l'on peut toucher. Celui qui utilise un signe veut évoquer un référent dans le but de communiquer une idée à propos de ce référent.

Le signifiant et le signifié sont les deux termes que l'on emploie en sémiologie pour désigner les deux composantes du signe. Le signifiant, c'est la réalité perçue du signe et le signifié correspond à l'image mentale associée à cette réalité. La signification est l'union du signifié au signifiant mais cela est parfois problématique lorsqu'il s'agit de concepts abstraits tels l'amour, la colère ou encore une fée, un dragon. Ces derniers signes sont appelés « polysémiques » car on peut y accoler diverses interprétations (c'est-à-dire différents signifiés pour le même signifiant).

Les signes, particulièrement les signes linguistiques, découpent en quelque sorte la réalité et en évoquent des parties. On peut dire que les signes construisent la réalité qui est alors mise au service des systèmes de signes. En sémiologie, on a développé une typologie de signes comme le « signe motivé » qui inclut par exemple le mot, les feux de circulation ou un geste de la main indiquant un « au revoir ». Ces signes sont dits « motivés » puisqu'on y retrouve une analogie entre le signifiant et le signifié. L'« indice » est un signe accidentel. Nous avons vu que la fonction du signe est d'évoquer le référent dans le but de communiquer. L'indice est un signe communiqué accidentellement comme le cas des empreintes de pas dans la neige. L'« icône » est un signe d'une grande similarité avec l'objet auquel elle se rapporte. La photo de passeport est une icône. Le « symbole » appartient à la catégorie des signes « motivés ». Véhiculant une analogie et un rapport direct entre le signifiant et le signifié, le symbole peut s'illustrer par la balance à plateaux (signifiant) comme symbole de la justice (signifié). Le sens émerge donc de l'association d'un signifié au signifiant.

Il existe cependant au-delà de cette fixation du sens d'un signe donné des sens supplémentaires aux signes que l'on appelle sens « connotés » et sens « dénotés ». La dénotation est la signification fixée, invariable d'un signe donné. Il n'y a qu'un signifié relié au signifiant. La connotation est une signification variable d'un même signe ou plusieurs sens reliés au même signe. Générale-ment, on parle de *la* dénotation et *des* connotations.

L'analyse sémiologique d'un message des médias de masse permet une description des connotations du message. Cette approche est particulièrement utilisée dans le contexte d'un message publicitaire.

En somme, l'analyse de contenu et l'analyse sémiologique visent une description des sens produits par l'émetteur d'une commu-nication de masse. L'analyse de contenu, en plus de permettre la quantification des thèmes, permet d'identifier les conditions de production qui ont motivé l'émetteur du message. L'analyse sémiologique permet de déceler les connotations d'un message dans la perspective des conditions de production.

Que ce soit pour analyser le sens manifeste avec l'analyse de contenu ou le sens latent avec l'analyse sémiologique, l'analyse des messages médiatisés porte sur une partie importante de la production sociale du sens.

4.3 La communication organisationnelle

L'organisation constitue un terrain propice pour l'étude de la com-munication. On considère comme indissociables la communica-tion et l'organisation dans cet axe de recherche. Selon certains chercheurs, l'organisation ne serait, à la rigueur, qu'une abstraction qui se concrétise uniquement par la communication de messages oraux, écrits, non verbaux et informatisés.

L'intérêt pour la communication dans l'organisation a été précédé au début du 20e siècle de deux modèles d'organisation dans lesquels la communication était conçue seulement comme un élément de l'organisation. Ces deux modèles sont l'école classique et l'école des relations humaines.

L'école classique considère l'organisation comme une structure formelle et rigide représentée par un organigramme. L'organisation est perçue d'une façon essentiellement hiérarchique présentant les caractéristiques suivantes : division du travail, chaîne de commandement, centralisation du pouvoir, etc. Cette conception de Fayol (1911), un des premiers théoriciens des organisations se concentre sur l'autorité et la discipline. L'autre théoricien d'importance, Taylor (1916) met l'accent sur la programmation du travail et le travail à la chaîne. Il propose que l'employé soit payé selon son rendement individuel. Dans cette perspective, la communication se limite à l'instruction, aux ordres, bref, à l'exécution du travail.

L'étude des relations humaines s'est développée dans les années quarante à l'encontre de l'école classique. Cette approche attribue une structure informelle à l'organisation. Le terme informel fait référence à des relations spontanées, non imposées qu'établissent entre eux les travailleurs. Ainsi, la gestion de l'organisation est orientée non plus seulement en fonction de la production, mais aussi en fonction des individus.

L'importance de la communication dans cette approche est encore très modeste, mais elle dépasse le commandement et la prescription. La communication concerne presque uniquement l'interaction supérieur/subordonné et prend la forme de conseils sur des techniques de communication propres à susciter la coopération des travailleurs. C'est cette école qui a cependant donné le coup d'envoi aux études de la communication organisationnelle.

Il existe deux paradigmes dominants pour l'étude de la communication organisationnelle : le paradigme fonctionnaliste et le paradigme interprétatif.

4.3.1 Le paradigme fonctionnaliste

Nous avons examiné dans le deuxième chapitre en quoi consistait le paradigme fonctionnaliste appliqué à l'étude des médias de masse. Rappelons que le fonctionnalisme consiste à percevoir la société (ici l'organisation) comme une totalité organique dont les divers éléments s'expliquent selon la fonction qu'ils y remplissent.

Dans le domaine de la communication organisationnelle, l'approche fonctionnaliste considère l'organisation comme un système. Dans cette optique, la communication assure l'interaction et l'interdépendance des éléments du système. Elle coordonne l'organisation pour la rendre cohérente. Les réseaux de communication permettent aux individus de travailler de concert. Considérée comme un système ouvert, l'organisation agit sur l'environnement en même temps qu'elle est influencée par lui. La communication assure la stabilité de l'organisation en interagissant avec l'environnement afin de prévoir les changements et de s'y adapter. Charron (1989) dégage, à partir de plusieurs définitions émanant de divers auteurs, une définition fonctionnaliste de la communication organisationnelle : « [...] un processus de création et d'échange de messages à travers un réseau d'éléments interdépendants, dans le but de combler les besoins de l'organisation ». Nous pourrions ajouter à cette définition le fait que le processus de création et d'échange de messages doit s'adapter à l'incertitude de l'environnement.

L'approche fonctionnaliste conceptualise la structure organisationnelle comme un contenant. On y distribue les rôles des individus dans des propriétés fixes comme les niveaux, les départements et les frontières. Les structures existent indépendamment des processus qui les créent et les transforment. Cette approche favorise le déterminisme, en ce sens que les individus sont les produits de l'environnement et ils répondent aux stimuli extérieurs d'une manière relativement mécanique.

La communication est perçue comme une substance tangible qui voyage d'une manière ascendante, descendante et latérale dans une structure concrète (l'organisation) où les activités surviennent. Les messages communicationnels ont des positions spatiales et temporelles indépendantes de l'émetteur et du destinataire. La transmission des messages et l'étude de l'effet des canaux de communication forment les objets d'étude privilégiés de l'école fonctionnaliste en communication organisationnelle.

Globalement, pour le fonctionnaliste, la réalité existe en soi et il suffit de l'analyser de l'extérieur pour comprendre la substance des processus communicationnels.

4.3.2 Le paradigme interprétatif

L'approche interprétative de la communication organisationnelle est tout à fait différente de l'approche fonctionnaliste. Ce modèle de recherche alternatif se concentre sur l'étude des significations, c'est-à-dire sur la façon dont les individus donnent un sens à leur monde à travers leurs comportements communicationnels. La réalité de l'organisation est donc construite par les significations que lui attribuent les individus. La perspective interprétative postule que le cœur des interprétations se situe dans les actions sociales. C'est donc par leur habileté à communiquer que les acteurs organisationnels peuvent créer et construire leur propre réalité sociale à travers leurs mots, leurs symboles et leurs comportements. L'organisation se développe à travers l'évolution de l'ensemble des comportements.

L'organisation n'est donc plus considérée comme une réalité objective (vision fonctionnaliste) mais comme une construction d'un ensemble de significations. La communication n'est pas considérée comme des messages, de l'interdépendance et des réseaux (vision fonctionnaliste) mais comme l'élément qui construit les histoires, les mythes et les rituels organisationnels. L'approche est donc symbolique et non déterministe. Pour cette approche, l'important est la création des significations partagées. Cette vision symbolique trouve sa signification communicationnelle à travers l'expérience mutuelle plutôt que dans l'intention de l'émetteur et le filtrage du récepteur.

Les méthodes d'investigation de l'école interprétative visent à comprendre un phénomène social en tentant d'extraire les dimensions uniques des situations plutôt qu'en déduisant des lois généralisables à tous les comportements sociaux. L'accent est donc mis sur « l'ici et maintenant » et sur les expériences subjectives des acteurs de l'organisation. Alors que le fonctionnaliste enquête de « l'extérieur », l'interprétationniste enquête de « l'intérieur ». L'approche interprétative est souvent inductive, c'est-à-dire qu'à partir de quelques intuitions et de *catégories conceptuelles a priori*, le chercheur tente de trouver des données qui confirment ou infirment ces explications.

Ainsi, l'approche interprétative, plutôt que de rechercher l'universel, tend à expliquer et même à critiquer le consensus par une méthode participante. À la limite, la réalité est particllement construite par le chercheur.

Voilà qui termine la présentation des trois axes de recherche et d'intervention à l'intérieur desquels nous puiserons des exemples au cours des chapitres suivants. Nous terminerons ce chapitre en présentant rapidement quelques exemples de thèmes de recherche reliés à ces trois axes d'étude.

4.4 Quelques thèmes de recherche

Cette courte section a pour objectif de fournir quelques exemples de thèmes de recherche en science de la communication. Dans les chapitres suivants, nous serons appelés à utiliser des exemples soit pour illustrer un élément de la méthode, soit pour démontrer comment on accomplit telle ou telle étape dans la démarche scientifique.

Dans le domaine des aspects sociaux et culturels des médias d'information et de communication, les thèmes de recherche gravitent d'abord autour des effets des médias. De nombreuses recherches ont été réalisées autour de l'impact sur les enfants de la violence à la télévision. La violence a un rôle symbolique bien sûr, mais est-ce qu'elle suscite l'agressivité chez les enfants? Certaines études prétendent que la violence à la télévision contribue à renforcer l'agressivité des enfants qui ont un tempérament agressif alors que d'autres études prétendent que l'enfant soulage son agressivité en s'exposant à des contenus violents.

Les études d'auditoire ou les cotes d'écoute permettent de dégager un profil socio-économique d'un auditoire précis. Par ces études, on réussit à fragmenter le public télévisuel pour ensuite élaborer des stratégies et des grilles de programmation. Il y a aussi l'évaluation des campagnes publicitaires. L'effet de l'arrivée du magnétoscope sur la fréquentation des salles de cinéma constitue également une étude de l'effet des médias de masse tout comme le fait de se demander si le téléspectateur est passif ou actif face à son petit écran.

En ce qui concerne l'impact des nouvelles technologies, il existe une étude sur l'analyse de la dynamique d'intégration du micro-ordinateur en contexte familial. C'est une analyse longitudinale qui permet de mieux cerner la dimension humaine de cette innovation technologique qu'est la micro-informatique domestique. Nous utiliserons d'ailleurs cette étude communicationnelle (Caron, Giroux, Douzou, 1987) pour illustrer certaines étapes de la méthode scientifique.

Pour ce qui est du contenu des messages médiatisés, l'analyse de contenu des téléromans permet d'analyser les stéréotypes véhiculés. Dans le cas de la publicité, l'analyse de contenu permet, entre autres, de retracer l'évolution des rôles traditionnels masculins et féminins depuis quelques années.

La sémiotique permet de faire ressortir le contenu symbolique d'une publicité. En effet, l'analyse de contenu ne peut révéler le contenu non manifeste d'une publicité. Bien que l'intention d'une publicité soit de déclencher l'acte d'achat, cela ne se fait que très rarement de façon directe. Ainsi, on vend moins l'objet lui-même que les valeurs auxquelles on l'associe et c'est la sémiotique qui permet de dégager les connotations de l'objet publicitaire.

Enfin, dans le domaine organisationnel, on peut étudier comment les technologies informatisées peuvent modifier la distribution du pouvoir. On s'intéresse également au degré d'adaptation et de satisfaction des employés face aux nouvelles technologies. On examine aussi certains problèmes de communication interpersonnelle entre des supérieurs et des subordonnés. On peut étudier le phénomène des rituels ou les diverses formes de communication non verbale. Les réseaux de communication, le rôle des messageries électroniques et des conférences téléphoniques, le rôle de la communication lorsqu'il y a une crise dans l'organisation, les communications externes versus les communications internes sont d'autres thèmes de recherche que l'on a explorés dans ce domaine.

Rappelons que les chapitres de la deuxième partie du cours seront régulièrement illustrés d'exemples plus détaillés, choisis surtout parmi ceux présentés ci-dessus.

CONCLUSION

Nous avons examiné dans ce chapitre, la particularité de la recherche en communication. Le grand éventail de recherches et d'approches possibles est pratiquement proportionnel à la diversité des méthodes d'investigation permettant de conduire ces recherches. Ainsi, maintenant que nous avons examiné les fondements de la méthodologie scientifique, ses caractéristiques et les axes de recherche propres à la communication, nous sommes prêts à amorcer concrètement la façon dont on mène une recherche, c'est-à-dire les étapes logiques d'une méthodologie scientifique.

Lectures suggérées

CHARRON, D. (1989), *Une introduction à la communication*, Presses de l'Université du Québec, coll. Communication et société, Télé-université. Ce livre fait partie du cours *Com-1000*.

TREMBLAY, G., SÉNÉCAL, M. (1987), « La science des communications et le phénomène technique » dans *Sciences sociales et transformations technologiques : les actes d'un colloque*, Gouvernement du Québec, Conseil de la science et de la technologie, document no 87.02.

DEUXIÈME

PARTIE

LES ÉTAPES LOGIQUES D'UNE MÉTHODOLOGIE SCIENTIFIQUE

OBJECTIF

Familiariser l'étudiant avec les cinq étapes logiques de la méthodologie scientifique.

INTRODUCTION

Dans cette deuxième partie du livre, nous entrons au cœur du processus de la méthodologie scientifique dont nous présentons en détail les étapes logiques. Les cinq chapitres constituant cette partie visent à faire connaître les processus conduisant à :

- l'identification d'un problème de recherche,
- la définition d'une problématique de recherche,
- le développement d'une perspective théorique,
- la construction des hypothèses ou des questions de recherche,
- la validation et l'opérationnalisation des hypothèses et des questions de recherche.

Ce dernier chapitre inclut également un aperçu sommaire des autres étapes de la recherche.

Il est important de comprendre dès maintenant que cette deuxième partie du cours ne correspond pas à une sorte de « recette infaillible » qui garantisse l'accomplissement et la réussite d'une recherche en communication. Bien sûr, la description des étapes de la méthodologie permet d'ordonner et de bien orienter la recherche. C'est un peu un guide avec tout ce que cela comporte de spécifications, de précisions, de mises en garde, de vérifications, bref, c'est une façon d'effectuer une recherche. Toutefois, rappelons-le, l'utilisation d'une méthode, malgré toute la rigueur dont elle peut faire preuve, exige souplesse et flexibilité dans son application. Comme on le verra, le chercheur doit fréquemment effectuer des adaptations de la méthode scientifique aux caractéristiques de son objet de recherche et au contexte dans lequel il doit réaliser sa recherche.

Ce que nous voulons faire comprendre essentiellement, c'est que la maîtrise de la méthodologie ne s'acquiert pas uniquement par l'étude. Elle s'apprend et s'acquiert surtout par une pratique. Il faut donc « entrer en matière », se plonger dans la recherche pour mieux la saisir. La méthode organise les connaissances mais encore faut-il s'imprégner de ces connaissances (en l'occurrence, les objets d'étude en communication qui intéressent un individu).

Un joueur de tennis aura beau lire 33 livres sur le tennis, sur son histoire, ses techniques, sur l'équipement idéal, sur la meilleure préparation physique et mentale possible, il aura beau visionner les meilleurs matchs des professionnels durant la dernière décennie, s'il n'entre pas dans le jeu, toute cette préparation, certes très importante, a peu de valeur. Cela signifie clairement qu'il doit jouer des heures et des heures pour perfectionner la technique de son jeu mais aussi pour connaître la pression, le défi, l'acharnement au travail, le stress, mais aussi le plaisir et la satisfaction de jouer dans un tournoi, et de faire les liens entre la théorie, la technique et la pratique.

C'est exactement le même genre de démarche que doit faire l'apprenti chercheur en communication. De la même façon qu'un joueur de tennis sera guidé par les conseils d'un instructeur, le futur chercheur en communication sera guidé par la lecture de ce manuel. Mais, encore une fois, ce manuel ne peut pas remplacer la « pratique réelle de la recherche »; il peut sûrement, et c'est là son but, l'encourager, la diriger, la structurer et la faciliter. Dans la troisième partie du cours, au chapitre quatorze, nous étudierons les « parcours concrets dans l'élaboration d'une recherche ». Nous verrons alors que les contraintes dans la pratique de la recherche nécessitent parfois de modifier ou de contourner certaines étapes de la méthode scientifique.

Cependant, la meilleure façon d'apprendre à résoudre des problèmes de recherche, c'est de suivre le parcours d'une recherche réussie. Voilà pourquoi, chacune des étapes logiques présentées dans les cinq prochains chapitres sera illustrée par des exemples de recherches élaborées selon les axes communicationnels que nous avons présentés dans la première partie du cours.

Enfin, pour décrire globalement la façon dont on élabore une recherche, on peut avancer qu'elle se développe selon le processus de l'entonnoir. Cela signifie qu'une recherche démarre avec le choix d'un *domaine de recherche* pour ensuite, restreindre progressivement son objet d'étude afin de cerner celui-ci le plus précisément possible. Ce passage du global au spécifique est en quelque sorte le passage d'une idée quelque peu approximative et abstraite à un objet concret et si possible mesurable. Les étapes de ces passages consistent à préciser progressivement les points suivants : le champ de recherche, le domaine de la recherche, le sujet, le problème général, le problème spécifique, les questions de recherche et (ou) l'hypothèse, et l'opérationnalisation de l'hypothèse. La figure 4.1 illustre le développement de la démarche d'une recherche selon la logique de l'entonnoir.

Rappelons que le choix du champ de recherche est celui des sciences de la communication. Nous avons, dans le chapitre précédent, examiné les axes de recherche privilégiés pour l'objet de ce manuel. Ces trois grands axes (les aspects sociaux et culturels des médias d'information et de communication, le contenu des messages médiatisés et la communication organisationnelle) constituent notre domaine de recherche. Nous pouvons maintenant aborder le choix du sujet et d'un problème de recherche à l'intérieur d'un de ces domaines.

FIGURE 4.1   **Développement du processus de recherche selon la logique de l'entonnoir**

Champ   de   recherche

Domaine   de   recherche

Sujet   de   recherche

Problème   de   recherche

Problème   spécifique

Questions de recherche
ou hypothèses de
recherche

Opérationnalisation
de l'hypothèse

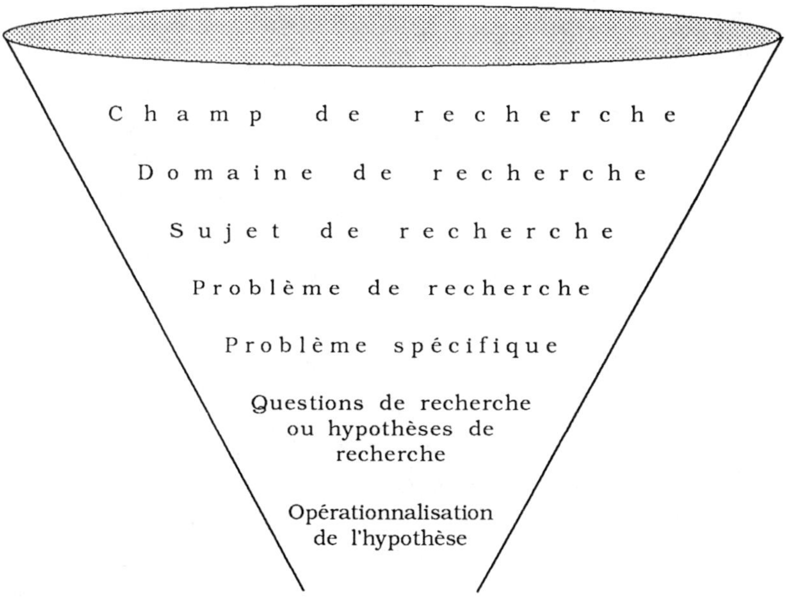

LE CHOIX D'UN SUJET ET D'UN PROBLÈME DE RECHERCHE

OBJECTIF

Familiariser l'étudiant avec la façon de choisir un sujet de recherche et apprendre à tenir compte des différents facteurs qui en influencent le choix.

INTRODUCTION

Le choix d'un sujet de recherche est d'une importance cruciale. Cette étape est déterminante car plus un sujet sera bien défini, plus le déroulement de la recherche en sera facilité. Dans ce chapitre, nous verrons d'abord comment choisir un sujet de recherche. Ensuite, nous examinerons les types de sujets que l'on peut choisir. Enfin, nous analyserons les facteurs qui peuvent influencer le choix d'un problème de recherche. Ces facteurs vont de l'intérêt personnel du chercheur, ses expériences, ses compétences, jusqu'aux intérêts du groupe d'appartenance. Ces facteurs incluent aussi les subventions disponibles et l'idéologie de l'établissement à laquelle se rattache le chercheur.

1. LE CHOIX D'UN SUJET DE RECHERCHE

Le sujet de recherche est ce sur quoi s'exerce la réflexion. C'est le *centre des préoccupations à partir duquel gravitent des avenues ou un ensemble de problèmes de recherche possibles.* Le sujet, c'est d'une certaine manière l'idée générale qui enveloppe divers problèmes de recherche. Il est choisi en fonction d'un phénomène ou d'une situation particulière.

___ **Exemples** _____

— Dans le domaine des communications, un des phénomènes les plus frappants est sans aucun doute l'omniprésence des messages médiatisés dans nos vies quotidiennes. Un sujet de recherche comme l'évolution du mouvement féministe depuis près de vingt ans peut être intéressant à examiner en fonction de cette réalité. En effet, l'impact progressif du mouvement féministe sur le contenu des émissions de télévision et de radio, sur la presse écrite, sur les magazines d'actualité, sur la publicité, etc., est un phénomène à partir duquel de nombreux problèmes de recherche peuvent être étudiés.

— Le phénomène que l'on appelle le « virage technologique », qui témoigne du passage de la société industrielle à la société dite postindustrielle ou société de l'information, constitue un phénomène social important. Ce phénomène en a engendré d'autres, comme l'appropriation massive et quasi spontanée des micro-ordinateurs au travail ou à la maison. Le phénomène des nouvelles technologies inspire inévitablement de nombreux sujets de recherche et les sciences de la communication s'en sont approprié une part importante.

— Enfin, un sujet de recherche peut aussi être choisi en fonction d'une situation particulière comme celle d'une grève dans une grande entreprise ayant pour cause une difficulté de communication entre le sommet de la hiérarchie et la base de la pyramide organisationnelle. Cette situation suggère aussi plusieurs sujets de recherche généraux.

À la rigueur, nous pourrions même dire que les trois axes de recherche en communication présentés au chapitre précédent constituent un domaine de recherche à partir duquel une multitude de sujets et de problèmes de recherche peuvent être dégagés.

2. LES TYPES DE SUJETS DE RECHERCHE

La recherche est une activité « objective » dont le but ultime est l'acquisition de connaissances, la compréhension de faits et de phénomènes et la résolution de problèmes. Les types de sujet de recherche peuvent être reliés soit à une *question de connaissance et de compréhension non encore investiguée*, soit à des *objets théoriques et méthodologiques*, soit à un *problème observé dans le champ empirique*.

2.1 Les sujets encore inconnus et non investigués

Les sujets de recherche reliés à une question de connaissance et de compréhension non encore investiguée sont fréquents dans le domaine relativement récent des sciences de la communication. Puisque le *phénomène technique*, intimement relié aux études en sciences de la communication, est en *évolution constante,* il y aura toujours des contenus, des impacts, des effets, des utilisations, des problèmes d'évaluation, etc., qui pourront être matière à un sujet de recherche.

Il y a quelques années, on voulait comprendre dans quelle mesure les nouveaux médias suscitaient des transformations à différents points de vue chez les individus. Le cas du micro-ordinateur domestique, l'avènement de la télévision payante, le développement remarquable de la télématique et de la bureautique, tous ces bouleversements technologiques causaient des transformations dans la société ou, selon un autre point de vue, représentaient les conséquences de l'évolution d'une société. Ce genre de question était nouveau et il a rapidement suscité de nombreux sujets de recherche qui n'étaient pas encore investigués à l'époque.

Prenons comme exemple l'équipe Caron, Giroux et Douzon (1987) qui a choisi un sujet de recherche à l'intérieur de ce phénomène qu'est l'innovation technologique dans la société contemporaine. Ils ont fait le constat que l'ensemble des nouveaux médias véhiculait un fort potentiel de transformation. En effet, la nature interactive de ces innovations génère des comportements communicationnels nouveaux.

Ainsi, une recherche dans la documentation sur les innovations leur a permis de découvrir qu'une innovation ne devient pas forcément ce qu'en escompte son créateur au moment de son invention. Ainsi, d'une part l'utilisateur peut redéfinir selon ses perceptions les fonctions de l'innovation et, d'autre part, le contexte socio-économique dans lequel l'innovation est diffusée peut modifier de façon sensible son utilisation. L'individu jouerait un rôle actif dans l'intégration sociale d'une innovation. Un individu ou un groupe d'individus possède donc le pouvoir de redéfinir ou de s'approprier une innovation. Séduit par cette perspective théorique, Caron *et al.* (1987) ont choisi d'étudier le cas du micro-ordinateur. Puisque plusieurs interrogations avaient déjà été posées sur cette innovation dans le milieu de travail et dans le milieu scolaire, les auteurs ont trouvé judicieux de les étendre au contexte familial, d'autant plus que des sondages montraient l'augmentation du nombre d'ordinateurs domestiques dans les foyers britanniques, canadiens et américains. Le choix de ce sujet de recherche était donc relié à une question de connaissance non encore investiguée. On voulait savoir comment l'individu ou le groupe familial redéfinissait ou « réinventait » l'utilisation du micro-ordinateur dans le milieu familial.

Encore aujourd'hui, l'implantation de la télévision interactive, de nouvelles formes de publicité, l'impact du développement de la fibre optique, parmi d'autres innovations, constituent un terrain propice pour de nouveaux sujets de recherche dans ce domaine. L'influence des techniques de communication ici et ailleurs, maintenant et dans le futur, constitueront toujours une source très vaste de sujets de recherche.

Les sujets de recherche non encore investigués pourront l'être par l'application de diverses théories communicationnelles à un nouveau cas particulier. On pourrait résumer en affirmant que ce premier type de sujet de recherche consiste à appliquer une théorie existante à un nouveau phénomène afin de mieux le comprendre.

2.2 Les sujets reliés à des objets théoriques et méthodologiques

Un second type de sujet de recherche est relié à des objets théoriques et méthodologiques. Un chercheur peut vouloir comprendre pourquoi un même objet d'étude, par exemple l'impact de la publicité télévisée chez un groupe d'individus qui regarde beaucoup d'émissions de télévision (plus de cinq heures par jour), est perçu différemment par deux chercheurs. Ceux-ci, bien qu'ayant analysé exactement le même objet communicationnel, sont arrivés à des conclusions différentes. De plus, les deux chercheurs avaient utilisé la même méthode qualitative, soit l'entrevue semi-structurée. Dans ce cas, le sujet de recherche n'est pas l'impact de la publicité chez les grands consommateurs télévisuels, *mais plutôt l'analyse d'un aspect de la méthode elle-même*. Le chercheur veut savoir si les méthodes utilisées par les deux chercheurs sont fiables, s'ils les ont utilisé avec rigueur, s'ils ont influencé les répondants, etc. Ce type de sujet de recherche permet de clarifier certains points obscurs dans l'utilisation d'une méthode afin de rendre celle-ci plus fiable et le sujet mieux connu.

Un autre sujet de recherche relié à un objet méthodologique pourrait être celui-ci : à la suite d'un présondage effectué auprès des Néo-Québécois en ce qui concerne leur habitude d'écoute des médias d'information, un chercheur peut denoter des irrégularités et vouloir apporter des modifications à la méthodologie suggérée. Un examen de la cueillette des données et du questionnaire conduit, d'une part à la nécessité de modifier le fonctionnement et la structure du processus de cueillette et, d'autre part, à éliminer et à reformuler certaines questions. Ce sujet de recherche devient alors une analyse critique de la méthodologie du sondage pour une meilleure compréhension de l'objet.

Le sujet de recherche peut aussi être relié à un objet théorique. Par exemple, les fonctionnalistes qui s'intéressent à la communication organisationnelle ont étudié les fonctions des messages dans l'organisation afin de mieux les contrôler et les orienter. Les premières recherches ont permis de faire un inventaire des types de messages qui circulent dans l'organisation. Un chercheur a catégorisé ces messages sous trois fonctions : la production, le maintien et le contact humain. Un autre chercheur décide par la suite de prendre comme sujet de recherche cet aspect théorique. Il peut considérer que l'inventaire de ces fonctions ne suffit pas à expliquer la diversité des messages communicationnels. Il entreprend donc une recherche sur cet aspect théorique de la fonction des messages et il identifie à son tour quatre autres fonctions qui lui semblent représenter beaucoup mieux la réalité. Ces fonctions sont la régulation, l'innovation, l'intégration et l'information. Dans ce dernier cas, le sujet de la recherche était directement relié à un objet théorique. Le chercheur voulait donner une nouvelle représentation théorique des diverses fonctions d'un message dans l'organisation.

2.3 Les sujets reliés à un problème dans le champ empirique

Enfin, un sujet de recherche peut être relié à un problème dans le champ empirique. Ce type de sujet est relié à tout ce qui concerne l'*observation des données externes* dans le cadre d'une expérience quelconque. Les données doivent être valides tout comme la façon de les recueillir et de les interpréter.

Si l'on prend comme exemple les sondages sur l'auditoire de la radio et de la télévision à travers le Canada, on fait ici référence à la notion de « cote d'écoute ». Au Canada, c'est surtout la firme « BBM » (Broadcasting Bureau of Measurement) qui s'occupe de ces sondages. La firme utilise la méthode qui consiste essentiellement à sélectionner un échantillon d'individus et à demander à chacun d'eux de compléter un cahier décrivant leur écoute de la télévision par quart d'heure pendant une période de sept jours. Imaginez qu'un sujet ayant rempli le cahier d'écoute mentionne aux chercheurs qu'en réalité son écoute de la télévision est très « éclatée », c'est-à-dire qu'il fait ce que l'on appelle dans le jargon des sondages sur l'auditoire du « zapping ». Le « zapping » consiste pour le téléspectateur à changer très fréquemment de chaîne dès qu'une publicité survient; il est apparu avec l'avènement des commandes à distance du téléviseur. Ce phénomène représente un problème dans le champ empirique car les données obtenues par le cahier d'écoute risquent de ne pas être vraiment représentatives des pratiques usuelles.

La recherche sur les cotes d'écoute peut être reliée autant à des problèmes méthodologiques qu'à des problèmes empiriques. Examinons de quelle façon cela peut se présenter. La cote d'écoute est une expression qui en englobe d'autres telles que : la portée, les parts de marché, la région centrale, le rayonnement, l'auditoire moyen, etc. Sans entrer dans la signification de ces diverses mesures, il suffit de dire que dans tous ces cas, un chercheur peut se demander s'il est possible de comparer ces mesures (problème méthodologique). Le chercheur peut s'interroger, entre autres, sur la pertinence d'effectuer des moyennes à partir des données brutes fournies par la firme BBM (problème empirique). Le chercheur peut aussi tenter d'établir des parallèles entre des stations du même type. Il peut découvrir un problème dans ces comparaisons comme par exemple, l'importance de considérer le facteur linguistique dans l'écoute télévisuelle (problème empirique). Il peut aussi découvrir qu'une étude a fait une comparaison des cotes d'écoute d'un réseau américain avec un réseau québécois et que la portée n'était pas calculée sur la même base, c'est-à-dire qu'elle est calculée sur une base de foyers dans un des cas et sur une base d'individus dans l'autre (problème méthodologique). Il s'ensuit que ces données sont sujettes à des comparaisons boiteuses.

Donc, si les données que l'on possède ne permettent pas de faire des distinctions nettes, il y a alors un problème d'observation dans le champ empirique. Si l'on compare des données différentes (les foyers comparés aux individus), c'est un problème méthodologique.

Voilà donc à quoi peuvent être reliés les différents types de sujets de recherche. À partir du moment où le chercheur a identifié le sujet qu'il veut étudier, il doit choisir un problème de recherche à l'intérieur de son sujet de recherche.

3. LES FACTEURS QUI INFLUENCENT LE CHOIX D'UN PROBLÈME DE RECHERCHE

Le choix d'un problème de recherche est influencé par un ensemble varié de facteurs. En retour, ces divers facteurs peuvent aussi influencer le type de sujet de recherche qui fera l'objet d'étude. Il faut se rappeler qu'il y a souvent un mouvement de va-et-vient non seulement entre les étapes logiques de la méthode scientifique, mais également à l'intérieur de chacune de ces étapes. Les étapes de la recherche sont distinctes et successives mais elles demeurent néanmoins interdépendantes. Ce qui signifie qu'il est toujours possible que les problèmes rencontrés dans une étape nécessitent le retour à une étape précédente afin d'en préciser ou d'en modifier certains aspects.

3.1 Les compétences, les intérêts et les préoccupations des chercheurs

Le facteur le plus important dans le choix du problème et du sujet de recherche est sans doute la *compétence du chercheur* dans le domaine choisi. Un chercheur compétent aura rapidement une idée précise et juste de son sujet et du problème général qu'il veut investiguer. Ses compétences de chercheur lui permettent de saisir dans son ensemble tous les aspects et les implications du problème. Le chercheur peut donc réfléchir à son problème et planifier sa recherche dès le départ. Ce facteur peut être une bonne assurance que la recherche n'avorte pas en cours d'élaboration.

Ouellet (1981) précise que la compétence du chercheur est démontrée lorsque celui-ci connaît d'abord les principales recherches en cours sur le sujet. Il est aussi conscient des problèmes pratiques et quotidiens reliés à l'activité en question. Le chercheur connaît aussi les principales approches théoriques associées à son problème ainsi que leur valeur. Il est au courant des nouvelles tendances au sein de son domaine de recherche et enfin, il maîtrise les principales méthodes et techniques de recherche pour effectuer spécifiquement des investigations dans son champ de spécialisation.

La compétence est donc un facteur essentiel et une condition nécessaire mais non suffisante pour assurer le succès de la recherche. Il faut, et cela semble élémentaire mais pourtant crucial, que le problème de recherche corresponde *aux intérêts et aux préoccupations du chercheur*, car ce sont ces facteurs qui stimuleront la motivation et la créativité du chercheur.

Un chercheur peut avoir un intérêt marqué pour un modèle théorique comme par exemple celui de la diffusion des innovations (Rogers, 1983). L'exemple que nous avons précédemment cité à propos de l'appropriation du micro-ordinateur domestique illustre ce modèle. Ce chercheur s'intéressera sûrement à l'application de ce modèle pour une nouvelle innovation, telle l'apparition de la télévision interactive à domicile.

L'intérêt du chercheur peut se situer à un niveau plus large et plus global. Par exemple, le chercheur peut aborder le même sujet mais dans la perspective du paradigme interprétatif. Prenons le cas d'un chercheur en communication qui s'intéresse à la culture organisationnelle d'une nouvelle entreprise. On lui propose d'effectuer une étude sur les comportements des individus à la suite de l'implantation généralisée de la messagerie électronique dans l'entreprise. Si l'entreprise a plusieurs succursales, il est probable que le chercheur demande une modification quant à l'approche souhaitée pour ce sujet de recherche. En effet, si les responsables de cette commande de recherche s'attendent à obtenir des résultats sur les réactions des acteurs de l'organisation, le chercheur peut suggérer fortement de réaliser sa recherche dans le but de découvrir de nouvelles coalitions parmi les acteurs organisationnels. La raison qu'il invoquerait pour justifier ce changement ne serait pas reliée à l'objet d'étude mais plutôt à l'approche suggérée. En effet, les tenants de l'approche interprétative considèrent que les êtres humains agissent, à la différence des autres organismes biologiques qui, eux, réagissent. Le chercheur accepterait sans doute l'étude sur la messagerie électronique si on lui permettait de choisir comme problème de recherche « la façon dont les individus attribueront des significations subjectives, reliées à cette nouvelle situation, par le biais de nouvelles coalitions avec leurs collègues de travail ». En fait, l'intérêt du chercheur n'est pas de savoir comment les individus réagissent à cette nouvelle technologie mais comment les significations qui y sont rattachées contribuent à construire la réalité organisationnelle.

Les préoccupations du chercheur peuvent aussi se manifester par *ses valeurs personnelles, son intérêt personnel pour certains problèmes ou ses jugements de valeur*. Par exemple, un chercheur en communication qui serait particulièrement préoccupé par des problèmes écologiques aurait tendance à s'approprier un problème de recherche relié à cette préoccupation. Les intérêts du chercheur mobilisent et influencent le choix de ses recherches. Il pourrait vouloir analyser le contenu des messages médiatiques qui concernent la sauvegarde de l'environnement. Le chercheur devra cependant demeurer vigilant afin de ne pas teinter ses rapports de recherche de jugements de valeur personnels. Le caractère impartial de la recherche scientifique ne doit pas céder à des jugements de valeur même si ceux-ci appuient une cause louable et légitime. C'est une question d'éthique professionnelle.

Enfin, on peut ajouter aux facteurs que nous venons de voir, le fait qu'un chercheur compétent prendra le temps d'examiner comment les autres chercheurs situent le problème. Il saura aussi comment éviter d'effectuer une recherche sur un sujet déjà traité. Finalement, sa compétence l'amènera à se demander si cette nouvelle étude sur le sujet amènera une contribution significative et appréciable pour la communauté scientifique.

Ainsi, le travail le plus créatif et le plus systématique, dans le choix d'un problème de recherche, se réalise par un mélange heureux entre les besoins personnels de développement du chercheur et une situation qui favorise l'exécution de cette recherche.

3.2 **Les programmes de subventions, la commande et l'effet de mode**

La plupart des recherches en sciences de la communication, comme dans presque toutes les autres sciences d'ailleurs, sont reliées d'une manière directe ou indirecte à des *programmes de subventions*. Ce sont surtout les fonds publics gérés par les gouvernements qui attribuent des *crédits de recherche* aux chercheurs.

Dans ce contexte, les chercheurs doivent faire une demande, en bonne et due forme, pour obtenir des fonds dans le but de procéder à l'exécution de la recherche. Il va de soi que l'acceptation ou le refus d'un fonds de recherche est le facteur le plus déterminant dans l'accomplissement d'une recherche. Mais des nuances s'imposent car il est possible que le chercheur n'obtienne qu'une partie des fonds demandés, ce qui entraînera peut-être une modification quant à l'envergure de la recherche : la portée et parfois même la nature de la recherche pourraient en être modifiées.

Il est toutefois très important d'examiner les programmes de subventions sous un autre angle. En effet, les sociétés accordent à des moments variés, une priorité à certains thèmes de recherche. Cela signifie clairement que les programmes de subventions des divers paliers gouvernementaux privilégient certains sujets de recherche.

À titre d'exemple, nous pouvons dire qu'au Québec du moins, les programmes de subventions pour les études en communication, ont favorisé dans les années soixante l'étude des médias de masse, de la publicité et du film. Dans les années soixante-dix, l'intérêt s'est déplacé vers le domaine audiovisuel, les médias communautaires, la câblodistribution et le satellite. Les années quatre-vingt sont imprégnées du fameux « virage technologique » et on a favorisé les recherches en télématique, particulièrement sur le vidéotex. La micro-informatique et la réglementation des télécommunications sont aussi des sujets privilégiés.

Il est donc plus facile pour un chercheur d'obtenir des subventions de recherche en fonction des sujets favorisés par les organismes qui distribuent ces fonds de recherche. Mais attention, cela ne signifie pas qu'il n'y a que la recherche subventionnée qui soit valable. Plusieurs recherches, surtout celles qui ont tendance à critiquer l'ordre social établi, sont marginalisées par les organismes subventionnaires. De plus, la définition des sujets de recherche destinés à être subventionnés est souvent effectuée par des chercheurs provenant de la communauté scientifique recrutés par les gouvernements pour établir des priorités et des critères d'attribution de subventions.

Par ailleurs, le chercheur n'est pas toujours obligé de demander des fonds; il peut recevoir une commande précise. Le ministère des Communications du Canada peut commander une recherche spécifique à un chercheur et son équipe, selon la compétence de ces derniers et selon les besoins du ministère. Les entreprises privées commandent souvent des recherches pour leurs besoins immédiats. Par exemple, une grande compagnie de câblodistribution qui se lance dans l'implantation de la télévision interactive peut demander à des chercheurs spécialistes une étude sur les impacts sociaux de cette nouvelle technologie afin de mieux en tenir compte dans sa stratégie de mise en marché et de diffusion.

Les subventions et les commandes peuvent aussi s'inscrire dans une conjoncture sociale, c'est-à-dire que l'opinion publique et la communauté scientifique peuvent s'intéresser à un moment précis à une thématique particulière. On pourrait appeler ce phénomène l'« effet de mode ». L'avènement du magnétoscope et l'expérience « Télidon » sont en quelque sorte des exemples de cet effet de mode.

Enfin, les programmes de subventions accordent des crédits de recherche en fonction de la pertinence d'une recherche ou de son utilité. Ce critère de subvention signifie qu'à un moment donné, il peut y avoir un problème social ou une préoccupation d'ordre social qui justifie l'attribution de fonds à un type particulier de recherche. Les problèmes de communication reliés à l'intégration des immigrants dans les classes de français au Québec illustrent bien cette notion de pertinence.

Les facteurs que nous venons de mentionner sont surtout reliés à la dimension financière de la recherche mais cela ne suffit pas, il faut aussi examiner la faisabilité de la recherche.

3.3 La faisabilité de la recherche

Le facteur décrit plus haut concerne au premier chef les ressources financières mises à la disposition du chercheur pour la réalisation de sa recherche; le chercheur doit d'abord examiner les fonds dont il dispose. À partir de là, il peut évaluer la faisabilité de sa recherche du point de vue des ressources humaines et matérielles.

Le chercheur doit évaluer le salaire qu'il peut verser à quelques assistants de recherche. Il doit aussi considérer la disponibilité de l'équipement, c'est-à-dire un laboratoire de recherche, s'il y a lieu, des micro-ordinateurs pour le traitement de texte et l'analyse statistique des données, du matériel pour la recherche sur le terrain, comme l'enregistreuse ou, dans le cas d'une recherche expérimentale, les polycopiés, etc. Un grand nombre de détails doit être pris en considération pour l'exécution d'une recherche.

Le chercheur doit aussi tenir compte du contexte sociopolitique, du temps disponible, des caractéristiques de l'objet et de la disponibilité des ressources humaines : assistants de recherche, personnes-ressources externes, etc.

Le *contexte sociopolitique* est relativement important. Il se peut qu'à la veille d'une élection générale, le gouvernement soit plus généreux dans l'attribution de ses fonds de recherche. Il se peut aussi qu'un débat politique sur un problème d'ordre social favorise l'attribution de contrats de recherche reliés à ce débat.

Le *temps disponible* pour effectuer la recherche est un élément important pour la faisabilité de cette recherche. Un échéancier trop court et des imprévus dans le déroulement d'une recherche peuvent la remettre en question. Par exemple, une recherche qui exigerait la collecte de données quantitatives (questionnaire objectif) et qualitatives (entrevue semi-structurée) nécessite un délai temporel important. Il faut donner le temps aux sujets, qui acceptent de participer à la recherche, de remplir et de retourner le questionnaire. Les retards dans ces situations sont presque inévitables. Il faut aussi, dans le cas des entrevues, posséder une marge de manœuvre temporelle afin de respecter la disponibilité des sujets participants. Il est donc parfois difficile d'évaluer avec exactitude l'échéance d'une recherche (à cause des nombreux impondérables) et ce facteur peut miner la faisabilité d'une recherche.

Les *caractéristiques de l'objet d'étude* peuvent aussi entraver la réalisation d'une recherche. Imaginez une recherche dont l'objectif serait d'analyser l'utilisation détaillée que l'on peut faire d'une antenne parabolique. Ceux qui possèdent une antenne parabolique sont peu nombreux et ils sont susceptibles d'habiter loin des centres urbains. Le chercheur et son équipe devront alors prévoir plusieurs déplacements en régions éloignées. Cela peut donc constituer un problème directement relié aux caractéristiques de l'objet d'étude.

Enfin, la *disponibilité des ressources humaines* peut être un facteur empêchant la réalisation de la recherche. Un chercheur spécialisé dans le paradigme interprétatif de la communication organisationnelle peut rencontrer des difficultés à recruter des assistants de recherche compétents pour mener à bien une recherche importante sur le terrain.

De façon générale, tout ce qui peut nuire à la faisabilité de la recherche doit être évalué et analysé avant le début de la recherche. Rien ne doit être laissé au hasard.

3.4 La gratification et le prestige

Le choix d'un sujet peut présenter une dimension prestigieuse pour le chercheur. La valorisation sociale et la reconnaissance éventuelle des milieux scientifiques sont aussi des facteurs qui déterminent le choix d'un problème de recherche. Il y a souvent plus de prestige à réaliser une recherche dans un domaine de pointe qu'à tenter de trouver une solution à un épineux problème théorique ou méthodologique. Rares sont les chercheurs détachés du prestige et des bénéfices personnels indirects.

Ces bénéfices peuvent prendre la forme de conséquences gratifiantes comme la promotion à un emploi prestigieux ou des contrats importants. Même s'il est convenu dans la communauté scientifique de faire preuve de modestie, il n'en demeure pas moins que le choix d'un problème de recherche peut apporter des bénéfices au niveau personnel, institutionnel et social.

Enfin, l'élaboration d'une recherche dont le thème véhicule une dimension prestigieuse favorise éventuellement la publication dans les périodiques à rayonnement international. Si, de plus, les articles frappent l'imagination par leur originalité et imposent le respect par leur rigueur scientifique, tout cela suscitera la considération. De telles publications assurent alors la crédibilité, la reconnaissance et une certaine notoriété pour le chercheur.

3.5 L'appartenance idéologique

L'idéologie se définit dans le *Petit Robert* comme étant un : « système d'idées, une philosophie du monde et de la vie », ou encore « un ensemble des idées, des croyances et des doctrines propres à une époque et à une société ».

Les chercheurs sont généralement associés à un établissement et il y a toujours, du moins implicitement, un caractère idéologique plus ou moins sélectif dans l'établissement d'appartenance. Imaginons, dans une grande université, un département de communication où l'on s'intéresse aux nouvelles technologies d'information. L'établissement (ou le département) peut traditionnellement avoir véhiculé une idéologie neutraliste ou, à l'opposé, déterministe. L'idéologie neutraliste postule qu'une technologie ne véhicule aucune signification en elle-même et que les retombées tant économiques, politiques et culturelles, dues à son insertion dans une société donnée, sont contrôlées par l'être humain. Cette idéologie considère essentiellement la technologie comme une des conséquences de l'évolution d'une société. L'idéologie déterministe conçoit, au contraire, le développement technologique comme étant issu d'une logique autonome, celle du progrès scientifique. La technologie se définit alors comme un déterminisme important des changements sociaux soit en orientant les sociétés vers une rationalisation à outrance de la réalité, soit en automatisant les activités de production.

En choisissant un problème de recherche et son approche, le chercheur doit être bien conscient qu'il choisit et définit en même temps *sa relation à la connaissance et à la société*. Il souscrit, qu'il le veuille ou non, à une idéologie. On comprend alors l'existence de luttes idéologiques entre écoles, établissements et chercheurs. Il y a donc une nécessité sur le plan éthique d'expliciter ses appartenances idéologiques, ses valeurs, ses objectifs et ses intérêts dans la mesure du possible (nous reviendrons sur cet aspect).

4. DES STRATÉGIES POUR LE CHOIX D'UN PROBLÈME DE RECHERCHE

Il faut savoir tout de suite qu'il n'existe pas une stratégie globale et parfaite qui garantisse le choix du meilleur problème de recherche possible dans un domaine particulier. Cependant, nous suggérons ici quelques pistes stratégiques pour trouver un bon sujet de recherche.

La première stratégie, tout à fait fondamentale, consiste à lire un grand nombre d'articles et de livres sur le sujet de recherche qui nous intéresse. Il faut, comme nous l'avons dit « entrer en matière », donc se *familiariser avec les connaissances scientifiques déjà acquises*. Il peut être utile, pour se familiariser avec un sujet de recherche, d'examiner la table des matières de quelques périodiques en communication des cinq ou sept dernières années. Cela donne un aperçu des recherches dans ce domaine.

Puisqu'une recherche devrait en principe amener une contribution, si minime soit-elle, à la science, il serait bon, lors de la lecture d'articles de revues, de porter une attention *à ce que les chercheurs souhaitent et recommandent comme recherches supplémentaires* qui permettraient d'éclaircir certains éléments obscurs au point de vue théorique, méthodologique et empirique. Toujours dans cette optique, il serait aussi utile *d'examiner les critiques émises* à propos d'un domaine de recherche.

Une autre stratégie concerne *l'examen systématique des écrits concernant les spéculations sur le futur*. Ces écrits sont généralement diffusés dans les magazines populaires ou dans les ouvrages de vulgarisation. Cette dimension est particulièrement riche dans le domaine des nouvelles technologies. On peut certes dire que dans ce secteur il y aura de plus en plus d'applications et de plus en plus d'utilisateurs et cela en sera ainsi dans un avenir prévisible. Aussi, on peut tenter de s'informer auprès de chercheurs sur ce qu'ils croient être les priorités pour le futur.

Si on s'intéresse, par exemple, à la communication organisationnelle, on peut s'introduire dans une organisation et tenter de faire un relevé des questions les plus fréquemment soulevées. On peut aussi faire de brèves entrevues avec d'autres chercheurs et leur demander d'indiquer, parmi l'ensemble des recherches qu'ils ont exécutées, celle dont ils sont le plus fiers et celle dont ils sont le moins fiers. Ensuite, pour chacune des situations, dégager le problème de recherche qui était à l'origine de leur recherche. Poursuivre dans la voie d'une recherche réussie est sûrement une excellente initiation à la méthodologie scientifique.

Enfin, il y a toujours lieu d'examiner les écrits sur la créativité et l'innovation. On y trouvera des techniques pour envisager un objet d'étude selon différents points de vue. Après avoir examiné toutes ces stratégies, on peut faire appel à son imagination et à son propre jugement. C'est alors que survient inévitablement le moment propice pour une introspection. Réfléchir et jeter sur le papier un grand nombre de questions aident à choisir un sujet et un bon problème de recherche.

CONCLUSION

Nous avons vu dans ce chapitre en fonction de quoi est d'abord choisi un sujet de recherche, puis les types de sujets de recherche à investiguer. Nous avons ensuite examiné le contexte général d'élaboration d'une recherche, c'est-à-dire les facteurs internes et externes qui peuvent influencer le choix d'un problème de recherche.

Nous sommes maintenant en mesure de choisir notre objet d'investigation ou notre problème de recherche. Une fois choisi, il s'agira maintenant de le préciser et de le polir en définissant la problématique de la recherche. Nous examinerons dans le prochain chapitre comment franchir cette étape.

Lectures suggérées

Afin d'aider l'étudiant à trouver des sujets de recherche en communication :

La recherche universitaire en communication au Québec, Bibliographie analytique des thèses et mémoires, Université Laval, Québec (1988) RQIC.

Répertoire des recherches faites par ou pour le ministère des communications, ministère des Communications du Québec, publié par la Direction générale de la coordination et des politiques (1989).

Consultation des périodiques en communication :
- *Communication et Information*
- *Technologie de l'information et société*
- *Journal of Communication*
- *Communication Abstracts*
- *Communication Research*
- *Canadian Communication Report*

DÉFINITION DE LA PROBLÉMATIQUE

OBJECTIF

Permettre à l'étudiant de connaître et de
comprendre les processus qui conduisent à la définition d'une problématique
de recherche.

INTRODUCTION

Nous sommes rendus à l'étape du choix de notre sujet de recherche. Que l'on ait choisi un sujet relié à une question de connaissance, à un objet théorique ou méthodologique ou encore un sujet relié à un problème dans le champ empirique, il faut maintenant orienter le processus de la recherche vers une problématique de recherche. La spécification ou la définition de la problématique s'avère peut-être l'étape la plus difficile à saisir et en même temps la plus importante.

1. L'IMPORTANCE DE LA PROBLÉMATIQUE DANS L'ACCOMPLISSEMENT D'UNE RECHERCHE

La problématique, c'est l'aptitude à saisir les enjeux d'une situation. L'expression « problématique de recherche » réfère généralement à l'ensemble des éléments formant le problème. Gauthier *et al.* (1984) présente la problématique comme étant : « [...] la structure d'informations dont la mise en relation engendre chez un chercheur un écart se traduisant par un effet de surprise ou de questionnement assez stimulant pour le motiver à faire une recherche ». La problématique contient donc un certain nombre de connaissances qui décrivent ou expliquent déjà une partie de la situation et motivent l'étude d'une autre partie de cette situation. La problématique, c'est donc le point d'ancrage à partir duquel découlera toute la suite de la recherche. Plus encore, la problématique constitue les *assises*, le *sens* et la *portée* d'une recherche. Voyons ce que l'on entend par ces trois notions.

Tout comme les fondations en ciment d'une maison forment les assises pour l'élaboration de la structure architecturale, la problématique est ce sur quoi se fonde et s'élabore une recherche. Puisque de nombreuses recherches peuvent s'élaborer sur un même sujet, c'est la problématique propre à chacune de ces recherches qui la distingue des autres. *La problématique décrit le point de vue à partir duquel on s'attaque à un problème.* Ce point de vue détermine l'orientation de la recherche; c'est donc la base ou les assises de la recherche. Quand les chercheurs affirment que la problématique est le « sens » d'une recherche, cela signifie clairement que la définition de la problématique réfère à ce dont il est question dans cette recherche. Si vous feuilletez, par exemple, n'importe quel périodique en sciences de la communication, vous verrez un résumé au début de chacun des articles. Dans ce résumé, on annonce la nature de la recherche en présentant la *problématique choisie*, la *méthode utilisée* et les *résultats obtenus*. La problématique est donc l'unité significative centrale de toute recherche. Enfin, quand on dit d'une problématique qu'elle constitue la « portée d'une recherche », nous entendons par là que la spécification d'une problématique de recherche est l'aboutissement d'un processus mental, d'une activité et d'une démarche intellectuelle propre à la pensée qui doit déboucher sur une interaction avec la situation que l'on veut connaître. Le chercheur qui définit une problématique doit envisager que la solution du problème sera applicable. Si le chercheur n'entrevoit pas de solution, il n'est pas utile d'entreprendre une étude car la recherche doit avoir une portée sur l'avancement des sciences.

FIGURE 5.1   **Les étapes de la définition d'une problématique**

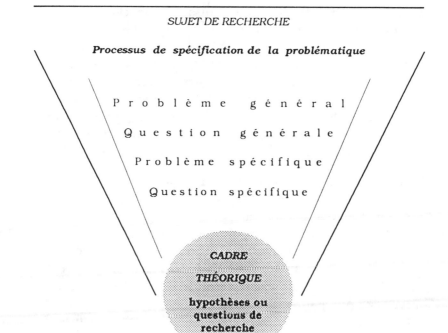

SUJET DE RECHERCHE

Processus de spécification de la problématique

Problème général

Question générale

Problème spécifique

Question spécifique

CADRE THÉORIQUE
hypothèses ou questions de recherche

La problématique est un terme qui englobe la notion de problème ainsi que la notion de *démarche* vers une spécification du problème en tant que tel. Nous examinerons dans les prochaines sections, un ensemble de concepts accompagnés d'exemples afin de saisir ce qu'englobe le développement d'une problématique. La problématique, *c'est l'approfondissement d'un problème général vers une question générale, puis l'élaboration d'un problème spécifique vers une question spécifique.* Cette stratégie qui constitue la démarche de spécification de la problématique se développe, comme nous l'avons vu, selon la logique de l'entonnoir, c'est-à-dire du général vers le spécifique. La figure 5.1 illustre ce principe de l'entonnoir d'une manière plus précise.

2. LE PROBLÈME DE RECHERCHE

Un problème de recherche se définit comme un *écart ressenti entre une situation de départ perçue comme insatisfaisante et une situation d'arrivée désirable.* Lorsqu'un chercheur ressent la nécessité de réduire un vide, un manque ou une différence entre ce qui est présentement et ce qui est requis et souhaitable, il y a émergence des conditions minimales pour faire le constat d'un problème de recherche. Ainsi, un problème c'est un manque à combler entre ce que nous savons et ce que nous désirons savoir. Le processus de recherche scientifique est entrepris afin de combler cet écart.

Bien sûr, le problème s'exprime par un sentiment d'ignorance mais aussi par le désir et la volonté du chercheur d'en savoir plus sur la situation observable en suscitant un questionnement. Ce questionnement peut faire référence à un problème général de connaissance. Par exemple, le chercheur peut se poser des questions sur l'utilisation des technologies d'information ou il peut se demander quel est le rôle des communications dans les entreprises. Il peut se demander si la publicité stimule la consommation ou il peut vouloir comprendre la signification symbolique de la publicité. Il peut se questionner sur les attentes du téléspectateur ou sur l'efficacité d'une campagne électorale médiatisée.

Le problème général de recherche peut aussi être relié à la méthodologie. Le chercheur peut se poser des questions sur la façon d'analyser un contenu médiatisé. Il peut vouloir expliquer pourquoi deux sondages qui visent à mesurer les mêmes opinions arrivent à des résultats différents. Il peut encore vouloir se demander comment on peut évaluer et mesurer la satisfaction des employés dans une organisation. De tous ces sujets, nous ne possédons qu'une certaine part de connaissances. La finalité désirée est une connaissance de la situation qui soit à la fois la plus complète et la plus vraie possible.

Toutes ces questions sont reliées à des problèmes potentiels de recherche, mais il faut bien comprendre que *tous les problèmes ne sont pas des problèmes de recherche*. Recueillir des connaissances sur un thème donné et en dresser un compte rendu ou un résumé synthèse ne peut en aucun cas constituer un problème de recherche. Faire de la recherche, c'est une activité de résolution d'un problème et d'un problème jamais résolu encore. Pour qu'il y ait un problème de recherche, il faut que le chercheur prenne conscience de la nécessité de combler certaines lacunes ou certaines divergences dans notre connaissance de la situation.

3. LA DÉMARCHE DE SPÉCIFICATION DE LA PROBLÉMATIQUE

Une problématique, c'est l'approfondissement d'une question ou d'un problème de recherche. Pour approfondir une question ou un problème, il faut *l'examiner sous le plus de facettes possibles pour ensuite pouvoir spécifier ce que l'on veut étudier*. Entrer dans la démarche de spécification et de définition de la problématique, c'est s'immiscer dans le processus de l'entonnoir. Il s'agit globalement de partir d'un problème général plutôt large afin d'aboutir éventuellement à une question spécifique, une question de recherche ou un choix d'hypothèses. Il faut comprendre dès maintenant que toute connaissance scientifique est fondamentalement l'aboutissement temporaire d'une démarche de questionnement.

Normalement, le processus suivi par le chercheur, pour aller du sujet de recherche à un problème général qu'il est possible de soumettre à la recherche, implique à la fois un raffinement progressif des concepts et un rétrécissement progressif du champ de recherche. Il faut être conscient que dans les faits cette

les opinions, les comportements et les attitudes. L'interprétation des données recueillies constitue l'évaluation du concept « effet des médias ». Dans une étape plus approfondie du processus de raffinement des concepts, les chercheurs définiront ce que signifient exactement les mots « opinions », « comportements » et « attitudes ».

Les concepts sont donc des outils de la méthode scientifique qui interviennent au moment de la désignation du problème de recherche. Les concepts sont utilisés pour la reconnaissance des éléments ou des dimensions qui se rapportent au problème général et également pour préciser les relations établies ou postulées entre ces éléments.

Le concept intervient à nouveau dans les étapes subséquentes et ce, jusqu'à l'élaboration de la question spécifique de recherche ou l'énonciation des hypothèses. Le concept est donc le pivot de la méthode scientifique sur lequel repose tout notre savoir. Il est important car c'est par lui qu'il est possible d'obtenir un consensus sur la signification des termes utilisés et surtout, il faut bien saisir que sans ce consensus il est peu probable qu'une discipline puisse fournir un corpus de connaissances structuré sur la réalité observable. Il est donc très important de définir méticuleusement les principaux concepts utilisés dans une recherche d'autant plus que plusieurs d'entre eux relèvent d'un niveau d'abstraction assez élevé. Revenons maintenant à la description et à la formulation du problème général de recherche.

3.2 **Le problème général de recherche**

Gauthier *et al.* (1984) classent le problème général de recherche dans deux grandes catégories : un problème *d'obstacle à la compréhension* et un problème *d'obstacle à l'intervention sur un phénomène*. Ces deux types de problèmes généraux, compréhension et intervention, sont à la base de la distinction traditionnelle entre la recherche fondamentale et la recherche appliquée. Dans le cas d'un problème d'obstacle à la compréhension, les résultats de la recherche servent davantage à vérifier notre conception du monde, c'est-à-dire les énoncés ou conclusions que nous formulons pour appréhender la réalité.

Dans le cas d'un problème d'obstacle à l'intervention, les résultats de la recherche rendent possible la création et l'évaluation de moyens d'action.

Bien que ces deux approches se distinguent assez bien, il n'y a pas de démarcation claire et nette entre les deux. Notre conception et notre compréhension du monde réel se trouvent souvent remises en question par les conséquences de nos actions sur notre environnement ou sur la réalité. À l'inverse, la création de moyens d'action adaptés à une réalité se fonde généralement sur une connaissance plus ou moins explicite de celle-ci.

Nous présenterons trois exemples de problèmes généraux de recherche. Nous verrons, par la suite, qu'il est possible de dégager, à partir de chacun de ces problèmes généraux, d'abord des questions générales, puis de multiples problèmes et questions spécifiques. Dans cette première formulation du problème général, il faut déjà pouvoir cerner et mettre en relation les différents éléments constituant ce problème, et c'est à cette condition que les questions générales pertinentes et significatives reliées à l'objet d'étude pourront être isolées. Cependant, puisque nous voulons illustrer les étapes logiques de la méthode scientifique, nous verrons comment à chacune de ces étapes, il faut choisir et préciser donc rétrécir le champ d'investigation de la recherche.

Nous procéderons donc de la manière suivante : nous avons choisi deux exemples de problèmes d'obstacle à la compréhension de la réalité et un exemple qui traite d'un problème d'obstacle à l'action sur le réel. Il y aura d'abord une mise en situation de la recherche, puis une présentation du problème général pour chaque exemple. Nous reprendrons ensuite chacun des exemples, à mesure qu'il se « rétrécit », c'est-à-dire que chacun des exemples sera repris en faisant ressortir le *problème général*, la *question générale* de recherche puis un *problème spécifique* de recherche et enfin une *question spécifique* de recherche.

Pour illustrer un problème général d'obstacle à la compréhension le plus clairement possible, nous nous transporterons au milieu des années trente aux États-Unis, lorsque certains chercheurs remettent en question l'étude des effets des médias de masse traditionnels. À cette époque, on expliquait l'effet des médias de masse sur la population par le modèle behavioriste du stimulus-réponse. Les chercheurs considéraient l'individu–destinataire comme une personne vulnérable à qui l'on pouvait imposer à peu près n'importe quel effet. Les destinataires étaient considérés comme une masse homogène d'individus. Cependant, quelques chercheurs se doutaient bien que les individus, selon leur éducation et leur groupe d'appartenance, ne réagissaient pas tous de façon identique. Il y avait donc entre les théories courantes de l'époque (fondées pour la plupart sur de simples spéculations) et l'intuition de quelques chercheurs, un obstacle majeur à la compréhension de cette réalité que constitue l'effet des médias de masse sur les individus.

C'est donc face à cette réalité ou à cette situation théorique incertaine que les chercheurs ont identifié un problème général de recherche afin d'éclaircir la compréhension des effets réels des médias de masse sur les individus. Le problème général pouvait se présenter comme ceci.

Problème général

L'étude des effets des médias selon le modèle stimulus-réponse n'explique pas les facteurs intervenant dans la relation entre les médias de masse et les individus.

Ce constat d'un problème d'obstacle à la compréhension de la réalité se présente sous une autre forme dans les études sur les impacts sociaux des nouvelles technologies d'information et de communication.

Le phénomène de la diffusion massive du micro-ordinateur domestique a suscité quelques recherches en communication relatives, entre autres, à l'approche théorique sur la diffusion des innovations. Déjà, au début des années quatre-vingt, plus de 1,2 million de foyers américains sont équipés d'un micro-ordinateur domestique. De plus, à la suite d'une série télévisée populaire qui avait pour but d'initier le grand public à la micro-informatique, plusieurs milliers de foyers québécois se sont procurés un micro-ordinateur. Le constat de ce phénomène a amené Caron *et al.* (1987) à étudier dans un premier temps le processus de diffusion du micro-ordinateur dans les foyers. La série télévisée a donc contribué à favoriser une large diffusion de cette innovation qu'est le micro-ordinateur domestique.

La première phase de l'étude consistait à analyser le processus de diffusion du micro-ordinateur dans les foyers québécois. Les chercheurs se sont intéressés aux conditions d'adoption du micro-ordinateur domestique. De plus, les chercheurs se sont penchés sur l'utilisation que les consommateurs et leur famille faisaient de leur micro-ordinateur, ainsi que sur l'impact de celui-ci sur le mode de vie de ses utilisateurs.

Quelques mois plus tard, les chercheurs ont reçu une commande du ministère des Communications du Canada. Cette deuxième recherche constituait un prolongement de la première. Le ministère des Communications du Canada demandait aux chercheurs de dégager une perspective longitudinale (échelonnée sur plusieurs années) de l'utilisation du micro-ordinateur domestique. Cette recherche avait donc comme objectif de vérifier l'évolution des perceptions, des attitudes et des comportements des familles face au micro-ordinateur. Mentionnons ici que les familles étaient les mêmes que celles de la première phase d'étude.

Les chercheurs avaient choisi d'utiliser, pour la première recherche, l'enquête et le questionnaire comme outils techniques. Une enquête constitue une méthode de recherche qui repose sur des questions et des témoignages. Enquêter, c'est demander, avec l'aide d'une technique structurée (questionnaire ou entrevue), des informations particulières à propos d'un sujet donné. Donc, cette méthode de collecte de données (questionnaire) s'est avérée efficace et satisfaisante pour dégager un profil du processus de diffusion de cette innovation qu'est le micro-ordinateur. La seconde phase de cette recherche a également utilisé le questionnaire pour évaluer l'évolution des perceptions, des attitudes et des comportements des utilisateurs du micro-ordinateur dans le contexte familial.

Les chercheurs se sont rapidement rendu compte que les données recueillies par ce volet quantitatif ne permettaient pas de dégager un ensemble de nuances sur les utilisations du micro-ordinateur domestique. Ces nuances impliquent, entre autres, les rôles et la perception respective des différents acteurs familiaux face au micro-ordinateur. Il est en effet difficile de demander par questionnaire écrit : comment chacun apprend l'existence de l'objet, qui ou quoi a le plus d'influence dans le réseau familial et quelles sont les motivations profondes de chacun. Il y avait donc là un problème d'obstacle à la compréhension de la situation. Le problème général dans ce cas-ci pouvait donc se présenter comme suit.

Problème général
L'approche quantitative ne fournit pas suffisamment d'explications concernant l'appropriation du micro-ordinateur par le milieu familial.

Un problème général n'est pas seulement un problème d'obstacle à la compréhension, il peut aussi être suscité par un *problème d'intervention*. Examinons maintenant ce type de problème général.

Dans une organisation, le thème central qui justifie toute intervention communicationnelle est le pouvoir des différents acteurs. Résoudre un problème de communication dans l'organisation aboutit toujours directement ou indirectement à trouver un nouvel ajustement entre des stratégies de pouvoir en concurrence. Dans toute organisation, le problème essentiel du pouvoir demeure permanent. Les interventions en matière de communication consistent donc souvent à tenter d'éliminer les tensions, à favoriser une meilleure compréhension des échanges communicationnels et à créer un bon climat de travail.

Imaginons alors que dans une grande entreprise, la direction du personnel décide d'établir dans ses objectifs généraux, l'amélioration des relations entre les gestionnaires et leurs subordonnés. L'organisation « ZZZ » est consciente des problèmes de pouvoir dans les rapports entre certains de ses employés mais elle ne sait pas comment résoudre ces problèmes.

La direction fait donc appel à des consultants en communication organisationnelle dans le but avoué d'harmoniser les relations de travail. Les chercheurs à qui l'on a demandé d'effectuer une recherche ont examiné attentivement la situation. Ils ont constaté que les employés discutaient souvent à propos d'un ensemble d'accusations et de récriminations qu'ils adressaient à leurs supérieurs alors que ceux-ci gardaient le mutisme le plus complet. Ce malaise dans les relations de travail permet d'affirmer que le sujet de cette recherche est relié à une situation communicationnelle déficiente. Les chercheurs ont rapidement constaté que le problème général était un problème d'obstacle à l'intervention ou à l'action sur le réel.

La direction avait cru qu'il suffisait de demander aux gestionnaires concernés de communiquer d'une manière plus directe avec leurs subordonnés, c'est-à-dire sans l'utilisation abusive des mémos et du téléphone afin d'améliorer les relations de travail. Cet effort fût entrepris, mais en vain, car aucun changement significatif dans les comportements communicationnels ne laissait présager d'une amélioration de la situation.

La situation semblait donc exiger que les chercheurs interviennent en formant les acteurs concernés. Toutefois, dans un premier temps, il fallait connaître la véritable source du problème dans les relations interpersonnelles. Ainsi, dans la première étape, les chercheurs ont défini le problème général selon l'énoncé suivant.

Problème général
Dans l'organisation « ZZZ », il y a une difficulté à intervenir efficacement sur la nature des relations interpersonnelles car les problèmes de communication entre les supérieurs et les subordonnés ne sont pas suffisamment compris.

Récapitulons sous forme de synthèse les trois exemples que nous avons présenté.

1. Dans les années trente, on a remis en question le modèle du stimulus-réponse pour l'explication des effets des médias de masse sur les individus. Ceux-ci n'étant pas systématiquement homogènes, on a identifié un *problème d'obstacle à la compréhension de certaines situations de communication de masse.*

   Problème général
   L'étude des effets des médias selon le modèle stimulus-réponse n'explique pas les facteurs intervenant dans la relation entre les médias de masse et les individus.

2. Le phénomène de diffusion du micro-ordinateur a suscité une première recherche relative à l'approche théorique sur la diffusion des innovations. Une deuxième recherche complémentaire visait une analyse longitudinale afin de vérifier

l'évolution des perceptions, des attitudes et des comporte-ments familiaux relatifs à l'utilisation du micro-ordinateur. Les données quantitatives ne permettaient pas de dégager des nuances sur les utilisations de cet appareil. Il y avait donc là un *problème d'obstacle à la compréhension de la réalité.*

Problème général

L'approche quantitative ne fournit pas suffisamment d'ex-plications concernant l'appropriation du micro-ordinateur par le milieu familial.

3. Une organisation « ZZZ » a établi comme objectif d'améliorer les relations interpersonnelles entre les gestionnaires et les su-bordonnés. Il s'est avéré insuffisant de demander aux acteurs de communiquer d'une manière plus directe. Dans le but de former les acteurs à un apprentissage communicationnel, il fallait mieux comprendre la source des problèmes avant de songer à une stratégie d'intervention. Il s'agit là d'un *problème d'obstacle à l'intervention ou à l'action sur le réel.*

Problème général

Dans l'organisation « ZZZ », il y a une difficulté à intervenir efficacement sur la nature des relations interpersonnelles et les problèmes de communication entre les supérieurs et les subordonnés ne sont pas suffisamment compris.

Nous passons maintenant à l'étape suivante où il s'agit d'énon-cer une question générale à partir du problème général.

3.3 La question générale de recherche

À partir des problèmes généraux de recherche que nous venons de présenter, il s'agit maintenant de trouver une question générale de recherche pour chacun de ces problèmes. Bien que cette question générale de recherche soit encore trop vaste pour être matière à recherche, elle sert cependant à amorcer la question des liens entre les éléments de l'énoncé du problème général. De plus, l'énonciation d'une question générale de recherche sert à entamer le processus de spécification de la problématique où il s'agit d'examiner tous les aspects du sujet. L'objectif d'une question générale de recherche est de trouver une réponse à cette question afin d'en tirer ensuite un problème spécifique de recherche.

Même si l'étudiant et le chercheur ne partent pas du même point de vue, leurs démarches devraient être relativement identiques. En effet, les deux doivent d'abord se questionner sur les liens entre les éléments problématiques. Il s'agit simplement de répondre aux questions suivantes : *qui, quand, comment, quoi, où, pourquoi, par qui, pour qui*, etc. Tout en faisant cette démarche, on doit garder à l'esprit la distinction claire entre ce qui est, ce qui a été et ce qui devrait être.

La figure 5.2. illustre le lien entre les deux types de problèmes généraux et les questions générales qui en découlent. La question générale doit être orientée vers les deux grandes pistes identifiées dans la définition du problème général : c'est-à-dire un problème d'obstacle à la compréhension de la réalité ou un problème d'obstacle à l'intervention ou à l'action sur le réel. Les questions générales qui découlent d'un problème d'obstacle à la compréhension répondent soit à un besoin de décrire la réalité, soit à un besoin d'expliquer la réalité. Les questions générales qui découlent d'un problème d'obstacle à l'intervention ou à l'action sur le réel répondent soit à un besoin de produire ou de créer une chose réelle, soit à un besoin de choisir ou de sélectionner une chose réelle.

Revenons maintenant à nos trois exemples. Prenons le problème général de notre premier exemple. *L'étude des effets des médias selon le modèle stimulus-réponse n'explique pas les facteurs intervenants dans la relation entre les médias de masse et les individus.*

Pour dégager une question générale, il faut poser des questions par rapport aux *liens entre les éléments du problème*. Les questions que l'on pose servent à préciser la définition des concepts et leurs liens. On peut déjà affirmer que la question générale voudra répondre à un besoin d'expliquer une situation.

Le chercheur qui était confronté à l'époque (les années trente) avec ce problème aurait pu mettre sur papier de nombreuses questions générales qui par la suite auraient suscité diverses recherches spécifiques. En effet, en identifiant et en questionnant les concepts du problème, on peut se poser des questions sur la notion du « processus de communication » qui est sous-jacente au « lien entre les médias de masse et les individus ». Le

chercheur peut aussi se poser des questions sur les « individus »,
c'est-à-dire si ceux-ci forment un ensemble d'individus isolés ou
des petits groupes relativement bien structurés. Le chercheur
peut aussi se demander si « les effets des médias » ne sont pas
orientés par le type de médias, la crédibilité de la source, le
contenu du message, etc.

Nous voyons déjà poindre à l'horizon de nombreuses questions
générales. À ce moment, le choix d'*une* question générale devrait
entretenir la motivation du chercheur tout au long de sa recherche. Le choix d'une question générale parmi plusieurs possibles
respecte la notion du développement de la recherche selon la
méthode de processus de l'entonnoir. On ne peut pas tout
englober dans une seule recherche, ce qui serait utopique, il faut
donc sélectionner et approfondir un aspect de plus en plus précis.

FIGURE 5.2   **Type de problèmes généraux de recherche et
les questions générales qui en découlent**

TYPE DE PROBLÈMES GÉNÉRAUX	TYPE DE QUESTIONS GÉNÉRALES
Obstacle à la compréhension de la réalité	Besoin de décrire la réalité Besoin d'expliquer la réalité
Obstacle à l'intervention ou à l'action sur le réel	Besoin de produire ou de créer une chose nouvelle Besoin de choisir ou de sélectionner une chose réelle

Source : Reproduction partielle tirée de Gauthier *et al.* (1984) *Recherche Sociale : de la problématique à la collecte des données*, p. 55. Presses de
l'Université du Québec.

Supposons que le chercheur décide d'approfondir le concept d'« individus » dans le problème cité. Il constate que d'après certaines études, le comportement de l'individu est d'abord déterminé par les influences sociales les plus immédiates, c'est-à-dire la famille, le cercle d'amis, le milieu de travail et différentes associations. C'est donc dans un petit groupe que les influences de l'individu sont d'abord déterminantes. Dans ce cas, le chercheur pourrait décider d'énoncer la question générale suivante.

Question générale
Est-ce que l'appartenance de l'individu à un groupe pourrait modifier la compréhension de l'effet des médias de masse sur lui?

Notre deuxième exemple énonçait le problème général suivant : *L'approche quantitative ne fournit pas suffisamment d'explications concernant l'appropriation du micro-ordinateur par le milieu familial.* Ce problème de compréhension évoque une difficulté non pas d'expliquer un phénomène mais une difficulté à décrire un ensemble de facteurs influant sur les utilisations du micro-ordinateur.

Tels que présentés, les éléments du problème amènent le chercheur à une alternative méthodologique. Il doit amorcer un questionnement concernant : soit la formulation de son problème, soit ses choix méthodologiques. Par exemple, pourquoi l'approche quantitative ne permet-elle pas d'expliquer le processus d'appropriation du micro-ordinateur par le milieu familial? Comment pourrait-on mesurer ce processus?

Question générale
Quelles sont les méthodes qui permettent de mesurer le processus d'appropriation du micro-ordinateur par le milieu familial?

Notre troisième exemple énonçait le problème général suivant : *Dans l'organisation « ZZZ », il y a une difficulté à intervenir efficacement sur la nature des relations interpersonnelles et les problèmes de communication entre les supérieurs et les subordonnés ne sont pas suffisamment compris.*

Ce problème général est un problème d'obstacle à l'intervention. La question générale émergeant de ce problème cherche à produire ou à créer une chose nouvelle (une intervention permettant de solutionner les problèmes de communication entre les supérieurs et les subordonnés). Maintenant, si on aborde un questionnement par rapport aux liens entre les éléments du problème, on voit émerger deux problèmes superposés (problème de compréhension et problème d'intervention), et la résolution du premier devrait permettre de solutionner le deuxième. Expliquons-nous.

Ce qui empêche d'intervenir, c'est le manque de connaissances sur la nature des problèmes de communication. Si l'on découvre une façon d'identifier ces problèmes, on devrait pouvoir intervenir afin de les atténuer. Mais comme les acteurs de l'organisation ne semblent pas être en mesure d'expliquer ce qui ne va pas (rappelons ici qu'il s'est avéré inutile, pour l'amélioration des relations, de demander aux acteurs de communiquer d'une manière directe), il faut que le chercheur trouve une nouvelle approche pour éclaircir le problème. Il semble que les problèmes de communication soient inaccessibles par une approche externe, c'est-à-dire une approche où le chercheur demeure à l'extérieur de son objet d'étude. Les acteurs ne semblent pas être en mesure de comprendre la nature des problèmes qui les affectent ou ils ne veulent pas les connaître. Ainsi, le simple fait de demander aux acteurs ce qui ne va pas ne solutionnera rien. Le questionnement du chercheur lui indique qu'il ne s'agit pas simplement de savoir poser les bonnes questions, mais d'avoir la bonne approche. Ce même questionnement lui fait réaliser qu'il ne s'agit pas de trouver une technique appropriée mais une perspective appropriée. Enfin, la réflexion et le questionnement du chercheur l'amènent à poser la question générale suivante.

Question générale
Peut-on solutionner ces problèmes de communication avec une approche ou un paradigme différent qui nous permettra ainsi d'intervenir auprès des supérieurs et des subordonnés?

3.4 Le choix d'un problème spécifique et de question(s) spécifique(s)

Nous poursuivons toujours notre logique de l'« entonnoir ». Pour ce faire, le chercheur doit continuer de consulter les livres et les articles scientifiques disponibles qui traitent du sujet articulé dans la question générale. Le chercheur consultera aussi d'autres collègues pour partager diverses opinions. À cette étape, le chercheur devrait connaître les réponses apportées, à ce jour, à sa question générale et les méthodes déjà utilisées. Le chercheur devrait donc découvrir un ensemble de problèmes spécifiques rencontrés par d'autres chercheurs pour répondre à cette question générale.

Le chercheur doit identifier dans sa démarche les éléments et les faits qui orienteront le choix d'un problème spécifique. Ce sont des motivations telles que l'incertitude du chercheur, les contradictions entre certains énoncés ou une impasse quelconque qui vont permettre le choix du problème spécifique. Cette démarche nécessite obligatoirement que le chercheur adopte une attitude active et critique à l'égard des affirmations énoncées dans les divers écrits qu'il consulte. Cet esprit critique s'alimente par de continuelles questions sur la démarche, la méthode et les conclusions présentées dans les articles. C'est donc par une remise en cause et une réorganisation des informations que le chercheur peut identifier un problème spécifique de recherche.

Il est préférable que cette réorganisation des informations théoriques se fasse par la définition des concepts et la mise en relation des variables. Comme nous l'avons vu à la section 3.1, le concept est l'outil de base de la méthode scientifique. Le concept est une représentation abstraite de la réalité observée. Il permet de définir une variable qui, à son tour, peut prendre différentes valeurs. Ouellet (1981) définit une variable comme « tout facteur pouvant prendre une ou plusieurs propriétés ou valeurs différentes ». Par exemple, la variable « âge » peut prendre les valeurs « 22 », « 29 », « 36 », « 48 », etc.

Il est préférable, à cette étape, qu'il n'y ait pas ou du moins peu d'ambiguïté concernant la signification des concepts et des relations entre les variables. Il faut au moment de définir un problème spécifique et une ou des questions spécifiques, que chaque élément de l'énoncé puisse être observable et mesurable. Cependant, même si la définition d'un problème spécifique ne constitue pas encore l'énoncé définitif à partir duquel s'élaborera la recherche, il n'en demeure pas moins que la précision des concepts, des éléments et des variables du problème aidera à la définition de la problématique.

Un problème spécifique peut résider dans l'absence partielle de connaissances concernant un sujet de recherche. Cela est le cas de notre premier exemple sur les effets des médias de masse. Rappelons-nous que cette recherche en communication a été faite dans les années trente. Le chercheur, à cette époque, a très bien pu réaliser qu'il n'existait pas (ou peu) de recherches fournissant des éléments de réponse à sa question générale. Il y avait bien quelques études sur la vision sociale composée de petits groupes d'individus (les études sur la réaction des voteurs aux campagnes électorales démontraient que le vote est une expérience de groupe), mais il y avait peu de connaissances sur le lien entre cette vision sociale et l'effet des médias de masse.

Cependant, il semblait certain que le groupe possède une influence sur l'individu par l'intermédiaire d'un leader d'opinion. Le chercheur peut alors énoncer le problème spécifique suivant : *Les résultats des recherches sur l'influence sociale indiquent une solution possible à la compréhension des effets des médias de masse sur l'individu.* De là, le chercheur peut rédiger une ou des questions spécifiques de recherche. La question doit être précise et porter sur l'existence des relations spécifiques que le chercheur a pu élaborer à ce moment.

– Le leader d'opinion peut-il constituer un relais entre les médias de masse et les individus?

– Les individus sont-ils plus influencés par leur leader d'opinion que par les médias de masse?

Il faut bien comprendre que le fait qu'une question soit spécifique n'en fait pas pour autant une question de recherche. La question spécifique s'inscrit bien évidemment dans une problématique particulière mais cette question n'est pas encore la question de recherche définitive car le chercheur doit l'intégrer dans une *perspective théorique*. Nous reviendrons sur ce point dans le chapitre suivant.

Un problème spécifique peut résider dans l'absence partielle de méthodes de recherche permettant de dégager un portrait global des conditions dans lesquelles se produit un phénomène. C'est le cas de notre deuxième exemple sur le processus d'appropriation du micro-ordinateur par le milieu familial. Le problème ici est donc un problème méthodologique. Dans cet exemple, le chercheur s'est vu dans l'obligation de préciser ce que comprend le processus d'appropriation du micro-ordinateur à la maison. Il a identifié un certain nombre d'éléments que ce concept devait englober : changement de comportement, changement d'attitude et changement d'opinion. Ce concept devait aussi inclure la possibilité de cerner les diverses facettes de la dynamique d'adoption du micro-ordinateur domestique. Cette nouvelle définition plus exhaustive devra donc permettre de mesurer, d'une manière rétrospective, l'expérience personnelle des individus et de dégager une projection de l'avenir de son utilisation.

D'un côté, les méthodes qualitatives semblent les plus pertinentes pour dégager un portrait du caractère unique d'un comportement dans un contexte. Par contre, ces méthodes ne peuvent indiquer avec précision le temps et la nature de l'utilisation du micro-ordinateur. De plus, il est difficile d'extrapoler à partir des données envisagées l'importance que prendra la micro-informatique domestique dans le futur.

Il semble donc que le meilleur moyen de mesurer l'« évolution de l'utilisation » du micro-ordinateur domestique serait une combinaison simultanée de méthodes. Le chercheur peut alors énoncer le problème spécifique suivant : *La méthode de triangulation semble la plus pertinente pour mesurer l'évolution de l'utilisation du micro-ordinateur domestique.* Le chercheur peut alors écrire quelques questions spécifiques sur la triangulation en particulier. Mentionnons ici que la triangulation est l'emploi simultané d'au moins trois méthodes de collecte de données sur un même sujet. Le chercheur peut donc tenter d'identifier ces trois méthodes par des questions spécifiques.

–   L'entrevue semi-directive pourrait-elle cerner les diverses facettes de la dynamique d'adoption du micro-ordinateur domestique?

–   L'emploi d'un « cahier d'utilisation » peut-il permettre d'identifier le temps et la nature des utilisations du micro-ordinateur domestique?

–   La « méthode des scénarios » peut-elle aider à cerner la perception, par les interviewés, du rôle et de l'importance que prendra l'informatique dans les années à venir?

Le chercheur devra maintenant intégrer ces questions spécifiques dans une perspective théorique, ce qui permettra par la suite de *définir la problématique spécifique et la question de recherche.*

Un problème spécifique peut résider dans l'absence de vérification partielle d'un paradigme de recherche sur un problème de communication. C'est le cas de notre troisième exemple qui concerne les problèmes de compréhension et d'intervention pour solutionner un problème de communication entre des supérieurs et des subordonnés dans une organisation.

Le chercheur a donc trouvé une réponse à sa question générale. Le paradigme interprétatif, une approche alternative au paradigme fonctionnaliste dans l'étude de la communication organisationnelle, semble soulever des éléments de solution à la compréhension des problèmes communicationnels. Si cette approche fonctionne, elle devrait permettre, en ce qui concerne l'intervention, d'appliquer un modèle d'apprentissage communicationnel.

Des recherches antérieures sur d'autres types de problèmes communicationnels dans l'organisation ont permis de dégager la puissance de l'étude des significations partagées dans un milieu de travail. La compréhension de ces significations a, à son tour, permis de comprendre que des problèmes de communication ont souvent leurs origines dans les expériences subjectives véhiculées dans les interactions humaines.

Le chercheur se souvient que la direction lui avait indiqué que les supérieurs, en essayant de communiquer d'une manière plus directe avec leurs subordonnés, avaient tenté de faire des blagues mais sans grand succès. Ce petit détail amène le chercheur à constater que l'approche culturelle, issue du paradigme interprétatif, s'attarde particulièrement au partage des normes, des histoires, des rituels, de l'atmosphère et des fantaisies du groupe incluant l'échange de plaisanteries. Il décide alors de soumettre le problème spécifique suivant : *Une nouvelle approche ou un nouveau paradigme doit être examiné pour la compréhension et l'intervention sur les problèmes de communication entre les supérieurs et les subordonnés.*

Ce problème spécifique permet alors d'énoncer quelques questions spécifiques.

–   Est-ce que l'approche culturelle permet de comprendre les problèmes de communication entre supérieurs et subordonnés?

–   La compréhension de ces problèmes permet-elle d'utiliser un modèle d'apprentissage communicationnel?

Ces trois exemples permettent d'illustrer que les recherches ne s'élaborent pas toutes de la même façon mais elles suivent néanmoins la plupart du temps le même cheminement ou la même démarche méthodologique.

Notre exemple sur l'« effet des médias de masse » relève d'une problématique de recherche reliée à une *question de compréhension* non encore investiguée. L'exemple du « micro-ordinateur domestique » illustre une problématique de recherche reliée à un *objet méthodologique*. Enfin, l'exemple « communication supérieurs–subordonnés » simule une problématique de recherche reliée autant à un *objet théorique* (paradigme interprétatif) qu'à un *problème observé dans le champ empirique* (difficulté de comprendre la nature du problème observé).

CONCLUSION

Dans ce chapitre, nous avons exploré le processus de spécification de la problématique. Nous avons montré que la problématique est au cœur d'une recherche et que sa définition se précise d'une manière graduelle, étape par étape, en passant d'un problème puis d'une question générale de recherche jusqu'à un problème et des questions spécifiques de recherche. Les figures 5.3, 5.4 et 5.5 présentent un schéma synthèse de ce processus de spécification d'une problématique pour les trois exemples que nous avons présentés.

Il est important de comprendre que le cheminement progressif des exemples que nous avons choisis aurait pu se faire de différentes façons, selon les intérêts de recherche de chacun des chercheurs abordant le même problème de recherche. Ainsi, le parcours de chacun des trois problèmes de recherche que nous avons présenté n'est qu'un exemple parmi plusieurs parcours possibles.

De plus, il ne faut pas oublier que le choix des questions spécifiques de recherche implique la prise en compte des critères de faisabilité et de pertinence que nous avons présentés au chapitre précédent.

FIGURE 5.3   **Schéma synthèse du processus de spécification d'une problématique : l'exemple de l'« effet des médias »**

PROBLÈME GÉNÉRAL

Type de problème Problème d'obstacle à la compréhension du réel.

Exemple L'étude des effets des médias par le modèle stimulus-réponse n'explique pas les facteurs qui filtrent le lien entre les médias et les individus.

QUESTION GÉNÉRALE

Type de question Besoin d'expliquer une réalité.

Exemple Est-ce que l'appartenance de l'individu à un groupe pourrait modifier la compréhension de l'effet des médias de masse sur l'individu?

PROBLÈME SPÉCIFIQUE

Type de problème Absence partielle de connaissances concernant un sujet de recherche.

Exemple Les résultats des recherches sur l'influence sociale indiquent une solution possible à la compréhension des effets des médias de masse sur l'individu.

QUESTION(S) SPÉCIFIQUE(S)

Le leader d'opinion peut-il constituer un relais entre les médias de masse et l'individu?

Les effets des médias de masse peuvent-ils être bloqués ou filtrés par un leader d'opinion?

Les individus sont-ils plus influencés par leur leader d'opinion ou par les médias de masse?

Enfin, nous avons mentionné à quelques reprises, tout au long du chapitre, que le chercheur doit régulièrement consulter la documentation écrite afin de progresser dans la définition de sa problématique. Cette consultation fait référence à une perspective théorique dans laquelle doit s'intégrer la recherche. Cette perspective théorique sera l'objet du prochain chapitre.

FIGURE 5.4 **Schéma synthèse du processus de spécification d'une problématique : l'exemple du « micro-ordinateur »**

PROBLÈME GÉNÉRAL

Type de problème Problème d'obstacle à la compréhension du réel.

Exemple L'approche quantitative n'explique pas suffisamment l'évolution du micro-ordinateur dans le milieu familial.

QUESTION GÉNÉRALE

Type de question Difficulté de décrire la réalité.

Exemple Quelles sont les méthodes qui permettent de mesurer le concept d'« évolution » dans l'utilisation du micro-ordinateur familial?

PROBLÈME SPÉCIFIQUE

Type de problème Absence partielle de méthodes de recherche permettant d'investiguer un sujet de recherche.

Exemple La méthode de triangulation semble la plus pertinente pour mesurer l'évolution de l'utilisation du micro-ordinateur domestique.

*QUESTION(S)
SPÉCIFIQUE(S)*

L'entrevue semi-directive pourrait-elle cerner les diverses facettes de la dynamique d'adoption du micro-ordinateur domestique?

L'emploi d'un « cahier d'utilisation » peut-il permettre d'identifier le temps et la nature des utilisations du micro-ordinateur domestique?

La « méthode des scénarios » peut-elle aider à cerner la perception par les interviewés du rôle et de l'importance que prendra l'informatique dans les années à venir?

FIGURE 5.5   **Schéma synthèse du processus de spécification d'une problématique : l'exemple des relations « supérieurs-subordonnés »**

PROBLÈME GÉNÉRAL

Type de problème   Problème d'obstacle à l'intervention.

Exemple   Dans l'organisation ZZZ, il y a une difficulté à intervenir efficacement sur la nature des relations interpersonnelles car on ne comprend pas les problèmes de communication entre les supérieurs et les subordonnés.

QUESTION GÉNÉRALE

Type de question   Besoin de produire une chose nouvelle.

Exemple   Peut-on solutionner ces problèmes de communication entre les supérieurs et les subordonnés avec une approche ou un paradigme différent qui nous permettra ainsi d'intervenir auprès des acteurs impliqués?

PROBLÈME SPÉCIFIQUE

Type de problème   Absence de vérification partielle d'un paradigme de recherche.

Exemple   Une nouvelle approche ou un nouveau paradigme doit être examiné pour la compréhension et l'intervention dans les problèmes de communication entre supérieurs et subordonnés.

QUESTION(S)
SPÉCIFIQUE(S)

Est-ce que l'approche culturelle permet de comprendre les problèmes de communication entre supérieurs et subordonnés?

La compréhension de ces problèmes permet-elle d'utiliser un modèle de l'apprentissage communicationnel?

Lectures suggérées

GAUTHIER, B., sous la direction de (1984), p. 49-77, « La spécification de la problématique », dans *Recherche Sociale*, Presses de l'Université du Québec, Québec.

Cet excellent ouvrage présente dans ce chapitre, une démarche originale pour la spécification d'une problématique. Les exemples sont choisis dans le domaine de l'éducation. Il faut donc être vigilant car on ne peut pas toujours utiliser intégralement ces démarches de recherche et les appliquer au domaine des sciences de la communication. Toutefois, la présentation des exemples illustre également les erreurs à éviter dans une telle démarche et cela constitue en soi un excellent apprentissage.

La lecture de quelques articles dans les périodiques sur les sciences de la communication constitue un bon exercice pour se familiariser avec quelques problèmes spécifiques de recherche.

LA PERSPECTIVE THÉORIQUE : EMPRUNT ET (OU) CONSTRUCTION

OBJECTIF

Connaître les diverses sources
documentaires et comprendre le
processus de développement d'un
cadre théorique.

INTRODUCTION

Ce chapitre traite de la perspective théorique, c'est-à-dire de tout ce qui concerne les aspects conceptuels de la recherche qu'on retrouve généralement dans les lectures scientifiques relatives à l'objet d'étude de la problématique et dans la réflexion personnelle du chercheur. Le chapitre est divisé en deux parties : la recherche documentaire et le cadre théorique.

La recension des écrits concernant la problématique est une tâche qui nécessite de la méthode, de l'organisation et parfois de la stratégie. Nous expliquerons dans cette partie la nécessité de la recherche documentaire et nous présenterons les diverses sources documentaires.

Dans un deuxième temps, nous tenterons de définir ce qu'est une théorie et le rôle que joue ce système d'explication abstrait. Nous présenterons aussi la nature des modèles et le cadre théorique nécessaire à toute recherche scientifique. Nous utiliserons l'exemple de la recherche sur le micro-ordinateur domestique pour illustrer le processus qui mène à la construction d'un cadre théorique. Ce cheminement implique parfois des embûches, tantôt des retours en arrière, quelquefois des raffinements d'un modèle, bref, une longue réflexion concernant le lien entre la théorie et le problème à investiguer.

1. LA NÉCESSITÉ DE LA RECHERCHE DOCUMENTAIRE

La recherche documentaire ou la recension des écrits constitue le noyau de l'organisation systématique d'une recherche. En effet, les sources documentaires permettent au chercheur de faire une recherche de l'ensemble des connaissances qui concernent son problème de recherche. La consultation des diverses sources documentaires est absolument indispensable afin de permettre au chercheur de vérifier dans les divers écrits l'état de la question sur le sujet de recherche à investiguer. Pour justifier la nécessité d'une recherche, le chercheur doit être au courant (dans la mesure du possible évidemment) de ce qui a été fait et écrit relativement à son sujet de recherche, sinon il risque de s'engager dans une recherche qui aurait déjà été explorée et investiguée par d'autres chercheurs. Ces connaissances relèvent, d'une part du contenu général dans le domaine de recherche et dans le sujet de recherche et, d'autre part, des multiples recherches spécifiques qui gravitent autour du problème de recherche.

La recension des écrits permet au chercheur de préciser ou de redéfinir sa problématique. De plus, la consultation des sources documentaires permet de saisir la relation de cette recherche avec d'autres recherches antérieures effectuées dans le même domaine. Enfin, cette consultation des écrits permet de choisir la méthode de recherche qui sera la plus appropriée pour résoudre le problème de recherche.

La recension des écrits permet la vérification des concepts puis des relations que l'on veut établir et éventuellement transposer dans sa propre recherche. Rappelons une fois de plus que la recension des sources documentaires est une activité présente à chacune des étapes logiques de la méthodologie scientifique.

La recherche documentaire doit permettre avant tout au chercheur de trouver la théorie qui explique le mieux les faits et les relations de faits présentés dans sa problématique. Cette recherche documentaire élimine aussi l'incertitude et l'imprécision quant aux notions et aux divers concepts présentés dans la problématique. La recension des écrits sert à vérifier l'originalité du projet de recherche et elle permet aussi, dans cette même optique, de relier l'étude présente aux études antérieures. Enfin, cette recension des écrits permet au chercheur d'élargir son champ de connaissance et par conséquent de mieux situer son problème de recherche dans le domaine de connaissance. En bref, on peut dire que les sources documentaires permettent au chercheur de disséquer son problème et d'aller au fond des choses.

2. LES SOURCES DOCUMENTAIRES

La démarche de recherche des sources documentaires que nous présentons ici est valable pour l'ensemble des sciences sociales. Les sources documentaires relatives aux sciences de la communication se retrouvent donc en suivant la même démarche.

Bien que les sciences de la communication constituent une discipline relativement jeune, les sources documentaires de ce champ de recherche sont vastes et surtout très variées. Cependant, puisque les sciences de la communication sont multidisciplinaires, certaines références peuvent par conséquent se classer dans une multitude de champs de recherche.

Généralement la documentation de toute recherche englobe l'ensemble des ouvrages de référence, des monographies, des articles de périodiques, des documents informatiques et quelques autres sources diverses. La majorité des recherches comporte surtout des monographies et des articles de périodiques.

2.1 Les ouvrages de référence

Les ouvrages de référence sont peut-être les outils les plus essentiels de la recherche. On devrait les consulter dès le début de toute recherche afin de clarifier, un tant soit peu, des notions et des concepts fondamentaux. Les ouvrages de référence englobent les encyclopédies, les dictionnaires spécialisés, les guides bibliographiques, les index, les répertoires et les annuaires.

Les encyclopédies tentent généralement de faire le point sur l'état des connaissances d'un domaine ou d'un problème déterminé. Elles présentent également un tableau des principaux paradigmes, des écoles de pensée et des grandes théories. L'encyclopédie permet de se familiariser avec un sujet et elle a l'avantage de présenter des bibliographies substantielles sur les ouvrages majeurs d'un champ d'investigation et d'un domaine de recherche. À titre d'exemple, mentionnons l'*Encyclopædia Universalis*.

Le dictionnaire spécialisé fournit une définition claire et précise d'un terme ou d'un concept. Dans le cas, par exemple, d'une recherche qui incorpore des notions relatives à l'utilisation des nouvelles technologies d'information et de communication ou encore à la télématique, l'utilisation d'un dictionnaire spécialisé est quasiment indispensable.

Il y a également les guides documentaires que l'on appelle aussi les guides bibliographiques. Ce sont des ouvrages qui dressent de larges bibliographies thématiques, généralement divisés en sous-thèmes et disposant d'un système de renvois. Ils vous présentent quelquefois des résumés analytiques ou des commentaires des livres répertoriés (Tremblay, 1989).

Les index généraux sont des répertoires de référence à des articles publiés dans différents périodiques classés par thèmes et accompagnés de courts résumés (*abstracts*). Les index sont très utiles pour trouver les recherches les plus récentes sur un sujet. Dans les sciences de la communication, il y a le *Communication Abstracts* qui décrit les nouveautés dans un très grand nombre de périodiques. Sous forme d'index donc, le *Communication Abstracts* permet de repérer des sujets de recherche et des auteurs qui publient dans tous les périodiques concernant les études en communication. Mentionnons qu'il existe aussi des index spécialisés qui permettent de se faire une bonne idée des courants de la recherche la plus récente sur une question.

Les répertoires sont des ouvrages de référence généraux comprenant les listes d'associations professionnelles, de chercheurs, d'outils de travail, de statistiques, de volumes, de départements, de laboratoires internationaux, etc. Les répertoires permettent d'obtenir les adresses de différents chercheurs et des laboratoires importants.

Les annuaires sont plus faciles d'accès que les répertoires et s'adressent généralement à un large public. Ils présentent des études qui font le point sur diverses questions et ils peuvent contenir des références, des résumés, des dates et des bibliographies.

2.2 Les monographies et les périodiques

Les monographies réfèrent simplement à ce que l'on appelle des « livres ». Les monographies sont des études particulières sur différents sujets. Elles représentent la plus importante source d'information disponible. Il y a différents types de monographies : les guides, les manuels, les recueils, les biographies, les œuvres littéraires et les études spécialisées. Tremblay (1989) mentionne que les guides et les manuels sont les premières lectures qu'il faut faire car ils sont la porte d'entrée de la problématique, des théories et des principales discussions entourant une discipline particulière. Les recueils sont très utiles car ils regroupent différents auteurs d'un domaine particulier.

L'avantage des recueils est qu'ils renvoient directement aux auteurs eux-mêmes sans aucun intermédiaire.

Les périodiques sont la deuxième source d'information en importance, immédiatement après les monographies spécialisées. Les articles présentés sont souvent brefs mais très concis et ils se démarquent par la spécialisation poussée qui se manifeste souvent dans leur contenu. Ils ont le grand avantage de présenter les recherches les plus à jour et par conséquent ils nous informent des tendances actuelles du domaine de recherche. Cette source de documentation est absolument indispensable pour aider le chercheur à cerner un problème spécifique. En sciences de la communication, les principaux périodiques sont :

- *Communication et information,*
- *Technologie de l'information et société,*
- *Journal of Communication,*
- *Communication Abstracts,*
- *Communication Research,*
- *Canadian Communication Report,*
- *Management Communication Quaterly,*
- *Journal of Communication Theory,*
- *Hermès,*
- *Communication et langage,*
- *Communication,*
- *Canadian Journal of Communication,*
- *The European Communication Review,*
- *Médias et pouvoirs,*
- *Réseaux.*

2.3 Les banques de données

Les banques de données (ou d'informations) existent depuis une dizaine d'années. Il y a quelques centaines de banques possédant chacune leurs caractéristiques propres. De façon générale, elles sont accessibles par le système des mots clés ou des noms propres. Pour avoir accès à ces banques, il faut posséder un ordinateur personnel ou se rendre à une bibliothèque universitaire.

Beaud et Latouche (1988) nous indiquent que la société québécoise IST Informathèque gère une multitude de banques d'informations, y compris bon nombre de banques françaises et américaines. Leur catalogue est impressionnant et il est possible d'avoir accès à une banque particulière par le protocole d'IST Informathèque. Cependant, dans un premier temps, il serait plus pertinent d'utiliser BADADUQ, qui est la banque de données à accès direct de l'Université du Québec. Elle comprend les monographies et les périodiques de toutes les bibliothèques du réseau de l'Université du Québec. Pour les autres banques de données, il faut être vigilant car il existe plusieurs types de banques de données; il est donc préférable de consulter un bibliothécaire.

2.4 Autres sources documentaires

Cette courte section présente quelques sources documentaires plus spécialisées. Les mémoires de maîtrise et les thèses de doctorat constituent des ouvrages très spécialisés que l'on peut consulter dans les bibliothèques universitaires. Ils sont utiles surtout aux étudiants mais aussi au chercheur qui désire de la documentation très spécifique. De plus, ils comportent des bibliographies intéressantes. Les documents gouvernementaux et les documents internationaux constituent une autre source documentaire très intéressante. On y retrouve des études, des statistiques et des énoncés de politique (émanant des ministères des Communications d'Ottawa et du Québec). Les librairies gouvernementales, les centres de documentation et les bibliothèques regorgent d'articles diversifiés provenant de sources nationales et internationales.

Les microfilms et les microfiches servent à stocker et à conserver pour une très longue période de temps d'énormes quantités d'informations dans un espace très limité. Ils servent surtout à conserver des documents très longs ou rares, ou encore les journaux quotidiens. La consultation est rapide et le système permet de produire des photocopies.

En terminant, nous pouvons mentionner deux ouvrages, un répertoire et une bibliographie analytique, publiés au Québec sur les recherches en sciences de la communication. Le *Répertoire des recherches réalisées par ou pour le ministère des*

Communications (du Québec) et *La recherche universitaire en communication au Québec*. Enfin, mentionnons qu'il existe le *Répertoire des outils documentaires dans les centres de documentation et les bibliothèques spécialisées du Québec*. Ce répertoire décrit 267 bibliothèques et c'est probablement le plus complet pour effectuer une recherche documentaire complexe.

3. UNE STRATÉGIE POUR LA RECHERCHE DOCUMENTAIRE

Lorsque l'on a une version provisoire de notre question principale ou même de notre problème spécifique, il faut donc partir à la recherche d'informations; mais par où commencer? Il faut inévitablement faire le tour des principales publications existantes incluant articles, études ou rapports, thèses et ouvrages publiés.

Beaud et Latouche (1988) suggèrent deux démarches complémentaires. Bien que leurs stratégies s'inscrivent dans l'optique de la préparation d'un mémoire de maîtrise ou d'une thèse de doctorat, le processus est sensiblement le même pour toute recherche à caractère scientifique. Les deux démarches sont la remontée des filières bibliographiques et la recherche systématique.

La remontée des filières bibliographiques consiste, comme l'explique Beaud et Latouche (1988), à débuter à partir des ouvrages, des articles ou des études les plus récents relatifs au sujet de recherche, et d'en étudier les bibliographies, les sources, les auteurs cités et les débats évoqués. À l'aide de fiches, il faut noter les références aux articles qui semblent les plus pertinents. Ce travail permet de ratisser une grande partie des travaux existants. Ce ratissage vous permettra d'accumuler une centaine de références d'ouvrages et d'articles et surtout de cerner un certain nombre de publications qui sont très souvent citées et qui peuvent ainsi apparaître comme étant des références indispensables au problème de recherche qui vous intéresse.

Cette démarche doit être complétée parallèlement par une recherche systématique sur fichiers. La notion de fichier signifie ici autant les fichiers de bibliothèques (généralement des petits cartons classés par ordre alphabétique d'auteurs et de sujets), les systèmes de microfiches et l'interrogation informatisée des banques de données. Cette démarche ne se fait pas à l'aveuglette, elle nécessite de prendre d'abord le temps pour étudier le répertoire des matières vedettes et le thésaurus avant de s'engager dans une recherche systématique des titres.

Ces deux démarches sont complémentaires puisqu'elles permettent deux ratissages croisés de la documentation existante. La remontée des filières bibliographiques est horizontale car elle permet un ratissage en surface de tout ce qui touche de près ou de loin au problème de recherche. La recherche systématique par grands thèmes est plutôt de nature verticale. L'emploi de ces deux démarches provoque inévitablement des recoupements. Lorsque la proportion des titres que l'on retrouve ainsi devient élevée, c'est une indication que l'on a fait le tour de l'exploration bibliographique.

Ces deux démarches nécessitent de la méthode, de l'organisation, de l'intuition et surtout de la ténacité. Cette démarche vous permettra de constater l'importance, l'étendue et la diversité des publications avec lesquelles vous aurez à travailler. Dès que ce repérage est terminé, vous pouvez commencer le travail de lecture. Il est important de savoir qu'il ne faut pas tout lire systématiquement. Il faut toujours lire en gardant à l'esprit la question principale ou le problème spécifique. Si après ce travail de ratissage, vous ne savez toujours pas quels sont les documents les plus pertinents, c'est probablement parce que votre sujet et votre question de recherche ne sont pas suffisamment cernés et précisés.

Une fois ce travail effectué, le chercheur doit, soit emprunter la perspective théorique d'un autre chercheur et l'adapter à son problème de recherche, soit construire, à l'aide des perspectives connues et identifiées dans ces lectures, une nouvelle perspective. Ce travail s'effectue par un long processus de réflexion et de confrontation entre les perspectives existantes et le problème de recherche ou entre les perspectives existantes, la nouvelle perspective construite par le chercheur et le problème de recherche.

4. LA NATURE ET LE RÔLE DES THÉORIES

La démarche de recherche des diverses sources documentaires que nous venons d'examiner s'effectue en fonction de deux objectifs principaux. Premièrement, cette démarche sert à rechercher des connaissances concernant le problème de recherche. Deuxièmement, cette démarche sert à la construction d'un cadre théorique. Toute recherche scientifique doit incorporer un cadre théorique servant à appuyer et à renforcer la problématique. Le chercheur scientifique qui étudie les phénomènes et les événements qu'il rencontre dans son univers doit toujours utiliser un point de repère : la théorie.

Les théories sont des constructions de la méthode scientifique qui dépendent d'abord des paradigmes comme préceptes à la base de cette construction. Nous avons expliqué dans la première partie du cours, au deuxième chapitre, la notion de paradigme. Rappelons que le paradigme est une nouvelle vision du monde qui s'installe dans la science normale en suscitant des révolutions scientifiques. Un paradigme est un ensemble d'hypothèses fondamentales et critiques sur les bases desquelles s'organisent et se développent les théories et les modèles.

La théorie est donc le point de repère du chercheur : soit qu'elle s'incorpore dans un paradigme, soit qu'elle en comble les lacunes. De plus, la perspective théorique est garante de l'intégration de la recherche dans la communauté scientifique. Ce point est important car un chercheur qui prétend avoir effectué une importante recherche sans la situer dans un contexte théorique admis par la communauté scientifique verra la crédibilité des résultats de sa recherche totalement remise en question. La théorie sert donc en partie à justifier la « scientificité » d'une recherche et à légitimer celle-ci dans un paradigme reconnu selon le fonctionnement de la science normale (Kuhn).

Ouellet (1981) définit la théorie comme : « [...] une proposition (ou un groupe de propositions) posée en vue d'expliquer les lois connues et de suggérer de nouvelles expériences » (Ouellet, p. 56). Les théories assignent une origine aux phénomènes. La théorie est un système abstrait d'explications et de prédictions de relations entre des phénomènes. La construction d'une théorie est donc un procédé servant à inventer des séries de raisons pour rendre compte des événements et des faits. L'explication d'un phénomène se fonde ainsi sur des théories qui relient les idées que nous avons aux observations que nous faisons.

La théorie, c'est en quelque sorte la nourriture du savoir scientifique; c'est elle qui tend à démystifier ce que l'on considère être une croyance. La théorie est un système d'explication qui tend vers une certaine certitude légitimée.

De plus, elle apporte des connaissances à la recherche et à l'observation et sert à ordonner les faits et les phénomènes de la réalité. Dans le cadre d'une recherche, la théorie sert à tracer un schéma d'observation, à émettre des questions de recherche ou des hypothèses dans le but avoué de parvenir à des explications.

Mais, à l'inverse, la recherche et l'observation permettent le développement de la théorie. En effet, les résultats d'une recherche permettent de susciter, de réorienter et de clarifier la théorie (ce qui peut, dans certains cas, provoquer une crise). Il peut arriver qu'au cours d'une recherche, prévue dans le cadre de vérification d'une hypothèse ou d'une théorie, le chercheur rencontre un fait inattendu dont l'explication nécessitera la formulation d'une nouvelle hypothèse. Dans ce sens, la recherche ou l'observation suscite la théorie. Pour démontrer que la recherche réoriente la théorie, on peut avancer que l'apport toujours nouveau des nouvelles technologies oriente la recherche vers les domaines où se posent des problèmes nouveaux dont l'explication sera éventuellement intégrée à une théorie. La recherche permet aussi de clarifier la théorie : certaines théories manquent de rigueur dans leurs définitions et la recherche sur le terrain permet, étant donné qu'elle exige que l'on donne une définition précise assortie de critères nets pour la discussion des observations, de clarifier les énoncés de départ. En bref, ce qu'il est important de saisir c'est l'apport mutuel et interactif entre la théorie et la recherche.

Globalement, une recherche scientifique constitue en quelque sorte un processus en « boucle », c'est-à-dire que la recherche part d'une théorie ou d'un contexte théorique dans lequel on insère une problématique qui détermine et oriente la recherche. Cette problématique sera soumise à l'étude, à l'analyse, à l'exploration et à la vérification par l'entremise d'une méthode de recherche. Les résultats obtenus par cette investigation seront collectés, triés, analysés et discutés. La nature de la discussion finale des résultats de la recherche sert à infirmer, confirmer, préciser ou élargir les éléments du contexte théorique utilisés pour l'énoncé de la problématique. Ainsi, la boucle est bouclée entre théorie, problématique, méthode de recherche, méthode de collecte des données, analyse et discussion des résultats, et retour sur la théorie. C'est souvent de cette façon que les théories se développent et s'enrichissent.

La nature d'une théorie réside donc dans l'élaboration d'explications vraisemblables à propos d'événements, de faits et de phénomènes. La théorie a comme fonction de généraliser l'explication des événements et des faits. On ne construit donc pas une théorie pour expliquer un seul fait ou un seul événement, il faut que ce système d'explications soit généralisable à l'ensemble des faits dont les caractéristiques ont quelque chose en commun même si, en apparence, ces caractéristiques semblent isolées les unes des autres.

La théorie a donc comme fonction la mise en ordre d'un rapport à l'objet. La réalité est à première vue éparse et la théorie permet un regard construit qui organise et classifie les phénomènes pour le chercheur. La théorie est précisément le cadre de référence qui produit un sens et permet à un observateur d'organiser les fragments d'éléments dans une structure significative. Sans elle, les relations entre les faits demeurent incompréhensibles. La théorie permet de rendre logique et de formaliser dans un principe d'ordre et de systémisation la réalité. Elle est donc une construction hiérarchique mentale. Quant à la méthodologie, elle est le passage ou le pont entre la théorie et l'observation des phénomènes.

Le rôle de la théorie, en général, est de recueillir des faits qui ont des valeurs représentatives. Elle développe ensuite un système de classification et de structuration des concepts, prédit des faits et des événements, et suggère de nouvelles recherches. Par la déduction de conséquences, le chercheur peut vérifier une théorie et par des investigations objectives, il peut clarifier des concepts et en introduire de nouveaux dans la théorie. Enfin, on peut aussi affirmer que la théorie simplifie la science. En effet, les relations entre la nature et la culture au sens large sont si complexes que sans la théorie, ce serait presque le chaos dans l'avancement de la science. En guise de brève synthèse, on peut affirmer que puisque les faits ne parlent pas d'eux-mêmes, il faut donc découvrir les relations qui existent entre eux. La théorie se veut donc un système cohérent d'explication des interrelations unissant les composantes d'un phénomène.

5. LA NATURE DES MODÈLES

Un modèle est aussi un élément important de la perspective théorique. Tout comme les théories, les modèles sont des constructions de la méthode scientifique. Un modèle, comme nous l'explique Gauthier *et al.* (1984), est une représentation simplifiée d'un système réel. Le modèle est une « représentation », une représentation abstraite, idéale, mathématique, symbolique de la réalité qui fournit une vision simplifiée d'un phénomène.

La signification la plus répandue et la plus commune des modèles réfère souvent à l'idée de maquette, qui représente à l'échelle un ensemble complexe de grande dimension. La maquette d'un avion, d'un édifice ou d'un quartier d'une ville sur une grande table illustre cette idée de modèle. Le modèle, dans cette optique, est donc une réplique de choses qui existent vraiment mais de manière plus complexe.

Dans le contexte de la méthodologie scientifique et de la perspective théorique, le modèle est symbolique car il représente d'une manière abstraite des phénomènes. Alors que la théorie s'explique essentiellement par des mots, le modèle, bien qu'il présente aussi un ensemble de mots, s'exprime surtout par des schémas. Cette fonction de schématisation est fondamentale dans un modèle. De plus, alors que le modèle au sens commun (« maquette ») constitue une reproduction de quelque chose de concret, le modèle au sens théorique constitue, lui, une représentation de l'explication d'un phénomène. Cette représentation, en se présentant d'une manière schématique, permet de visualiser les relations, les liaisons ou les oppositions entre les éléments constitutifs d'un phénomène.

Dans les sciences de la communication, les modèles théoriques que l'on retrouve un peu partout dans les écrits sont des représentations simplifiées et fonctionnelles d'un processus communicationnel. Le modèle sert donc à simuler un processus en représentant le rapport entre la forme des éléments d'un phénomène et leur contenu. Le modèle décrit un fonctionnement (en représentant un processus) mais le modèle peut aussi décrire statiquement une structure en présentant l'interrelation entre les éléments.

Granger (1982) affirme que la différence entre théorie et modèle en est une de « degré » plutôt que de « nature ». En ce sens, la théorie est considérée comme un modèle plus ample et plus ambitieux. Le modèle, au sens strict, est plus « local », c'est-à-dire que les principes ou présupposés dont il part sont plus spécifiques, plus immédiatement révisables en fonction de résultats expérimentaux. Toutefois, cette affirmation est relative, car Ouellet (1981) indique que le terme modèle semble l'emporter sur celui de théorie lorsqu'il s'agit d'aborder un problème de façon globale.

De toute façon, il faut comprendre qu'un modèle, en étant plus « local » ou plus « global » que la théorie et en formant une représentation simplifiée et réduite de la réalité, implique inévitablement des interprétations et aussi des mutilations de la réalité étudiée. En effet, certaines variables d'un phénomène, d'un processus ou d'une structure sont privilégiées au détriment d'autres. Pour prétendre à ce type d'explication, c'est-à-dire favoriser certaines variables plutôt que d'autres, il faut que la construction d'un modèle soit située dans un cadre très précis. Le cadre d'un modèle est défini par rapport au temps et à l'espace et ce cadre doit préciser les limites de la capacité d'explication du modèle.

En conclusion, le modèle est un outil de la pensée qui permet un point de vue simplifié sur un phénomène. La construction d'un modèle s'appuie sur des observations, des faits ou des données statistiques. Une fois construit, le modèle permet de concevoir des liaisons fonctionnelles entre ces observations puis de découvrir les périodicités entre les événements ou les décalages dans les réactions, ou encore de percevoir des tendances dans les attitudes et les comportements. Faire un modèle, c'est concevoir puis dessiner une image qui ressemble au phénomène ou à l'objet.

6. LA CONSTRUCTION D'UN CADRE THÉORIQUE

Tout problème de recherche doit d'abord s'intégrer dans une perspective théorique générale. La perspective théorique est garante de l'intégration de la recherche dans la communauté scientifique. À partir de cette perspective théorique générale, le chercheur doit ensuite concevoir un cadre théorique spécifique à la problématique. Le cadre théorique est quelque peu différent d'une théorie car le cadre théorique se construit uniquement en fonction d'un problème ou d'une question précise de recherche. Alors qu'une théorie est destinée à généraliser l'explication de certaines relations à plusieurs faits et événements, le cadre théorique est construit dans le but avoué d'expliquer un seul fait, un seul problème précis.

Le cadre théorique sert aussi à intégrer ou à rendre crédible une recherche particulière dans l'ensemble de la communauté scientifique. Cet argument épistémologique signifie que le cadre théorique peut être constitué d'une ou de plusieurs théories ou d'éléments d'une théorie car il a comme objectif d'insérer une problématique particulière dans un ou plusieurs systèmes d'explications reconnus par la communauté scientifique.

Outre la nécessité d'intégrer la recherche à la communauté scientifique, le cadre théorique sert principalement à présenter un cadre d'analyse et à généraliser des relations d'hypothèses déjà prouvées dans d'autres contextes pour tenter de les appliquer au problème.

6.1 L'exemple de l'appropriation du micro-ordinateur domestique

Pour illustrer cette fonction centrale du cadre théorique, nous reprendrons l'exemple de l'étude sur l'appropriation du micro-ordinateur domestique. Nous ne reprendrons pas cet exemple dans le contexte de la problématique présentée au chapitre précédent car celle-ci s'orientait vers une question spécifique sur un objet méthodologique (méthode de triangulation pour l'étude du phénomène de l'« évolution » dans l'appropriation du micro-ordinateur familial). Vous vous souviendrez que cette recherche était divisée en deux phases et que c'est justement la deuxième phase qui portait sur l'évolution des perceptions, des attitudes et des comportements face au micro-ordinateur domestique que nous avons présentée précédemment. L'objet de la première phase de la recherche résidait dans l'analyse de la dynamique d'intégration du micro-ordinateur en contexte familial.

Les auteurs ont d'abord opté pour une perspective théorique particulière pour aborder cette problématique. En effet, avant de construire un cadre théorique précis, il faut que les chercheurs annoncent la perspective théorique générale qu'ils décident d'adopter. Ce choix constitue en quelque sorte un choix épistémologique. C'est donc la façon globale d'aborder une problématique avant même de préciser le cadre théorique de la recherche elle-même.

Les auteurs voient donc dans l'innovation technologique, un agent d'évolution sociale actif. Les auteurs constatent par exemple, que lors de l'invention du téléphone, son utilisation subséquente ne correspondait plus tout à fait à l'utilisation prévue lors de son invention. Les utilisateurs d'une innovation technologique auraient donc un rôle actif dans la redéfinition de l'innovation. Par ailleurs, ils constatent que beaucoup de prédictions relatives à la diffusion des nouvelles technologies de communication échouent du fait d'une approche théorique trop réductionniste. Ainsi, tout nouveau média est largement affecté par la structure sociale à laquelle il est exposé et il se crée ainsi un décalage important entre son potentiel de départ et les utilisations qui en sont faites. Donc, une technologie transforme notre perception de la réalité, et la perception et les réactions que l'on exprime face à elle en modifieront la conception. Il devient donc intéressant d'analyser cette prise de contact entre les utilisateurs et la technologie. C'est justement cette argumentation qui constitue la perspective théorique que les auteurs ont choisi pour étudier le cas du micro-ordinateur utilisé en milieu domestique.

Les auteurs devaient alors choisir un cadre théorique répondant à leur objet de recherche. Cet objet de recherche peut se résumer ainsi : puisque l'intégration d'une innovation est un phénomène complexe qui se développe dynamiquement dans le temps, il est judicieux d'aller chercher des données qui traduisent les variations dans la dynamique d'adoption de l'utilisation du micro-ordinateur en contexte familial.

Les auteurs ont choisi comme cadre théorique un modèle d'analyse : le modèle de la diffusion des innovations adapté par Rogers (1983). Ce modèle permet de considérer le micro-ordinateur comme une innovation au sens de la théorie de Rogers (1983) puisqu'il permet d'analyser les conditions d'adoption ou de rejet de l'innovation. Dans le cadre de cette recherche, les auteurs ont utilisé seulement ce modèle pour construire leur perspective théorique. Ils auraient pu emprunter à d'autres théories ou à d'autres modèles, mais le modèle qu'ils ont choisi suffisait pour expliquer ce qu'ils voulaient démontrer.

Dans cet exemple, nous montrerons d'une part le cheminement du chercheur pour intégrer une théorie ou un modèle dans et autour de sa problématique et, d'autre part, nous illustrerons du même coup l'évolution ou plus précisément l'adaptation d'un modèle à de nouveaux faits. Ainsi, la construction d'un cadre théorique pour une problématique donnée consiste à trouver le modèle, la ou les théories qui conviennent le mieux, c'est-à-dire le système d'explication le plus susceptible d'appuyer une problématique. Cette recherche avait comme objectif de décrire « la dynamique d'intégration du micro-ordinateur en milieu familial ».

Voici donc comment les chercheurs peuvent tenter de construire un cadre théorique pertinent pour soutenir leur problématique. Ils peuvent examiner diverses théories et modèles avant de trouver ce qui convient le mieux. Les auteurs auraient pu examiner quelques théories dans les sciences de la communication pour présenter leur problématique. Ils auraient pu, par exemple, utiliser la théorie des « Uses and Gratifications » car le micro-ordinateur est considéré comme un média et cette théorie s'intéresse au comportement des gens avant et durant leur exposition aux médias. On sait que cette approche soutient que les individus font une utilisation consciente et volontaire des médias pour tenter d'y trouver une satisfaction. On constate déjà, à première vue, que cette théorie semblerait pertinente pour expliquer la « dynamique d'intégration » de ce média car elle étudie les utilisations et les satisfactions que les gens retirent d'un média.

Cependant, en y regardant de plus près, on s'aperçoit que l'utilisation de cette approche ne résiste pas à l'analyse pour la problématique avancée. Ce n'est pas tant la théorie elle-même comme l'objet d'étude lui-même qui sert mal cette approche théorique. En effet, un micro-ordinateur est un média interactif et cette caractéristique fondamentale fait en sorte que c'est l'utilisateur qui détermine lui-même l'utilisation qu'il en fait. Bien sûr, il trouvera des utilisations et en retirera des satisfactions mais pas du tout dans le même contexte qu'un média de masse. Dans cette perspective, cette théorie ne s'avère pas assez raffinée pour dégager la dynamique d'intégration du micro-ordinateur domestique.

Les auteurs se sont donc tournés vers le modèle de diffusion des innovations. Développé au milieu des années quarante, ce modèle de diffusion et d'adoption des innovations permet d'expliquer comment les membres d'une société en arrivent à s'approprier une idée, une pratique ou un objet perçu comme nouveau. Ce modèle a été utilisé pour comprendre la diffusion d'innovations aussi diverses que la motoneige et certains médicaments puis, plus tard, pour la diffusion des technologies de communication. Ce modèle stipule que les gens, par des canaux de communication, connaissent une innovation et l'évaluent à travers la communication interpersonnelle, puis l'adoptent ou la rejettent.

Lorsqu'il y a adoption, il s'écoule un laps de temps plus ou moins long avant l'acquisition. Durant cette période, l'individu continue d'évaluer l'innovation. L'innovateur précoce (celui qui est toujours à l'affût du dernier gadget) et le leader d'opinion (un individu qui exerce beaucoup d'influence dans une communauté à cause de son statut) sont les deux types d'individus qui jouent un rôle considérable dans le processus de diffusion d'une innovation.

Nous nous permettons ici d'ouvrir une parenthèse afin d'illustrer comment ce modèle a dû s'adapter et par conséquent s'enrichir en fonction de nouveaux faits. La recherche sur de nouveaux objets d'étude (l'ensemble des nouvelles technologies) a donc modifié et enrichi ce modèle théorique. Ce modèle a du être révisé afin de pouvoir expliquer les caractéristiques particulières d'adoption des nouvelles technologies. À cet égard, vous vous souviendrez que nous avons vu dans la section sur « la nature et le rôle des théories », que la recherche permet parfois de réorienter la théorie. C'est le cas avec l'étude des nouvelles technologies qui posent des problèmes nouveaux dont l'explication sera intégrée, entre autres, dans le modèle de diffusion des innovations.

Ainsi, le processus d'adoption des nouvelles technologies, en plus de la participation du leader d'opinion, de l'utilisation de canaux de communication et du laps de temps écoulé, doit tenir compte désormais de l'utilisation réelle que les personnes en font et du degré de réinvention qu'ils y introduisent. Ces dernières caractéristiques sont propres aux nouvelles technologies et plus particulièrement, pour les fins de notre exemple, au micro-ordinateur domestique.

Les études sur l'appropriation du micro-ordinateur ont permis de constater qu'il ne suffit pas de dénombrer les acquéreurs pour conclure du taux d'adoption. En effet, on a constaté que le nombre d'acquéreurs ne renseigne que sur le nombre de personnes susceptibles d'y avoir recours et c'est donc l'utilisation réelle du micro-ordinateur qui devient désormais indissociable d'une étude portant sur l'adoption des nouvelles technologies.

Le concept de réinvention fait référence à la participation active de l'utilisateur du micro-ordinateur. Les nouvelles technologies ne sont pas destinées à une utilisation fixe et l'individu peut donc adapter l'utilisation du micro-ordinateur à ses propres besoins. C'est en ce sens qu'on réinvente l'utilisation d'une innovation.

Cette caractéristique, ainsi que la précédente, illustre comment le modèle de diffusion des innovations a du être révisé en fonction de la particularité des nouvelles technologies. Nous refermons ici cette parenthèse qui illustrait comment un modèle théorique peut se modifier et s'enrichir à la suite de la découverte de nouveaux faits, non prévus lors de la conception de ce modèle.

Nous conclurons maintenant sur l'intégration du modèle de la diffusion des innovations en tant que contenu du cadre théorique de la recherche sur la dynamique d'intégration du micro-ordinateur en milieu familial. L'adaptation du modèle de diffusion des innovations aux nouvelles technologies constitue donc le modèle d'analyse dont les chercheurs peuvent s'inspirer pour leur recherche spécifique. Ce modèle d'analyse avait déjà permis d'expliquer certaines relations (adoption ou non-adoption) face au phénomène de la diffusion du micro-ordinateur. Ce modèle avait aussi permis de généraliser des relations d'hypothèses déjà retenues dans d'autres contextes (par exemple, les caractéristiques sociodémographiques du type d'adoptant : précoce, en avance, ou retardataire face à l'adoption du micro-ordinateur) et de tenter de les appliquer au problème de recherche.

Cependant, aucune étude n'avait analysé l'appropriation du micro-ordinateur en milieu domestique. Les auteurs se sont donc, en grande partie, inspirés du modèle de Rogers (1983) mais ils ont toutefois raffiné leurs analyses en insistant plus largement sur le processus d'intégration (utilisation et impact) du micro-ordinateur dans le contexte familial.

Les chercheurs ont, en somme, utilisé comme cadre théorique le modèle de Rogers (1983), mais à cause de leur problématique plus spécifique, ils ont davantage exploité une dimension du modèle pour ainsi mieux s'adapter à un élément spécifique de leur problématique, c'est-à-dire le contexte d'utilisation « familial » de cette nouvelle technologie.

7. POSSIBILITÉ D'UN RETOUR SUR LA PROBLÉMATIQUE

Les lectures et les questions suscitées par le développement du cadre théorique peuvent, s'il y a lieu, amener le chercheur a redéfinir sa problématique. La plupart du temps, cette redéfinition consiste à modifier quelques éléments mineurs, mais parfois les changements peuvent être plus importants.

Dans l'exemple du micro-ordinateur domestique, imaginez que le chercheur ait élaboré sa problématique dans l'optique des « fonctions » du micro-ordinateur en contexte familial. Il aurait développé des questions générales et spécifiques relativement au fait que ce média permet, par exemple, de s'informer (sur les différents logiciels), d'affirmer son identité (capacité de faire des petits programmes informatiques), de s'intégrer et d'interagir socialement (dans la communauté des utilisateurs du micro-ordinateur par l'intermédiaire de la télématique) et également de se divertir (les logiciels de jeux). Toutes ces fonctions sont tirées de la théorie des « Uses and Gratifications » et il se pourrait que le chercheur développe une logique d'argumentations et de démonstrations très solide.

Cependant, à mesure qu'il progressait dans la lecture des théories sur la diffusion des nouvelles technologies de communication, il peut réaliser que cette approche, efficace pour des médias de masse traditionnels, demeure pauvre en ce qui concerne l'utilisation du micro-ordinateur. C'est en complétant son information sur le modèle de Rogers (1983) qu'il réalise qu'il devra systématiquement redéfinir sa problématique. En effet, ce dernier modèle lui permettra, entre autres, d'expliquer le processus de prise de décision de l'achat et le phénomène de la réinvention de l'innovation, ce que la théorie des « Uses and Gratifications » ne peut faire. Cet exemple, bien qu'un peu extrême, sert à démontrer que le développement d'une perspective théorique oriente, détermine et peut parfois modifier la spécification de la problématique.

La plupart du temps, le retour sur la problématique que suscite les lectures sur la construction du cadre théorique n'est qu'un exercice de raffinement, d'ajout et de spécification. Par exemple, on sait que le modèle de Rogers (1983) a été utilisé à quelques reprises par les chercheurs dans les études sur le micro-ordinateur en milieu de travail. Mais dans l'exemple que nous venons de présenter, deux des questions de recherche ont dû mettre l'emphase sur les utilisations personnelles et les impacts sur les autres activités. Cette insistance sur le processus d'intégration de l'innovation constituait une variable très importante en fonction du concept « domestique » de la problématique.

8. RÉFLEXION SUR LE CHOIX D'UNE MÉTHODE DE RECHERCHE

Enfin, ce processus de développement du cadre théorique débouche sur une première réflexion concernant le choix de la méthode de recherche la plus appropriée en fonction du problème à résoudre. Il s'agit à cette étape non pas de choisir définitivement une méthode de recherche, mais plutôt d'avoir un aperçu des possibilités qu'offrent les diverses méthodes en fonction du problème spécifique à résoudre.

Le chercheur se demande s'il veut faire une étude exploratoire, c'est-à-dire se familiariser avec un phénomène nouveau pour explorer des problèmes plus précis. Ces méthodes font nécessairement appel à beaucoup d'intuition. Le chercheur peut se tourner vers les études descriptives et leurs méthodes. Ces méthodes permettent de dégager un portrait exact des phénomènes. Enfin, il peut vouloir vérifier l'existence de certaines relations causales en manipulant des variables. Ce sera alors la méthode expérimentale en laboratoire. Il peut aussi s'orienter vers les études expérimentales sur le terrain afin de vérifier l'efficacité d'un modèle ou peut-être encore, adopter une approche méthodologique de participation et d'intervention.

Cette étape se concrétisera avec la construction de questions de recherche ou le choix d'hypothèses et leur opérationnalisation (l'objet des deux prochains chapitres). Il est important de noter que cette réflexion sur le choix d'une méthode de recherche peut éclairer les objectifs de la recherche et par conséquent, provoquer également une redéfinition de la problématique. Une fois de plus, on comprend que chacune des étapes logiques de la méthodologie scientifique consiste en un processus de va-et-vient continuel entre les différentes étapes à franchir.

CONCLUSION

La construction d'un cadre théorique cristallise en quelque sorte le développement de la recherche. Cependant, il ne garantit pas pour autant le succès et la réussite de la recherche car il y a toujours une possibilité que la recherche avorte dans une étape ultérieure. Toutefois, si la recherche documentaire a été bien menée et si les lectures les plus pertinentes ont été bien assimilées et ont fait l'objet de réflexion critique, il y a de très fortes chances que la recherche se poursuive et aboutisse.

Nous avons donc, dans ce chapitre, examiné les sources documentaires disponibles pour la recension des écrits importants concernant la problématique de recherche. Nous avons aussi présenté la nature des théories et des modèles. Enfin, nous avons, avec l'aide d'un exemple, expliqué en quoi consiste la construction d'un cadre théorique. Nous avons vu que, à la suite de cette construction, le chercheur peut toujours redéfinir ou préciser à nouveau sa problématique. Enfin, le chercheur, à cette étape, commence à envisager le choix d'une méthode de recherche pour résoudre son problème. La prochaine étape logique de la méthodologie scientifique consiste à construire des questions de recherche ou à faire le choix définitif d'hypothèses. C'est ce que nous examinerons dans le prochain chapitre.

Lectures suggérées

Une des lectures les plus pertinentes à effectuer consiste à lire deux ou trois mémoires de maîtrise ou thèses de doctorat en sciences de la communication. Ces thèses ou ces mémoires sont dans les bibliothèques des universités offrant un programme d'études supérieures en sciences de la communication. Vous devriez au moins lire le cadre théorique de ces travaux. Il existe un document intitulé *La recherche universitaire en communication au Québec (de 1960 à 1986)* publié par le RQIC (Réseau québécois d'information sur la communication). Renseignez-vous auprès de cet organisme car ces données sont aussi accessibles sur la base de données produite par le RQIC.

SELLTIZ, C., WRIGHTSMAN, L. S., COOK, S. W. (1977), *Les méthodes de recherche en sciences sociales*, les éditions HRW, Montréal. Lire « L'élaboration des théories », p. 23 à 34. Bien que ce texte soit axé sur les théories en sociologie, il explique assez bien la logique sous-jacente à la construction d'une théorie.

TREMBLAY, R. (1989), *Savoir-Faire : précis de méthodologie pratique pour le collège et l'université*, coll. Savoir Plus, McGraw-Hill Éditeurs, Québec.

BEAUD, D., LATOUCHE, D. (1988), *L'art de la thèse*, Boréal, Montréal, Québec.

Si vous avez l'occasion de feuilleter ces deux derniers livres, ils vous seront sans aucun doute d'une grande utilité. Il y a des trouvailles très intéressantes à y faire.

CONSTRUCTION DES QUESTIONS DE RECHERCHE ET CHOIX D'HYPOTHÈSES

OBJECTIF

Familiariser l'étudiant avec l'investigation de la situation circonscrite dans la problématique. Comprendre le processus de construction des questions de recherche et de choix d'hypothèses.

INTRODUCTION

Nous arrivons à l'étape où la recherche va prendre en quelque sorte un élan et une direction définitive. C'est ici que s'amorce le transfert entre la théorie et l'abstrait vers la pratique et le terrain. C'est donc à cette étape que le chercheur identifie ce qu'il veut rechercher exactement dans la problématique et qu'il délimite son cadre théorique.

En poursuivant l'analogie de l'entonnoir, nous pouvons affirmer que nous en sommes presque à l'embouchure de cet entonnoir. Cela signifie que le problème, auparavant vague et général, devient, en se rétrécissant, de plus en plus clair, net et précis.

Il est important de bien se rappeler que toute recherche scientifique ne pourra jamais avoir la prétention d'investiguer un vaste objet d'étude. Une des raisons de ce constat est qu'un problème trop vaste exigerait un contrôle méthodologique si démesuré qu'en pratique il serait impossible à réaliser. Même si un chercheur téméraire entreprenait une telle démarche, la critique des milieux scientifiques, en s'attaquant ne serait-ce qu'à la validité et à la fidélité de sa méthode d'investigation, discréditerait, de ce fait, complètement la recherche et le chercheur en question, à moins qu'il réussisse à opérer une révolution paradigmatique.

Imaginez par exemple, qu'un chercheur projette d'analyser le contenu des messages médiatisés en Amérique concernant les changements sociopolitiques survenus dans les pays d'Europe de l'Est en 1989. Quelle que soit sa question de recherche, par rapport à l'énoncé précédent, elle sera probablement irrecevable car le problème posé est définitivement trop vaste. Il est à peu près impossible d'envisager l'analyse de *tous* les messages médiatisés (presse, télévision, radio, magazine, etc.) dans tous les pays d'Amérique. En conséquence, il faut toujours garder à l'esprit qu'un problème de recherche est au départ presque invariablement trop vaste. Le chercheur débutant est souvent confronté à cette réalité. Il est très enthousiaste lorsqu'il identifie un problème de recherche, mais ce problème est fréquemment trop vaste et le chercheur débutant est souvent déçu quand il arrive à l'étape de la construction de questions de recherche car son objet d'étude est devenu à ses yeux très restreint.

Il faut donc demeurer « humble », dans la pratique de la recherche et s'en tenir à un problème de recherche limité mais qui peut cependant être bien circonscrit. Ce rappel nous semble important car c'est uniquement de cette façon que la science peut espérer progresser et cette façon, c'est celle de la méthodologie scientifique.

Revenons à l'objet de notre chapitre. Globalement, nous examinerons le lien entre la problématique, le cadre théorique et la réalité à investiguer. Ensuite, nous traiterons des variables qu'il faut identifier dans l'énoncé du problème. Puis, nous verrons comment le chercheur interroge ce qu'il veut investiguer, c'est-à-dire la construction des questions de recherche. À ce propos, nous présenterons un exemple synthèse illustrant les différentes réflexions qui mènent à la présentation d'une ou de plusieurs questions de recherche. Enfin, nous examinerons l'élaboration d'hypothèses qui constituent la réponse présumée à la question de recherche.

Toutes les recherches en sciences de la communication ne produisent pas toujours des hypothèses, mais toutes les recherches, sans exception, doivent présenter une ou des questions de recherche. Cette condition est absolument indispensable. Enfin, dans le but avoué de diversifier la présentation des exemples servant à illustrer les divers concepts et notions présentés à travers les étapes de la méthodologie scientifique, nous introduirons dans ce chapitre de nouveaux exemples issus de diverses recherches en communication produites vers la fin des années quatre-vingt. Nous discuterons néanmoins brièvement des exemples présentés dans les chapitres précédents.

1. LE LIEN ENTRE LA PROBLÉMATIQUE, LE CADRE THÉORIQUE ET LA RÉALITÉ À INVESTIGUER

Beaucoup de travail, de lecture et de réflexion ont précédé l'étape à laquelle nous sommes parvenus. En effet, le chercheur a d'abord identifié un domaine de recherche dans le champ des communications puis, il a choisi un sujet de recherche. Par la suite, il a tenté de dégager un problème et une question générale de recherche. En consultant ce que d'autres chercheurs avaient écrit à propos de cette question générale, le chercheur a tiré des conclusions lui permettant de dégager un problème et une ou des questions spécifiques. Une bonne recherche documentaire a permis de trouver, d'une part, quelques études reliées au problème de recherche et, d'autre part, cela a surtout permis de dégager une théorie ou un modèle qui permette au chercheur de situer sa problématique dans un contexte scientifique.

Toutes les informations relatives au problème de recherche ayant été recueillies, lues et assimilées, il s'agit maintenant de « cimenter » en quelque sorte l'orientation définitive de la recherche. Cette étape est essentiellement un exercice de réflexion. Cette réflexion se fait à l'aide du cadre théorique, de ses propres intuitions et de ses observations de la réalité.

Reprenons brièvement l'exemple de la problématique sur l'effet des médias de masse présenté au chapitre cinq. On se rappellera que cette recherche avait eu lieu dans les années trente et qu'elle s'inscrivait dans un courant visant à remettre en question les effets tout-puissants des médias de masse sur les individus. Le cadre théorique du chercheur gravitait autour de la théorie de l'influence sociale. Dans cette théorie, le leader d'opinion était un individu que l'on avait identifié comme étant celui qui influence son groupe d'appartenance. Le chercheur a donc précisé progressivement sa problématique en soumettant des questions spécifiques relatives à l'influence potentielle du leader d'opinion pour contrer en quelque sorte les effets des médias de masse considérés à l'époque comme quasiment tout-puissants.

Le chercheur a découvert dans ses lectures que lors d'une étude sur les facteurs qui ont déterminé le choix des électeurs dans une campagne électorale, on a découvert que le vote est une expérience de groupe. En effet, les gens qui partagent des attitudes, des valeurs, des convictions et un même statut socio-économique, voteront pour le même candidat. Les indécis auront tendance à s'intégrer au dernier moment dans le groupe sous la pression de celui-ci. Ainsi, une campagne électorale renforce l'homogénéité du sentiment d'appartenance au groupe. De plus, dans chaque groupe, il y a un leader d'opinion qui constitue la plus forte influence auprès des membres du groupe. Ces leaders d'opinion peuvent donc maintenir ou modifier les opinions de leurs pairs. De plus, ils sont généralement très bien informés.

Le chercheur peut donc postuler, à partir de cette étude sur le vote des électeurs, que les messages des médias de masse sont filtrés par les opinions du groupe qui, elles, sont préalablement déterminées par le leader d'opinion. La communication médiatique se ferait donc à deux niveaux successifs. Les médias influencent le leader qui après avoir filtré les informations, influence à son tour les membres du groupe.

Le chercheur peut aussi constater que dans un milieu de travail, les discussions concernant l'actualité (informations présentées par la presse et la radio) gravitent davantage autour des opinions du leader que du point de vue des médias. Ce genre d'observation ne relève aucunement d'une rigueur scientifique mais cela permet au chercheur d'alimenter ses intuitions et de rendre plausible la relation causale entre message médiatique, leader d'opinion et individu membre d'un groupe.

Ce type de recherche a, à l'époque, permis de développer le modèle du « two-step-flow of communication », c'est-à-dire une communication en deux étapes. Les médias influencent les leaders d'opinion qui influencent à leur tour les membres de leur groupe. Mais, ce que nous voulons illustrer par cet exemple, c'est le fait que le chercheur a réussi à trouver un lien solide entre la problématique, le cadre théorique et la situation à investiguer.

Dès que ce lien est établi, cela constitue une vérification de l'exactitude de la problématique et de la correspondance entre le système de représentation théorique et la réalité. Nous présenterons maintenant un autre exemple afin d'illustrer une façon différente pour un chercheur de découvrir un lien entre sa problématique, le cadre théorique et la réalité à investiguer.

Dagenais (1988) a fait une étude sur le discours social et les médias durant les événements de la crise d'octobre 1970 au Québec. Il cite Edgar Morin (1968) qui définit la crise comme étant l'explosion de tensions refoulées; cette explosion devient créatrice lorsqu'elle change le *statu quo* et régressive lorsqu'elle renforce le *statu quo*. L'auteur a voulu savoir dans un premier temps (sa question générale) si la crise d'octobre 1970 fût créatrice ou régressive.

En citant quelques recherches sur les crises sociales et politiques, il décide d'utiliser l'analyse de contenu des discours véhiculés par les médias écrits à cette époque afin de répondre à sa question. Les événements de la crise d'octobre ont suscité une masse importante de données. L'auteur décide d'orienter sa recherche avec deux questions spécifiques.

L'analyse de la couverture de presse de cet événement peut-elle nous permettre de découvrir le sens de la crise?

L'analyse de la couverture de presse de cet événement peut-elle nous aider à déterminer le rôle des médias dans une crise sociopolitique?

L'auteur entame son cadre théorique en cherchant des théories explicatives sur le rôle social d'une crise. Il dégage quelques hypothèses de travail issues de l'école de la sociologie du présent. Cette école stipulait qu'une crise est un élément moteur de la société. L'auteur s'est demandé si les médias pouvaient constituer de bons historiens du présent.

L'auteur a par la suite développé l'essentiel de son cadre théorique en examinant les résultats de multiples analyses de contenu sur différents sujets de recherche reliés au traitement d'une crise sociale par les médias.

Il se rend compte que les études sur le traitement de la crise par les médias révèlent plusieurs pistes intéressantes et aussi certaines limites évidentes. Les résultats de quelques études démontrent que les médias effectuent une sélection des informations qui leur sont accessibles. Les journalistes sélectionnent des informations qui ne représentent pas toujours une juste proportion des événements dans la réalité. Une autre étude démontre que chaque média imprègne son discours de presse d'une idéologie justifiant ainsi, en quelque sorte, la cause qu'il défend.

D'autres analyses de contenu récentes rapportent que les médias peuvent traduire une image de la vie sociale différente de celle qui est vécue. Par exemple, le rôle de la femme dans les téléromans : elle est souvent présentée dans un rôle plus traditionnel qu'il ne l'est dans la réalité. De plus, des études qui ont essayé de faire un parallèle entre la nouvelle journalistique et la réalité ont conclu que la nouvelle n'était pas le reflet de la réalité. Parfois, les médias investissent les événements d'une rationalité, d'une causalité et d'une cohérence dans le temps qui sont différents des événements eux-mêmes. On peut décoder des articles de presse qui se veulent la traduction d'un mythe, c'est-à-dire d'un langage transformé. L'analyse de contenu des médias prend donc diverses formes. Les médias privilégient une facette de la réalité et se permettent de transformer les faits.

À la lumière de ces lectures, le chercheur doit redéfinir sa problématique car il s'aperçoit qu'il ne peut plus vérifier le lien entre sa problématique, le cadre théorique et la situation à investiguer. Les informations recueillies dans son cadre théorique et la réalité à investiguer (l'abondance des articles de presse : 4 000 articles parus seulement en octobre 1970) lui indiquent qu'il ne pourra pas cerner le sens de la crise en décodant le langage des médias. De plus, comment vérifier le rôle des médias en temps de crise alors que l'analyse de contenu a démontré que les médias sélectionnent, déforment, idéalisent, transforment et mystifient l'événement. Puisque chaque média privilégie une facette de la réalité, il s'avère inutile de tenter de découvrir le sens de la crise par la seule analyse de contenu traditionnelle des médias.

Le chercheur a donc redéfini sa problématique en soumettant deux questions spécifiques à investiguer. L'auteur veut donc savoir comment les médias influencent le jeu des acteurs sociaux en temps de crise. L'auteur veut aussi savoir comment les médias sont influencés par une crise sociopolitique. Il ne s'agit donc plus d'essayer de décoder le langage des médias mais plutôt d'*étudier l'interaction des médias avec le milieu.*

Pour répondre à ces questions, le chercheur a d'abord dû réaliser une analyse de contenu traditionnelle lui permettant, dans un premier temps, de colliger ses données selon un ordre cohérent afin de cerner la représentation de la crise par les médias. Cette première analyse a révélé de nombreux points de vue contradictoires; entre autres, l'auteur a constaté que le discours de la presse n'est pas homogène à l'intérieur d'un média. Un approfondissement dans la même perspective de l'analyse de contenu traditionnelle du média risque d'enfermer la recherche à l'intérieur de la logique de chaque média. En effet, compter l'espace accordé à chaque tendance ou répartir le poids de chaque intervention ne pouvait permettre de trouver une réponse à ses objectifs de recherche, c'est-à-dire, l'impact possible de ces discours sur la société.

Le chercheur a donc décidé de refaire l'histoire de la crise d'octobre 1970 à partir des différents acteurs de la crise et non plus à partir des médias d'information. Ainsi, partant des données recueillies, le chercheur a décidé de mettre en relief les jeux de certains acteurs sociaux (épouses des otages, policiers, révolutionnaires, hommes politiques, gens d'affaires, clergé, etc.) afin de répondre à sa question de recherche. Rappelons que le chercheur voulait savoir d'une manière spécifique, comment les médias influencent le jeu des acteurs sociaux en temps de crise. Sa question de recherche devient donc : qu'est-ce que les médias ont retenu du discours des acteurs sociaux qui se sont manifestés pendant la crise d'octobre 1970?

Mentionnons en terminant que cette approche a été révélatrice car elle a permis de relever davantage les préoccupations « traditionnelles » des acteurs plutôt que les fondements même de la crise. La crise a donc permis aux acteurs sociaux, à travers les médias, de renforcer leurs valeurs fondamentales et, en ce sens, la crise ne fût en aucun cas un moteur ou une dynamique nouvelle pour des changements sociaux. En conclusion, la crise n'a pas bouleversé le discours social, elle a donc été régressive car elle a renforcé le *statu quo*.

L'exemple de cette recherche démontre qu'il est important de vérifier le lien entre problématique, cadre théorique et réalité à observer. Cette recherche illustre donc d'une manière adéquate comment le chercheur a identifié ce qu'il voulait investiguer dans sa problématique avec son cadre théorique. Dans ce cas, une partie du cadre théorique, c'est-à-dire un compte rendu des résultats de diverses analyses de contenu des médias, a démontré que la problématique devait se réajuster avec des questions de recherche appropriées afin de dégager une analyse significative du contenu des milliers d'articles de presse sur la crise d'octobre. Puisque les médias déforment de toute façon les événements, c'est en analysant le point de vue des acteurs sociaux retenu par les médias, que l'on peut cerner la nature du discours social provoqué par cette crise.

Nous avons vu avec l'exemple précédent, comment on arrive à cerner précisément ce que l'on veut investiguer. Ce processus, qui aboutit à l'énoncé précis d'une question de recherche, oblige le chercheur à identifier et à vérifier la relation causale entre les variables de sa question de recherche. Nous examinerons donc, dans la prochaine section, les variables qu'il faut identifier dans l'énoncé du problème.

2. IDENTIFICATION ET VÉRIFICATION DE LA RELATION ENTRE LES VARIABLES

Une variable est un facteur pouvant prendre une ou plusieurs valeurs différentes. Le rendement dans un cours de méthodologie scientifique ou dans n'importe quel autre cours est indiqué par un résultat. Ce résultat est une variable car il peut prendre différentes valeurs (par exemple : 60, 75, 82, 90).

La variable est un concept ou un ensemble de concepts retenus dans une question de recherche ou dans une hypothèse qui subira par la suite une opérationnalisation. Nous examinerons l'opérationnalisation (ou définition opératoire) des variables d'une hypothèse dans le prochain chapitre. Pour l'instant, il suffit de dire que l'opérationnalisation consiste à passer du langage abstrait clairement défini au langage concret que l'on peut mesurer.

Il faut bien comprendre tout de suite que c'est avec des variables ou des concepts clairement définis que l'on construit des questions de recherche et c'est essentiellement avec des variables que l'on énonce des hypothèses. La variable permet de « mettre en relation » des éléments théoriques. La variable regroupe parfois de brefs ensembles de concepts ou encore un concept abstrait que l'on doit définir clairement, c'est-à-dire que l'on doit identifier le plus nettement possible. Puisque ce sont les variables qui forment les hypothèses, elles doivent être identifiées de façon à ce qu'il n'y ait aucune ambiguïté quant à leurs significations.

Reprenons la question de recherche de l'exemple précédent : « Qu'est-ce que les médias ont retenu du discours des acteurs sociaux qui se sont manifestés pendant la crise d'octobre 1970 ». Dans cet exemple, certains concepts doivent être identifiés clairement afin de pouvoir vérifier leurs relations. Les concepts appelés à devenir des variables dans cette question sont les suivants : médias, discours et acteurs sociaux, crise d'octobre 1970.

Le média est ici défini comme le média écrit. L'auteur justifie ce choix en expliquant que les médias écrits reprenaient les principales informations des médias électroniques et qu'ils permettaient une expression mieux articulée et plus développée des différentes interventions. Les auteurs précisent ensuite les sources spécifiques qu'ils ont choisies : 14 quotidiens du Québec (d'octobre 1970 à décembre 1970), des coupures de presse des médias écrits de France, de New York, de Londres et de Milan ainsi que des mensuels du Québec et du reste du Canada.

L'auteur précise aussi le concept « discours » qu'il associe à « acteur social ». Le chercheur spécifie qu'il n'a pas essayé de chercher au-delà des textes la signification profonde du message particulier de chaque acteur comme le ferait l'approche sémiologique. L'auteur isole ces discours de la masse des informations. Il identifie par exemple le couple « type de discours » et « acteur social » comme ceci :

le drame humain — les épouses des otages,

la chasse à l'homme — les policiers,

geste révolutionnaire de libération — les révolutionnaires du FLQ
(Front de libération du Québec),

le fait économique — les hommes d'affaires,

attaque contre la démocratie — les hommes politiques,

le fait religieux — le clergé, etc.

Un concept ou un ensemble de concepts comme par exemple « crise d'octobre 1970 » doit aussi être bien identifié. L'auteur considère cette expression comme étant synonyme de « crise sociopolitique ». Cette dernière expression doit aussi être définie pour devenir une variable et prendre des valeurs. Ainsi, dans l'exemple précédent, sur le discours social et les médias, Dagenais (1988) emprunte la définition d'Edgar Morin (1968) pour identifier le *sens* qu'il attribue au mot « crise » dans sa recherche. Il définit ce concept comme l'« explosion de tensions refoulées » et cette définition du concept devient une variable lorsqu'il lui attribue deux valeurs possibles, soit : la valeur « créatrice » lorsque la crise change le *statu quo* et la valeur « régressive » lorsque la crise renforce le *statu quo*.

Après avoir clairement identifié et défini les variables, le chercheur doit vérifier la relation entre les variables. Dans l'exemple mentionné précédemment, ce travail est assez simple pour des variables comme les « médias écrits » et la « situation de crise ». Dans le cas de la variable « discours des acteurs sociaux », il s'agissait de bien s'assurer parmi la masse d'informations écrites, que des thèmes spécifiques se dégageaient ayant comme porte-parole des acteurs sociaux distinctifs. De plus, il fallait démontrer que l'on pouvait donner des valeurs à ces thèmes, soit positivement, soit négativement ou soit de façon neutre. Cette vérification de la validité des variables a pu se faire grâce à une préanalyse d'une partie des données.

Enfin, mentionnons que la vérification de la relation ou de la causalité entre les variables se fait d'une manière plus systématique dans les études expérimentales. Dans ces études, on énonce des hypothèses dans lesquelles on présume des relations de cause à effet entre les variables. On peut alors identifier au moins deux types de variables : la variable dépendante et la variable indépendante. La variable dépendante est en quelque sorte ce que l'on mesure car elle dépend d'autres variables. La variable indépendante est la variable que l'on manipule. Nous traiterons dans ce chapitre de ces types de variables lorsque nous présenterons le choix des hypothèses; il en sera aussi question lors des études expérimentales en laboratoire. Pour l'instant, nous expliquerons la manière dont on construit des questions de recherche par une brève analyse de ce type de question et en présentant par la suite un exemple plus complet qui englobera les principales notions présentées jusqu'à maintenant dans ce chapitre.

3. QUESTIONS DE RECHERCHE

La construction d'une ou de plusieurs questions de recherche est très importante car, nous l'avons déjà mentionné, c'est à ces questions que la recherche tentera de répondre.

La question de recherche est l'aboutissement du processus de l'entonnoir. Ce peut être, dans certains cas, la question spécifique d'un chercheur et dans d'autres cas, ce peut être le fruit d'une réflexion issue des lectures théoriques débouchant parfois sur la redéfinition d'une question spécifique. La question de recherche concrétise le problème de recherche. Le fait de transformer un problème en question permet de préciser le sens des relations entre les éléments ou les variables du problème.

Avant d'évoquer les questions de recherche en sciences de la communication, il serait utile de faire une analyse de ce qu'est une question de recherche. Dans la mesure où toute recherche doit être orientée par (au moins) une question de recherche, il faut donc identifier et définir précisément les composantes (c'est-à-dire ce à propos de quoi on s'interroge) et établir clairement les relations précises qui existent entre elles. Une question de recherche doit aussi permettre de clarifier les opérations intellectuelles impliquées dans la réponse.

3.1 L'analyse d'une question

Tremblay (1989) explique que la logique de toute question, aussi précise qu'elle puisse être, suppose un certain développement. Comprendre une question signifie, d'après Tremblay, être en mesure de répondre à trois types d'interrogations. Il se pose d'abord le problème de l'explication de la perspective dans laquelle il faut répondre. Par exemple, est-ce que l'on cherche les causes ou les conséquences d'un phénomène? d'un énoncé théorique? Ensuite, il faut pouvoir être clair à propos de l'objet de connaissance spécifique auquel s'adresse la question. Est-ce qu'on discute d'une théorie ou d'une interprétation? Développe-t-on ou clarifie-t-on une méthode, etc.? Enfin, le problème se pose quant à l'opération précise qu'il faut effectuer dans la réponse, c'est-à-dire doit-on justifier, décrire, évaluer, comparer, critiquer, etc.?

Ainsi, poser une question consiste à demander de réaliser une opération (analyser, comparer, décrire, définir, démontrer, expliquer, justifier, situer, résumer, etc.) sur certains objets de connaissance (concepts, auteurs, idées, théories, thèmes, méthodes, problématiques, analyses, etc.) dans une certaine perspective d'explication (comment, quoi, cause, intention, conséquence, quand, qui, où, etc.). Si on reprend la question de l'exemple du discours social et des médias : « Qu'est-ce que les médias ont retenu du discours des acteurs sociaux qui se sont manifestés pendant la crise d'octobre 1970? » Dans cette question, l'opération demandée est « interpréter » (ce que les médias ont retenu du discours...); l'objet de connaissance est « thèmes, idées » (discours des acteurs sociaux) et la perspective d'explication s'oriente par un « quoi » (qu'est ce que...).

3.2 Un exemple synthèse

Nous présenterons un autre exemple du processus qui mène à l'élaboration d'une question de recherche. Nous tenterons d'intégrer dans cet exemple quelques notions importantes examinées dans ce chapitre, c'est-à-dire le lien entre problématique, cadre théorique, situation observée et questions de recherche. Nous voulons aussi démontrer que le fruit d'une recherche suscite inévitablement de nouvelles questions de recherche.

Il s'agit d'une recherche de Billette (1984) sur la bureautique et son impact sur l'organisation du travail. L'auteur précise qu'il emploie le terme « bureautique » dans un sens large, c'est-à-dire toutes les formes de traitement automatique et de communication de l'information constitutives du travail de bureau. L'auteur se demande (sa question générale) : « Est-ce que la bureautique modifie l'organisation du travail et les conditions de travail? » L'auteur est tout à fait conscient que cette question est difficile et qu'elle nécessite un cadre de référence historique.

Une revue des écrits semble dégager deux tendances ou deux modes de penser. La première tendance prend racine dans la notion d'organisation du travail avant l'introduction de la bureautique. Le critère important ici est celui de la division du travail. Par « division du travail », on entend la décomposition du travail et son organisation selon un ordre séquentiel composé d'actes à poser dans un temps donné. Dans ce contexte, l'homme est considéré comme une machine avec un potentiel énergétique limité. En effet, l'homme est confiné, à l'usine ou au bureau, à un travail parcellaire composé d'un nombre défini de gestes routiniers effectués dans un laps de temps limité. L'employé, par la répétition de la même tâche, acquiert une dextérité et une rapidité qui augmente son efficacité à un moindre coût. Ce critère d'organisation a permis un rendement du travail jusque-là inégalé dans l'histoire.

Aujourd'hui, il y aurait de moins en moins de gens susceptibles de supporter ce type d'organisation du travail et même de gestion du personnel. Avec l'avènement de la bureautique, certains auteurs dénoncent l'utopie du progrès technologique en montrant que le travail humain, parallèlement, se dégrade. Pour appuyer cette affirmation, on argumente que les machines informatiques sont conçues pour rendre routinier le travail puisqu'elles sont plus fiables que les « machines » humaines et surtout plus productives. Ainsi, cette première tendance consiste à affirmer que les systèmes informatiques renforcent la parcellisation et la routine propres à l'organisation classique de la division du travail.

L'autre tendance, qui se dégage des écrits, bien que beaucoup plus récente et moins développée, est diamétralement opposée à la précédente. Inspirée principalement de l'ouvrage de Simon (1980), cette tendance affirme, qu'à long terme, l'informatisation rencontrera mieux les besoins des gestionnaires et des professionnels. Pour le personnel clérical, les conditions de travail devraient devenir plus satisfaisantes car l'informatisation les soulagera du travail répétitif en rendant l'accès aux données plus rapide et moins laborieux. Globalement, l'informatisation sera un support à la décision et permettra l'augmentation de la productivité et de la connaissance pour tous les types de personnel.

Dans cette perspective, l'informatique n'accentuera pas le travail parcellaire puisqu'elle permet l'automatisation du travail répétitif. L'informatique aurait un impact sur l'organisation du travail car elle en atténue la division classique en permettant à l'employé de vaquer à un travail polyvalent et donc enrichi. En somme, l'impact social de la bureautique dans la première tendance est négatif et il est positif dans la deuxième tendance.

Après avoir pris connaissance de ces deux modes de penser contradictoires, la question initiale rebondit et devient un peu plus spécifique : « Est-ce que la bureautique modifie l'organisation du travail de bureau au sens classique où nous venons de la définir? » D'autres questions s'ajoutent à celle-ci, d'abord une partie de la question de départ revient : « La bureautique modifie-t-elle les conditions de travail? », si oui, on ajoute alors cette question : « L'impact de la bureautique sur l'organisation du travail des employés de bureau est-il une amélioration par rapport à ce qui existait avant? »

À cette étape, l'auteur entreprend deux recherches pour répondre à ces questions. Le résultat de ces recherches devrait lui permettre de présenter une nouvelle problématique. En effet, on peut affirmer que cette recherche est d'une nature exploratoire et que par conséquent, le chercheur doit faire une première étude pour vérifier le lien entre sa problématique, le contenu contradictoire de son cadre théorique et ce qui se passe dans les organisations où l'on a implanté la bureautique.

La première recherche visait à vérifier la première tendance (impact négatif de la bureautique). On a fait une enquête auprès des *auxiliaires en saisie de données* dans le secteur public du Gouvernement du Québec. Cette enquête est similaire à deux autres enquêtes menées auprès des employés de bureau et des fonctionnaires de sexe et d'âge comparables. Les résultats confirment la théorie, en ce sens que l'informatisation renforce le travail parcellaire. Les auxiliaires en saisie de données se plaignent davantage de leur travail répétitif et monotone. Il y a plus d'anxiété, d'insatisfaction et de dépression. L'auteur affirme qu'il est cependant illégitime de poser la question de l'impact de la bureautique uniquement en fonction des auxiliaires en saisie des données. Néanmoins, la première tendance est confirmée avec l'étude de ce type d'emploi malgré le fait que les postes de saisie de données diminuent progressivement.

Les auteurs (Billette et Piché pour ces deux recherches) ont tenté de vérifier la deuxième tendance (impact positif de la bureautique) par une enquête auprès des *compagnies d'assurances au Québec*. On retrouve le même type de travail que celui relatif à la saisie des données sauf que cette tâche n'est plus parcellisée. Ces travailleurs sont exposés, comme les auxiliaires en saisie des données, à l'écran cathodique toute la journée mais ils ne s'en plaignent pas car leur travail est varié. Ces gens sont en quelque sorte des vendeurs d'assurance et la partie du travail qui est routinière a été programmée et se réalise de façon automatique. En conséquence, ces travailleurs deviennent polyvalents et leur travail s'est enrichi. Ce qui permet d'enrichir le travail, c'est le caractère « interactif » de l'informatique en temps réel, c'est-à-dire la possibilité de mettre à jour et de faire le suivi des dossiers, d'interroger une banque de données, etc. Tout comme dans la première recherche, l'auteur affirme qu'il est illégitime de poser la question de l'impact de la bureautique en fonction de cette seule catégorie d'employés.

L'objectif de ces deux recherches, contradictoires par leurs choix théoriques et leurs résultats empiriques, est de reformuler avec plus d'acuité et de pertinence une nouvelle question de recherche permettant de redéfinir plus adéquatement la question de recherche initiale. Les résultats de cette recherche permettent donc de redéfinir plus précisément la problématique de départ. L'auteur se rend compte qu'il n'est pas simple de répondre à la question : « Est-ce que la bureautique modifie l'organisation du travail de bureau? » ainsi qu'aux autres questions : « La bureautique modifie-t-elle les conditions de travail? » et « Son impact sur l'organisation et sur les employés de bureau est-il une amélioration par rapport à ce qui existait avant? » De plus, l'auteur affirme que l'on ne pourra pas répondre à ces questions dans un avenir prochain.

Le chercheur affirme toutefois que son cheminement n'a pas été inutile car il lui a permis de cerner la difficulté majeure de ces questions. La principale difficulté tient à ce que l'informatisation n'est pas un phénomène figé. Elle est une technologie en pleine évolution. Ainsi, il n'est pas possible de répondre à ces questions sans tenir compte de l'évolution de l'informatique dans le temps. L'auteur vérifiera donc le lien entre sa problématique et le cadre théorique en fonction de la réalité évolutive de l'informatique de bureau, ce qui lui permettra de présenter une question de recherche appuyée d'une solide vérification dans la réalité observée.

L'auteur se réfère aux cinq générations d'ordinateur et fait un parallèle avec les types d'organisation du travail avec lesquelles ces étapes du développement de l'informatique sont associées. Sans expliquer en détail ces étapes, il suffit de mentionner qu'à la deuxième et à la troisième génération, le traitement des données se faisait en lots, c'est-à-dire qu'il fallait accumuler une certaine quantité de demandes d'information et d'opération avant d'utiliser l'ordinateur afin de ne pas surcharger sa capacité. L'informatique de cette époque force la concentration et la centralisation et est par conséquent associée à un type d'organisation du travail à la fois centralisée et parcellaire. Les services informatiques sont isolés et exigent un contrôle plus strict.

Dans les années soixante-dix et quatre-vingt, à la suite de l'intégration à très grande échelle de systèmes d'exploitation multitâches et de postes multifonctions, l'informatique fonctionne en direct, en temps réel. De la fonction, par exemple, de pure saisie, on passe à l'utilisation interactive en direct. Cela occasionne aussi la décentralisation des postes de travail informatisés puisqu'avec la diminution du prix des ordinateurs, chaque individu peut avoir le sien à son poste de travail. La nature même du développement informatique change la nature de l'organisation du travail. Cette seconde phase de l'informatique correspond à la troisième et à la quatrième génération d'ordinateurs. Le travail devient moins rigide, plus intégré, varié et flexible. Désormais une même personne peut saisir les données, les traiter, les reproduire, les mettre à jour, les communiquer, les archiver, etc. De cette façon, l'individu peut assurer la responsabilité d'un dossier et son suivi, ce qui pourrait rendre caduque le type classique d'organisation du travail.

À la lumière de ces deux recherches qui confirment les deux tendances contradictoires, le chercheur constate que sa recherche exploratoire, loin d'être achevée, prend un nouvel élan. Le chercheur peut répondre temporairement à ces questions de recherche comme ceci : la bureautique correspondant à la première phase ne modifie pas les conditions de travail ou, si oui, dans un sens négatif. À l'opposé, la bureautique correspondant à la deuxième phase modifie positivement les conditions de travail en changeant la nature même de la division traditionnelle du travail. Désormais, il n'y aurait plus de tâches uniquement routinières mais plutôt des tâches variées et polyvalentes. Ainsi, de façon globale, la bureautique modifie l'organisation et les conditions de travail mais en sens inverse selon que l'on se situe à la première ou à la seconde phase.

Cette réponse inclut en soi le germe d'une nouvelle hypothèse. En effet, puisque l'on ne peut pas conclure définitivement à partir de deux petites recherches, celles-ci suggèrent cependant une nouvelle perspective de recherche. Le chercheur peut effectivement se demander si, à la lumière de ces résultats, il n'y aurait pas un déterminisme technologique sur l'organisation du travail. Les lectures théoriques et les résultats des deux recherches semblent confirmer cette tendance. Cette recherche peut relancer le débat sur la nature déterministe ou la nature neutre des technologies par rapport à leur impact social. Quoiqu'il en soit, une nouvelle question de recherche devrait permettre de lever la contradiction entre les deux tendances présentées précédemment. C'est en intégrant la notion d'« évolution » des technologies que la nouvelle question de recherche permettra d'intégrer les deux tendances. Cette nouvelle question de recherche — qui demeure ouverte — devra se fonder sur des termes nouveaux, ou selon le nouveau mode de penser qu'exigent ces nouvelles technologies.

Avec cet exemple, nous avons voulu montrer que le processus de la recherche scientifique n'est jamais complètement terminé, en ce sens qu'il n'y a pas de réponse définitive à une question de recherche lorsque l'objet d'étude qu'elle propose est lui-même en constant changement et en évolution continuelle. Une recherche n'est donc jamais terminée mais à chaque fois qu'elle progresse, elle éclaire d'un nouveau regard l'objet d'étude. C'est un peu comme si la recherche suit le parcours d'une spirale qui revient toujours à son point de départ mais qui, grâce à de bonnes questions de recherche, revient avec un regard toujours neuf, un éclairage et une perspective nouvelle qui permettent d'enrichir constamment la compréhension du monde.

4. LES HYPOTHÈSES

« [...] l'hypothèse est la pierre d'assise à partir de laquelle s'articule une stratégie de démonstration[1] ».

Une hypothèse est une présomption; c'est la réponse présumée à la question de recherche dont on ne sait pas encore si elle est

---

1. Létourneau, J. (1989), *Le coffre à outils du chercheur débutant : guide d'initiation au travail intellectuel*, Oxford University Press, Toronto.

fondée ou contestable, mais au sujet de laquelle on croit que les faits pourront établir soit la vraisemblance, soit l'incertitude. La formulation d'une hypothèse est extrêmement importante car l'hypothèse est issue d'une réflexion approfondie sur les éléments de la problématique. Elle permet d'organiser toute la recherche autour d'un but précis, celui justement de vérifier la validité de l'hypothèse. De plus, et ceci est également très important, c'est autour de l'hypothèse que l'on organise toute la rédaction d'un rapport de recherche. En effet, tous les éléments du texte sans exception doivent avoir une utilité quelconque pour l'hypothèse.

Ce ne sont évidemment pas toutes les recherches qui produisent des hypothèses mais lorsque l'on peut présumer, d'après les lectures, d'une causalité entre des variables, alors il est pertinent d'élaborer des hypothèses.

Les hypothèses sont des points d'appui momentanés qui permettent d'orienter la recherche et de réaliser une observation ordonnée. L'hypothèse est donc une affirmation plausible présentant une relation entre deux ou plusieurs variables.

L'hypothèse permet des gains de temps pour l'explication du problème car elle permet au chercheur de ramener la recension des écrits à des points qu'il peut mesurer. L'hypothèse est le cœur d'une recherche; c'est même d'une certaine manière ce qui permet de faire le passage entre l'abstrait et le concret, entre la théorie et sa vérification dans la pratique.

L'hypothèse est composée de variables dont les relations sont présumées. Le chercheur identifie des concepts théoriques qu'il doit définir d'une manière précise. Cette définition permet de dégager une variable et ce sont les relations entre les variables qui forment l'hypothèse. En ce sens, l'hypothèse limite et restreint qualitativement la recherche et permet de comprendre le problème et ses ramifications avec plus de clarté.

Ouellet (1981) présente certains critères techniques et logiques à respecter lors de l'énoncé d'une hypothèse.

- D'abord, les concepts utilisés dans les hypothèses doivent être précis et leurs définitions doivent être présentées *après l'énoncé de l'hypothèse*.

- L'hypothèse doit aussi pouvoir être vérifiée et par conséquent *elle doit porter sur des phénomènes observables.*

- Une hypothèse doit être distincte des autres, c'est-à-dire spécifique, ce qui suppose une précision conceptuelle et une détermination des *conditions dans lesquelles la prévision se réalisera.* Elle doit également être vérifiable au moyen des techniques disponibles.

- L'hypothèse se présente d'une manière *affirmative et non interrogative.* On doit l'écrire dans un langage scientifique, donc logique dans le style : *si la variable A est l'antécédent, alors la variable B sera le conséquent.*

- Enfin, une hypothèse est un projet de résolution de problèmes, ce n'est donc pas la somme ou le résumé des données touchant un élément quelconque mais une affirmation permettant d'aller à la recherche d'explications.

Létourneau (1989) explique bien le rôle d'une hypothèse dans le processus de recherche. Il affirme que dans sa formulation initiale, l'hypothèse est le moteur qui donne une impulsion à l'effort de recherche. Elle subit des modifications successives qui constituent autant de pistes à fouiller. Dans sa formulation achevée, l'hypothèse est la pierre d'assise à partir de laquelle s'articule une stratégie de démonstration. Elle ne doit cependant jamais agir comme un carcan qui restreint les possibilités de découvrir la réalité dans toute sa complexité et ses subtilités.

Il ne faut jamais oublier que l'élaboration d'une hypothèse n'est pas chose facile. Il ne suffit pas d'établir un lien entre des concepts ou des variables, il faut préciser exactement la signification de tous les concepts énoncés dans l'hypothèse.

4.1 Quelques exemples d'hypothèses

Nous terminerons le chapitre en présentant quelques exemples d'hypothèses. Il est à noter que si vous faites des lectures d'articles publiés dans des périodiques sur les sciences de la communication, vous constaterez qu'on énonce assez souvent des hypothèses dans le milieu des articles, c'est-à-dire entre le cadre théorique et la description de la méthode utilisée.

Les analyses de contenu sont des recherches qui ne nécessitent pas toujours la formulation d'hypothèses. Cependant, lorsqu'elles sont émises, les hypothèses se présentent souvent sous la forme suivante : « Selon ce que j'ai lu (ou observé ou d'après mon intuition), je suppose que le contenu de ce texte se caractérise de telle ou telle façon et que, de ce fait, il véhicule tel ou tel sens » (Charron, 1989).

Parfois dans les textes, on emploie le terme « hypothèse » dans un sens très général. Par exemple, dans les études sur la communication de masse, il y a une période (depuis le début des années soixante) que l'on appelle « la redécouverte des effets ». Il y a eu, dans ce mouvement, le modèle de l'« agenda-setting », l'effet de socialisation, la définition et la construction de la réalité sociale, etc. On présente souvent dans les écrits cette dernière théorie comme une hypothèse générale. On affirme dans cette hypothèse que « les médias de masse définissent et construisent la réalité sociale ». On précise ensuite que cette réalité sociale est particulièrement construite à partir de l'information diffusée sur les événements réels. Par exemple, le problème de la faim dans le monde n'existerait peut-être pas pour nous si les médias n'en parlaient pas. Voilà donc l'exemple d'une hypothèse générale mais il faut bien comprendre que dans le cadre de ce manuel, l'élaboration des hypothèses est plus spécifique, comme dans l'exemple qui suit.

Nous présenterons brièvement une recherche sur les messages médiatisés qui utilise la méthode expérimentale en laboratoire. Une étude de Kunkel (1988) explore la compréhension des enfants face à une publicité télévisuelle qui présente le même animateur vedette dans le contenu de l'émission adjacente, c'est-à-dire l'émission dans laquelle la publicité est présentée. L'étude vise à examiner les réactions d'enfants jeunes (4-5 ans) et plus âgés (7-8 ans) exposés à la même publicité présentée avec l'animateur vedette et sans cet animateur vedette.

Trois dimensions du processus de publicité télévisuelle pouvant être affectées par l'utilisation d'un animateur vedette sont examinées.

1. L'habileté à discriminer la publicité du contenu de l'émission.
2. L'habileté à attribuer une intention persuasive à la publicité.

3. Les attitudes provoquées par les réactions face au message publicitaire.

Nous présentons les hypothèses associées aux deux premières dimensions. Nous ne résumerons pas l'argumentation présentée dans le cadre théorique car nous ne ferons ici que présenter deux des hypothèses du chercheur en les justifiant brièvement. Rappelons que cette recherche utilise la méthode expérimentale en laboratoire et que cette méthode présente toujours des hypothèses très précises.

Hypothèse 1 : Un effet d'interaction significatif[2] est attendu avec les jeunes enfants, plus aptes à discriminer la publicité de l'émission dans la condition « sans animateur vedette » que dans la condition « avec animateur vedette », mais sans qu'il y ait de différence selon les conditions pour les enfants plus âgés.

Cette hypothèse se base sur les attentes à propos desquelles les enfants plus âgés possèdent des habiletés à discriminer assez sophistiquées pour « voir à travers » toute confusion créée par l'animateur vedette. On s'attend à ce que les enfants plus jeunes n'aient pas cette capacité.

Hypothèse 2 : Un effet d'interaction significatif est attendu avec les enfants plus âgés, plus aptes à attribuer une intention persuasive à une publicité dans la condition « sans animateur vedette » que dans la condition « avec animateur vedette », mais sans qu'il y ait de différence selon les conditions pour les enfants plus jeunes.

Cette hypothèse se base sur l'attente selon laquelle les jeunes enfants ne reconnaissent pas les intentions persuasives dans une publicité sans animateur vedette; par conséquent ils ne peuvent être affectés par la publicité avec animateur vedette comme le sont les enfants plus âgés.

Voilà donc en quoi consiste une hypothèse. On remarquera que l'énoncé d'une hypothèse est *très spécifique* et que l'on n'énonce

---

2. Un « effet d'interaction significatif » est un terme qui désigne en statistique que l'effet de la variable « X » sur la variable « Y » est probable à 95 %. Donc, un effet est significatif à partir de la probabilité que cet effet se produise dans 95 % des cas.

pas une hypothèse d'une manière improvisée. Enfin, le chercheur se doit de définir toutes les variables qu'il désire mesurer.

CONCLUSION

Nous avons examiné dans ce chapitre une étape importante de la méthodologie scientifique. Le processus qui amène le chercheur à construire des questions de recherche et à choisir des hypothèses est un exercice qui exige beaucoup de réflexion et une certaine rigueur personnelle. D'abord, parce que le chercheur doit absolument identifier précisément ce qu'il veut investiguer dans sa problématique en trouvant le lien entre celle-ci, le cadre théorique et le phénomène à observer. Ensuite, parce que le choix d'une question de recherche et le choix d'hypothèses constituent le cœur de l'apport personnel du chercheur aux connaissances scientifiques.

Cette étape n'est pas une étape facile et c'est la raison pour laquelle nous avons cru bon d'illustrer ce chapitre de plusieurs exemples. Il serait pertinent de vous suggérer, lorsque vous lisez des articles, de tenter de bien identifier les variables en cause, la ou les questions de recherche ainsi que la ou les hypothèses avancées.

Enfin, l'importance de la précision conceptuelle dans l'énoncé d'une hypothèse sera plus évidente dans le prochain chapitre. Nous y traiterons de l'opérationnalisation des hypothèses, c'est-à-dire de la façon dont on passe d'un concept abstrait clairement défini à une variable « appréhendable » et mesurable.

Lectures suggérées

OUELLET, A. (1981), *Processus de recherche : une approche systémique*, Sillery, Presses de l'Université du Québec. De la page 129 à 136. Ce chapitre donne des exemples d'hypothèses dans les méthodes expérimentales en éducation.

Lisez des mémoires de maîtrise ou des thèses de doctorat et portez une attention particulière à la définition de la problématique et au choix des hypothèses.

Vous devriez aussi lire des articles de périodiques. Ceux-ci présentent toujours une question de recherche et parfois des hypothèses.

OPÉRATIONNALISATION DES HYPOTHÈSES ET APERÇU DES AUTRES ÉTAPES DE LA RECHERCHE

OBJECTIF

Familiariser l'étudiant avec les processus de validation et d'opérationnalisation des hypothèses, et avec les étapes subséquentes de la recherche.

INTRODUCTION

Nous entreprenons ici la dernière étape logique de la méthode scientifique avant la collecte des données. Cette étape est capitale pour identifier concrètement ce qui sera mesuré sur le terrain. L'opérationnalisation des hypothèses, des concepts ou des variables à mesurer forme le pont entre la spéculation théorique et la confrontation sur le terrain.

Nous prendrons d'abord conscience, dans ce chapitre, du fait qu'il est plus important de bien comprendre ce que l'on veut mesurer que de trouver un instrument de mesure. Ensuite, nous porterons notre attention sur la spécificité du langage des définitions opératoires dans le processus de recherche. Puis, nous examinerons la définition opératoire. L'opérationnalisation consiste à définir un concept de manière à pouvoir effectuer des observations. Les données empiriques n'existent pas à l'état pur. Elles sont créées par le chercheur en fonction de ce qui l'intéresse au point de vue théorique. Nous examinerons ce processus d'opérationnalisation en analysant les étapes successives de transformation du concept en dimensions puis en indicateurs (et ses catégories) jusqu'aux valeurs possibles que permettent de prendre les indicateurs. Un exemple synthèse illustrera ce processus d'opérationnalisation. Il sera aussi question de l'importance de bien choisir le moment et le terrain à circonscrire pour effectuer la recherche.

Nous terminerons le chapitre en donnant un aperçu sommaire des autres étapes d'une recherche : *le choix d'une méthode de collecte de données, l'analyse, l'interprétation et la discussion des résultats* ainsi que *la rédaction du rapport de recherche.*

1. COMPRENDRE CE QUE L'ON VEUT MESURER

L'énoncé des hypothèses dans une recherche sert à vérifier, sur le terrain, la justesse des hypothèses. Pour cela, il faut mesurer soit des objets (ex. : analyse de contenu des articles de journaux traitant de la crise d'octobre 1970), soit des situations (ex. : vérifier par une enquête si la bureautique modifie l'organisation du travail), soit des comportements (ex. : expérimentation visant à mesurer les réactions des enfants face à l'influence d'un animateur vedette dans une publicité télévisuelle). Il est important de bien comprendre ce qui doit être mesuré afin d'effectuer une bonne mesure.

La vérification d'une hypothèse consiste évidemment à la soumettre à la méthode la plus appropriée. Le choix de la méthode a probablement déjà été effectué durant l'élaboration du cadre théorique et la définition de la problématique. Ce choix d'une méthode est implicite à la définition d'une problématique.

Par exemple, dans l'étude de Dagenais (1988) sur le discours social et les médias lors de la crise d'octobre 1970, l'auteur voulait comprendre le traitement de la crise par les médias. Ses recherches sur des études réalisées sur ce thème révélaient l'emploi systématique de *l'analyse de contenu*. Il était donc implicite que l'auteur utilise cette méthode de recherche. Toutefois, il a dû adapter ou utiliser d'une manière précise cette méthode afin de valider les procédures pour vérifier la pertinence de sa question de recherche. Il a analysé le contenu des médias écrits selon les points de vue des principaux acteurs sociaux. C'est de cette manière que l'on doit définir clairement ce que l'on veut mesurer afin d'utiliser la bonne stratégie de vérification.

De la même façon, Kunkel (1988), dans son étude sur la compréhension des enfants face à une publicité télévisuelle avec ou sans animateur vedette, devait utiliser, compte tenu de la nature de ses hypothèses, la *méthode expérimentale* pour valider les procédures de vérification de ses hypothèses. D'aucune façon, une entrevue avec des enfants de cinq ans n'aurait permis de vérifier ces hypothèses. Imaginez toutes les influences inhérentes à une entrevue et tous les biais possibles (distraction, incompréhension, peur, subjectivité, etc.) qui sont autant de possibilités de créer des distorsions empêchant de vérifier les liens entre les variables d'une hypothèse.

À cette étape-ci, il est important de vérifier si la méthode choisie peut vraiment prendre en compte les variables présentées dans les hypothèses. Pour faire cette vérification et en même temps pour pouvoir mesurer ces variables, il faut utiliser un langage concret permettant la définition opératoire des concepts soustendus par des variables.

2. DEUX TYPES DE LANGAGE

La notion d'opérationnalisation réfère à l'utilisation d'un autre type de langage. En effet, le langage théorique courant qui nous permet de penser, d'échanger et d'expliquer nos idées est un langage relativement abstrait. Les concepts et les catégories naturelles du langage sont souvent imprécis et continus. Les expressions « rôle » ou « phénomène » ou encore « influence », « rendement » ou « créativité » sont des concepts dont nous comprenons sans difficulté la signification mais qui demeurent vagues dès qu'on veut les approfondir et surtout les mesurer (par exemple, le rôle de la bureautique ou le niveau de créativité). De la même manière, les catégories comme « groupe », « balle » ou « bateau » sont des catégories naturelles dont les valeurs sont continues. Cela signifie qu'il n'y a pas de délimitation précise qui détermine à partir de quand une balle devient un ballon. De la même façon, un groupe de trois personnes sera-t-il encore un groupe s'il y a soixante, cent, mille cinq cent, cent dix mille ou quatre millions d'individus? Ces exemples illustrent le fait que le langage utilisé dans le cadre théorique, la problématique et même les hypothèses est fondamentalement abstrait et nécessite donc une définition opératoire.

Le langage nécessaire au traitement des hypothèses et des variables est un langage concret qui implique des instructions explicites pour classifier les valeurs attribuées aux variables ainsi que pour les mesurer. C'est par le transfert d'un langage à l'autre que nous pouvons valider les hypothèses.

Le langage de la vérification (ou langage opérationnel) est concret et il se fonde sur l'observation des phénomènes. L'opérationnalisation consiste à passer de l'abstraction, qui prévaut dans la formulation de l'hypothèse, à l'observation, qui s'impose au niveau de la vérification. Ce transfert d'un langage à un autre est analogue à la traduction de l'allemand au français par exemple. Chaque langue a une logique qui lui est propre et il est toujours difficile de rendre parfaitement claire l'idée d'un concept car les connotations d'une langue à l'autre ne sont jamais identiques. Ainsi le chercheur, lors de la procédure de validation des hypothèses et des variables, est confronté à l'obligation de formuler le plus concrètement possible l'idée véhiculée par le langage abstrait.

2.1 La définition opératoire

Il y a plusieurs façons de parvenir à une définition opérationnelle. La définition conceptuelle identifie les choses selon des critères hypothétiques plutôt que des critères observables. On définira alors un concept en référence à un autre concept. Les définitions que l'on retrouve dans un dictionnaire sont de ce type, car elles tentent de clarifier la signification d'un mot de façon à inclure plusieurs définitions qui peuvent être utiles à tout le monde. On peut aussi définir un mot ou un concept par un synonyme. On dira par exemple qu'un individu intelligent est un individu futé. Ce genre de définition procure des informations mais ne permet pas de relier un concept avec ce qu'il représente dans le monde observable.

Une définition opératoire est fondée sur des caractéristiques observables de ce qui est défini. Le mot « observable » est significatif de la description d'une définition opératoire. Il est possible à un chercheur de faire des observations relativement stables d'un objet ou d'un phénomène pour qu'ensuite ces observations soient refaites par d'autres pour leur permettre d'identifier précisément ce qui a été défini. Enfin, la définition opératoire doit inclure dans sa description de l'observation un *critère d'unicité* ou si l'on veut, un critère d'exclusivité. En effet, plus une définition opératoire est exclusive, plus elle est utile. L'exclusivité d'une définition transmet plus d'information car elle implique moins d'incertitude. Grâce à ce critère, il est possible d'exclure d'autres objets ou d'autres situations que la définition ne veut pas intentionnellement recouvrir. Finalement, le caractère exclusif d'une définition opératoire augmente la possibilité que le sens attribué à la variable permette à d'autres chercheurs d'utiliser cette même définition opératoire.

3. CONCEPT, DIMENSION ET INDICATEUR

Généralement, le lien entre le langage abstrait clairement défini et le langage concret mesurable (définition opératoire) se fait par un passage du concept à des dimensions spatio-temporelles et de ces dimensions à des indicateurs. Les indicateurs deviennent les représentations observables d'une variable définie de façon opératoire.

Un chercheur qui s'intéresse, par exemple, aux fonctions que les individus attribuent aux médias de masse énoncera un certain nombre d'hypothèses à ce sujet. Il faut bien comprendre que l'idée de « fonction » est une construction de l'esprit, à laquelle on fait appel pour comprendre le réel. La fonction est un concept qui demeure une abstraction car elle ne se voit pas, ne s'entend pas, ne se sent pas, ne se touche pas. Le chercheur a par contre accès à des phénomènes qu'il peut interpréter comme des signes, des références à la fonction telle qu'il la conçoit et la définit. Par exemple, un média peut avoir une fonction d'information : les indicateurs de cette fonction se mesurent par le nombre d'individus affirmant s'informer grâce aux médias, par le nombre de valeurs affirmées à travers les médias et par le nombre de personnes se divertissant par les médias. Ce sont là autant d'indicateurs possibles du concept de « fonction ».

L'élaboration d'indicateurs pour les variables présentées dans l'hypothèse sert donc à confronter des données empiriques avec les hypothèses émises. Cette confrontation n'est possible que si l'on a démontré que les données sont pertinentes, ce qui implique une relation de validation entre l'abstraction et l'observation. Les conclusions éventuelles d'une recherche dépendent étroitement des décisions prises lors du choix des indicateurs. Puisque les conclusions viennent confirmer (ou infirmer) les hypothèses à partir de données empiriques, ces conclusions ne sont crédibles et valables que si les indicateurs reflètent convenablement les concepts théoriques avancés dans les hypothèses. Gauthier *et al.* (1984) définissent l'indicateur de la manière suivante : « L'indicateur est l'ensemble des opérations (empiriques), effectuées à l'aide d'un ou de plusieurs instruments de mise en forme de l'information, qui permet de classer un objet dans une catégorie par rapport à une caractéristique donnée[1] ».

Mentionnons ici que la « dimension » est en quelque sorte une étape intermédiaire entre le concept et l'indicateur. Rechercher les dimensions d'un concept n'est pas une étape absolument indispensable à l'opérationnalisation des variables, mais c'est un travail qui facilite énormément l'identification des indicateurs.

---

1. Gauthier, B., sous la direction de (1984), *Recherche Sociale*, Presses de l'Université du Québec, Québec, p. 157-158.

La décomposition des variables (concepts) d'une hypothèse en dimensions et en indicateurs consiste à classer les « objets » (si on réfère à la définition précédente de l'indicateur, un objet peut être « des individus », « des médias », « des groupes sociaux », etc.). On peut donc classer les individus selon leur scolarité, leur revenu, leur sexe et on peut classer les médias selon qu'ils sont d'une nature écrite, auditive et visuelle. On voit alors que le concept fournit l'objet d'étude. L'indicateur doit traduire les caractéristiques mesurables de cet objet d'étude.

Prenons d'abord un exemple simple. Si dans une recherche, on désire mesurer le concept « consommation de médias », on peut alors distinguer les dimensions et les indicateurs suivants.

> *Concept* :   consommation de médias.
>
> *Dimensions* :   type de médias, type d'écoute, contexte d'écoute et lieu de consommation.

Pour chacune des dimensions, on peut retrouver les indicateurs suivants.

TYPE DE MÉDIAS
> **Indicateurs** : télévision, presse écrite, radio.

TYPE D'ÉCOUTE
> **Indicateurs** : seul, en famille, avec ami(e)s.

CONTEXTE D'ÉCOUTE (pour la télévision et la radio)
> **Indicateurs** : écoute directe (les yeux rivés sur l'écran ou concentré sur l'émission de radio), écoute d'ambiance (écoute du média en même temps que l'on fait autre chose).

LIEU DE CONSOMMATION
> **Indicateurs** : au foyer, au travail, à l'extérieur chez des amis, dans un endroit public.

Cet exemple est présenté uniquement à titre indicatif et n'a pas la prétention de décrire des dimensions et des indicateurs d'une manière exhaustive. Nous présenterons un peu plus loin un exemple plus complet mais auparavant voyons quelques précisions à propos des catégories dans lesquelles on insère des valeurs reliées aux indicateurs.

3.1 Indicateurs et catégories

La construction d'indicateurs fondée sur l'observation empirique est un exercice de classification. Cet exercice impose la construction de catégories qui constituent autant de possibilités logiques où les objets d'étude peuvent se situer. L'objectif est d'entrer chaque objet dans l'une des « boîtes » ainsi constituées. Chaque indicateur peut contenir un certain nombre de valeurs possibles.

On distingue généralement trois types de catégorisation correspondant à des formes précises d'indicateurs. D'abord, la *catégorisation nominale* dans laquelle les catégories sont juxtaposées. L'exemple de la langue maternelle pouvant être le français, l'anglais, l'espagnol, l'allemand, etc. Cette catégorisation permet un niveau minimal de mesure qui amène à distinguer les individus les uns par rapport aux autres.

Il y a aussi la *catégorisation ordinale* où les catégories sont hiérarchiques. On classe alors les objets d'étude selon un continuum allant du plus grand au plus petit ou vice versa. Par exemple, le niveau de consommation des médias est élevé, modéré ou faible. Cette catégorie permet de distinguer non seulement les individus les uns par rapport aux autres, mais également on peut les ranger dans un ordre défini.

Enfin, il y a la *catégorisation numérique* qui est encore plus précise. Les catégories correspondent donc à des nombres, par exemple le revenu familial. Dans cette catégorie, on peut non seulement ranger les individus les uns par rapport aux autres, mais on peut également apprécier avec exactitude les distances qui les séparent les uns des autres. C'est le niveau de mesure le plus riche.

3.2 Un exemple synthèse

Nous présenterons maintenant un exemple plus complet pour illustrer le passage du concept à la dimension, puis aux indicateurs et enfin aux valeurs que peuvent prendre ces indicateurs. Nous reviendrons sur l'étude de Caron *et al.* (1987) concernant l'appropriation du micro-ordinateur en milieu domestique. La première phase de cette étude voulait analyser la dynamique d'intégration du micro-ordinateur en contexte familial. En s'inspirant du modèle de la diffusion des innovations de Rogers (1983), les auteurs ont voulu analyser, entre autres, comment s'effectuent la diffusion et l'adoption du micro-ordinateur domestique chez les individus qui sont des « adoptants » depuis un an. Les auteurs ont émis l'hypothèse que ce groupe possédait les caractéristiques du « nouvel adoptant » telles qu'identifiées dans le modèle de la diffusion des innovations de Rogers (1983) et cela, principalement en ce qui concerne le processus d'adoption et la dynamique d'intégration.

Il est important de mentionner que les analyses que nous présentons ici sont inspirées de l'étude de Caron *et al.* (1987). Cela signifie qu'il ne s'agit, en aucune manière, d'une reproduction exacte de leur démarche de recherche. Les figures 8.1 et 8.2. illustrent la façon dont on peut définir, de façon opérationnelle, les différentes variables à l'étude. Les chercheurs ont identifié huit dimensions et quelques indicateurs pour chacune de ces dimensions afin de mesurer les concepts de « processus d'adoption » et de « dynamique d'intégration ». Examinons les variables à l'étude dans les figures 8.1 et 8.2. selon le concept, les dimensions, les indicateurs et leurs valeurs possibles.

La figure 8.1 présente le processus d'opérationnalisation du concept « *processus d'adoption* ». La première dimension « données sociodémographiques » veut répondre à la question spécifique suivante.

– Quelles sont les caractéristiques du répondant et de sa famille? Pour chacun des indicateurs inventoriés (ex. : sexe, âge, etc.), on présente ensuite les valeurs possibles des catégories correspondantes à chacun de ces indicateurs. La dimension « création de l'intérêt » cherche à répondre aux questions suivantes.

– Depuis quand et pourquoi s'intéresse-t-on à la micro-informatique?

– À noter que dans l'indicateur « motif de l'intérêt », on présente les valeurs possibles pour les catégories « avantages » et « désavantages ». La dimension « sources d'information » correspond aux questions suivantes.

– Quelles sources nous informent au moment du premier intérêt...? au moment de la décision d'achat?

– Enfin, la dimension « décision d'achat » implique ces questions : Dans quelles circonstances achète-t-on un micro-ordinateur? Sur quoi se base-t-on pour l'acheter?

FIGURE 8.1 **Le processus d'opérationnalisation du concept « processus d'adoption » inspiré de l'étude de Caron *et al.* (1987) sur l'appropriation du micro-ordinateur en milieu familial**

CONCEPT

Processus d'adoption

DIMENSIONS

1. Données sociodémographiques	**2.** Création de l'intérêt	**3.** Sources d'information	**4.** Décision d'achat

INDICATEURS

| a) sexe
b) âge
c) nombre de personnes dans la famille
d) type d'emploi
e) revenu familial annuel | a) nombre de mois écoulé depuis la création de l'intérêt
b) source d'influence
c) motif de l'intérêt | a) lors du premier intérêt
b) lors de la recherche d'information
c) lors du choix de la marque | a) circonstance de l'achat
b) facteur déterminant
c) utilisation prévue |

VALEURS

pour :	pour :	pour :	pour :
a) masculin/ féminin b) .../28/29/30/ etc. c) 3/4/5/6/7/8/ etc. d) cadre/ professeur/ etc. e) 25 000 $–30 000 $/ 30 000 $–35 000 $, etc.	a) ...10/11/12/ etc. b) ordre personnel/entourage familial/ influence du travail c) **Avantages :** technique/ pédagogique **Désavantages :** coût/ complexité d'apprentissage	a), b) et c) sources interpersonnelles/sources mass-médiatiques/ magasins/ revues/ publicité	a) aubaine/ cadeau/ pour le travail b) coût/ réputation c) apprentissage de la programmation/jeux

FIGURE 8.2 **Le processus d'opérationnalisation du concept « dynamique d'intégration » inspiré de l'étude de Caron** *et al.* **(1987) sur l'appropriation du micro-ordinateur en milieu familial**

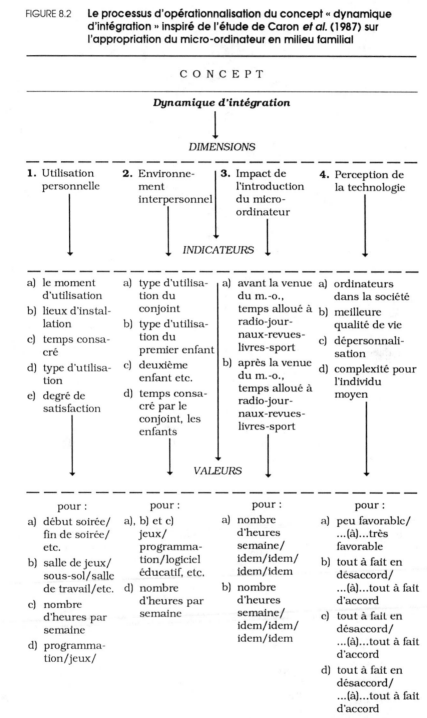

CONCEPT

Dynamique d'intégration

DIMENSIONS

1. Utilisation personnelle	**2.** Environnement interpersonnel	**3.** Impact de l'introduction du micro-ordinateur	**4.** Perception de la technologie

INDICATEURS

a) le moment d'utilisation	a) type d'utilisation du conjoint	a) avant la venue du m.-o., temps alloué à radio-journaux-revues-livres-sport	a) ordinateurs dans la société
b) lieux d'installation	b) type d'utilisation du premier enfant		b) meilleure qualité de vie
c) temps consacré	c) deuxième enfant etc.	b) après la venue du m.-o., temps alloué à radio-journaux-revues-livres-sport	c) dépersonnalisation
d) type d'utilisation	d) temps consacré par le conjoint, les enfants		d) complexité pour l'individu moyen
e) degré de satisfaction			

VALEURS

pour :	pour :	pour :	pour :
a) début soirée/ fin de soirée/ etc.	a), b) et c) jeux/ programmation/logiciel éducatif, etc.	a) nombre d'heures semaine/ idem/idem/ idem/idem	a) peu favorable/ ...(à)...très favorable
b) salle de jeux/ sous-sol/salle de travail/etc.	d) nombre d'heures par semaine	b) nombre d'heures semaine/ idem/idem/ idem/idem	b) tout à fait en désaccord/ ...(à)...tout à fait d'accord
c) nombre d'heures par semaine			c) tout à fait en désaccord/ ...(à)...tout à fait d'accord
d) programmation/jeux/			d) tout à fait en désaccord/ ...(à)...tout à fait d'accord

Le concept « *dynamique d'intégration* » implique le même genre de questionnement. Pour la dimension « utilisation personnelle », on se demande :

– À quoi sert le micro-ordinateur domestique pour celui qui l'achète?

– L'« environnement interpersonnel » est la dimension qui répond aux questions suivantes : Qui, dans les autres membres de la famille, utilise le micro-ordinateur et à quelles fins?

– Pour la dimension « impact de l'introduction du micro-ordinateur », on se pose cette question : Quel est l'effet de l'introduction du micro-ordinateur sur les autres loisirs et le mode de vie de la famille?

– Enfin, la dimension « perception de la technologie » se propose de répondre à cette question : Comment perçoit-on les conséquences à plus long terme des nouvelles technologies informatiques?

Voilà donc comment on opérationnalise un concept. Il faut noter qu'un autre chercheur aurait pu prendre le même concept et effectuer une autre forme d'opérationnalisation en fonction de ses intérêts théoriques.

4. LE CHOIX DU MOMENT ET DU TERRAIN À CIRCONSCRIRE POUR EFFECTUER LA RECHERCHE

Maintenant que le chercheur a transformé ses concepts abstraits et ses variables en indices concrets et mesurables, il possède tous les éléments nécessaires pour amorcer l'investigation pratique de sa recherche. Ce qu'il doit circonscrire, ce sont les dimensions spatiale et temporelle de sa recherche, c'est-à-dire le lieu et le moment les plus propices pour cueillir les données. Cet aspect peut sembler à première vue plus ou moins important, mais une collecte de données qui ne se ferait pas dans un temps et un espace opportuns risquerait de biaiser la saisie de toutes les données.

Une recherche est parfois directement reliée à un phénomène. C'est le cas de l'étude de Caron *et al.* (1987) sur l'appropriation domestique du micro-ordinateur. Les auteurs ont décidé de mener cette recherche à la suite de la diffusion d'une série de cours télévisés dont le but était d'initier le grand-public à la micro-informatique. Le grand-public pouvait s'inscrire à ces cours et c'est alors que l'on observa un phénomène d'engouement pour la micro-informatique, car 22 000 participants s'y sont inscrits. Ce phénomène d'engouement pour les nouvelles technologies était quelque peu inattendu et il a incité les chercheurs à essayer de comprendre les motivations et les intérêts des individus, et de dégager une explication de cet intérêt du grand-public pour la micro-informatique.

Ce cas est évidemment particulier, car c'est un phénomène survenu à un moment précis qui a motivé les chercheurs à réaliser leurs travaux. La plupart du temps, le chercheur doit choisir un moment opportun pour effectuer sa recherche. S'il fait une expérimentation sur les habitudes d'écoute des médias il devrait, par exemple, choisir l'automne ou l'hiver. Ce choix est motivé uniquement par le fait que durant l'été la plupart des gens sont en vacances : les habitudes d'écoute des consommateurs sont donc perturbés. Le contenu de la grille horaire des émissions mass-médiatiques est souvent programmé avec des reprises de la saison précédente de sorte qu'il est difficile d'établir des relations claires entre une clientèle bien ciblée (captive) et des émissions bien identifiées.

Le terrain à choisir est également important. Une étude sur l'impact de la bureautique dans une organisation devrait s'effectuer dans une organisation déjà familière avec la bureautique. Un impact se mesure sur une dimension longitudinale (dans le temps), en ce sens que les individus doivent déjà être familiers avec les nouvelles technologies pour que l'on puisse évaluer dans quelle mesure celles-ci ont modifié l'organisation du travail.

Ainsi, peu importe la méthode de recherche choisie, le moment et le terrain à circonscrire sont importants. Une entrevue avec un cadre ne devrait peut-être pas avoir lieu un vendredi après-midi précédant les vacances de Noël. L'entrevue devrait aussi se dérouler dans un endroit calme. De la même façon, une enquête téléphonique ne devrait pas démarrer à l'heure du repas du soir ou très tôt le matin. Le chercheur qui opte pour l'observation participante afin d'étudier l'impact de la bureautique ne devrait pas s'immiscer dans un lieu de travail au moment où il y a de graves conflits de travail, une grève probable, etc.

La perspicacité du chercheur, dans son choix du terrain et du moment pour effectuer sa recherche, lui permettra d'obtenir des données riches sans que celles-ci ne soient affectées par des facteurs hors de son contrôle.

5. APERÇU SOMMAIRE DES AUTRES ÉTAPES D'UNE RECHERCHE

C'est ici que se termine la deuxième partie du manuel sur les étapes logiques de la méthodologie scientifique. La troisième partie du cours présentera les différentes méthodes de recherche utilisées en sciences de la communication. On y présentera aussi un chapitre sur les notions d'éthique, une autre particularité des pratiques de recherche, et un dernier chapitre présentera la recherche en communication au Québec. Toute cette partie est regroupé sous le titre de « la pratique de la recherche ».

Bien entendu, les étapes logiques de la méthodologie scientifique ne s'arrêtent pas à l'opérationnalisation des hypothèses. Les autres étapes seront présentées dans un cours ultérieur sur les méthodes de collecte et d'analyse de données en communication. Nous donnerons cependant un aperçu sommaire des étapes subséquentes d'une recherche scientifique.

Dès que l'on a établi la définition opératoire des hypothèses, on procède au choix des méthodes de collecte de données. Il s'avère pertinent ici de faire une importante distinction entre « méthode de recherche » et « méthode de collecte de données ». Les méthodes de recherche (qui seront présentées dans la prochaine partie du manuel) sont reliées à l'objet d'étude. Le choix d'une méthode de recherche consiste à trouver la meilleure façon d'approcher ou plutôt d'investiguer son objet d'étude, c'est-à-dire que l'on décide, d'après la nature de l'objet de recherche, si l'on doit explorer, décrire ou expérimenter afin de solutionner le problème de recherche.

Les méthodes de recherche sont évidemment liées aux métho-des de collecte de données mais ces dernières consistent essentiellement à *élaborer des techniques pour la cueillette des informations* dans le contexte précis de l'enregistrement d'un aspect des phénomènes à saisir.

Ceci étant précisé, nous présenterons sommairement les autres étapes d'une recherche :
– le choix des méthodes de collecte des données,
– la collecte des données,
– l'analyse des données,
– l'interprétation des données,
– la discussion des résultats par rapport au cadre théorique,
– la rédaction du rapport de recherche.

5.1 Le choix des méthodes de collecte des données

Cette étape est très importante puisque c'est le choix d'une méthode de collecte de données qui déterminera ce que l'on peut analyser dans ce que l'on veut étudier. On ne peut pas recueillir n'importe quelles données n'importe comment. Ainsi, avant de déterminer les données dont on fera la collecte, il faut préciser la méthode choisie pour recueillir ces données. Cette méthode est essentiellement choisie en fonction de la problématique et de la méthode de recherche définie.

Il y a d'abord les *méthodes d'observation*. Nous faisons tous des observations et des remarques sur ce qui se passe autour de nous. L'observation est la méthode fondamentale pour obtenir de l'information sur le monde qui nous entoure. L'observation est une technique scientifique lorsqu'elle sert un objectif de recherche, qu'elle fait l'objet d'un plan systématique, qu'elle est enregistrée méthodiquement et reliée à des propositions générales (plutôt que présentée comme reflétant quelques curiosités intéressantes) et quand elle est soumise à des vérifications et à des contrôles de validité et de fidélité.

On distingue deux méthodes d'observation : l'*observation directe* et l'*observation participante*. L'observation directe se définit comme l'enregistrement des actions perceptibles dans leur contexte naturel. C'est une des techniques dans les études descriptives. Brièvement, elle consiste à décrire les composantes objectives d'une situation donnée (lieux, objets, comportements individus, groupes, etc.) pour ensuite en extraire des typologies. Le chercheur qui pratique l'observation directe doit garder une certaine *distanciation* par rapport à son objet d'étude.

L'observation participante intègre le chercheur dans un milieu d'étude comme un acteur qui participe à l'environnement communicationnel. Le chercheur peut alors décrire les situations en prenant des notes sur le terrain sans avoir nécessairement une structure imposée ou encore, il peut observer d'une manière sélective en focalisant sur certaines activités spécifiques. Dans ce cas, il ne s'agit plus de distanciation de la part de l'observateur mais d'implication dans l'observation.

Parmi les autres méthodes de collecte de données, il y a les *sondages*, les *questionnaires* et les *entrevues*. Ces techniques permettent de recueillir de l'information sur les perceptions, les opinions et les motivations. Dans ces techniques, on compte beaucoup sur les témoignages verbaux et écrits pour recueillir des informations. Ces techniques sont soumises à des processus de vérification concernant la validité et la fidélité des témoignages; elles peuvent être utiles autant pour les études descriptives que pour les études exploratoires. Elles impliquent aussi des méthodes d'échantillonnage. Il existe donc plusieurs moyens différents de susciter des témoignages personnels. Chaque technique possède ses avantages et ses inconvénients en fonction des objectifs de l'étude.

Il existe aussi des méthodes indirectes pour collecter des données comme la *méthode projective*. Il s'agit dans ce cas de chercher à identifier les motivations et à connaître les attitudes profondes. On peut alors susciter des exercices de créativité, des psychodrames ou concevoir des simulations par ordinateur.

Il est également courant d'utiliser des données déjà disponibles particulièrement pour les études analytiques et descriptives. Souvent, avec des données statistiques, on peut refaire de nouveaux calculs selon un objectif précis. Enfin, il est possible d'utiliser simultanément trois méthodes de collecte de données sur un même sujet (méthode de triangulation) afin de rendre compte de la complexité d'une réalité. Cela permet de recueillir des données en fonction de plusieurs facettes d'un même événement.

5.2 La collecte des données

La collecte des données est en quelque sorte le lien entre l'abstrait et le concret dans le processus de recherche. Il faut, à cette étape, répondre de l'exactitude de la mesure en s'assurant de la fidélité et de la validité des données. La fidélité, c'est l'assurance de la stabilité d'une application à l'autre. La validité, c'est le degré de certitude dans la représentation d'un objet par rapport à une caractéristique donnée.

La cueillette des données implique aussi les instruments technologiques pour la mesure. Ces instruments sont très variés et peuvent être, à titre d'exemple, le crayon et le papier, le téléphone, l'enregistrement audiovisuel, l'ordinateur, etc.

Enfin, la cueillette des données doit tenir compte, en laboratoire ou sur le terrain, du contexte dans lequel elle se réalise. Par exemple, une expérience en laboratoire visant à mesurer les réactions des individus à un type particulier de messages médiatisés doit se faire dans un environnement où les sujets ne seront pas distraits par des bruits, de mauvais éclairages ou un quelconque inconfort. De la même façon, la cueillette des données sur le terrain doit se réaliser dans les meilleures conditions possibles. Un questionnaire ne devrait pas être complété dans une cafétéria, une entrevue ne doit pas se dérouler lorsque le sujet est trop fatigué ou constamment interrompu par le téléphone, etc. La cueillette des données ne doit donc pas être biaisée par de multiples petits obstacles car le chercheur ne peut pas toujours recommencer cette opération.

5.3 L'analyse des données

L'analyse des données est l'étape qui consiste à produire un compte rendu brut des résultats de la recherche. Il y a plusieurs sous-étapes reliées à l'analyse des données et cela dépend évidemment de la nature de ces données. Cette étape sert essentiellement à transformer les données recueillies pour qu'elles deviennent des informations.

L'analyse des données commence par le traitement des données, ce qui implique la conversion ou la réduction des données obtenues par les instruments de cueillette des données. Par exemple, si vous avez recueilli mille questionnaires dans le cadre d'une enquête, vous devez compiler ces données dans un programme informatique afin de les stocker, d'en faire des analyses statistiques et de les réduire jusqu'à votre question de recherche. Il y a donc aussi une opération de tri dans les données afin d'éliminer tout ce qui est invalide.

Ces opérations impliquent donc la codification, la structuration, la classification et la compilation des données. Par la suite, on peut constituer des tableaux, des figures ou tout autre forme de synthèse des résultats. En somme, l'analyse des données consiste à faire le sommaire des observations qui ont été réalisées de façon à ce qu'elles apportent des réponses aux questions de recherche.

5.4 L'interprétation des données et la discussion des résultats

L'interprétation des données vise à découvrir le sens plus général du compte rendu brut des résultats de l'analyse des données en le rattachant aux autres connaissances dont nous disposons. Alors que l'analyse des données a permis de transformer les données en information, l'interprétation des données permet de transformer ces informations brutes en *informations significatives*.

La recherche du sens spécifique propre à cette étape de l'interprétation des données vise essentiellement la *confirmation* ou la *non-confirmation* des hypothèses. L'interprétation des données permet de répondre à la question de recherche tout en dégageant des nuances. Il est en effet possible d'obtenir une confirmation partielle des hypothèses. Il est également possible que l'interprétation des résultats de la recherche amène le chercheur à découvrir des tendances non prévues, ce qui devrait susciter l'éveil de nouvelles intuitions. Enfin, l'interprétation des données, c'est aussi et surtout peut-être, la recherche des implications que comportent les réponses aux questions de recherche à l'intérieur de nos connaissances actuelles.

La *discussion* sur les résultats consiste à effectuer un retour sur le cadre théorique en fonction des résultats. En effet, le simple énoncé des résultats ne suffit habituellement pas à rendre compte de leur sens. Normalement, un lecteur avisé s'intéresse aux conséquences d'une recherche en fonction de ce qu'apporte cette recherche au domaine d'étude.

La discussion est l'étape finale d'une recherche et c'est aussi là que le chercheur peut prendre un certain recul par rapport à sa recherche afin d'en évaluer les conséquences avec plus de discernement. Avec la discussion des résultats, la boucle du processus de recherche est bouclée, c'est-à-dire que le chercheur évalue si ses résultats empiriques permettent soit de renforcer, soit d'affaiblir, soit de modifier les théories utilisées. Pour ce faire, le chercheur produit des inférences qu'il dégage à partir des résultats de la recherche et il se demande dans quelle mesure il est possible de généraliser ces inférences. Le chercheur doit aussi discuter les conditions dans lesquelles s'est réalisée la recherche afin d'évaluer sa portée réelle.

Dans cette optique, la discussion incorpore aussi une critique sur la pertinence des hypothèses ainsi que sur le choix des méthodes de collecte de données afin d'évaluer quelques alternatives possibles. Enfin, la discussion des implications des résultats obtenus comprend des suggestions pour répondre à de nouvelles questions soulevées par l'étude ainsi que d'autres pistes de recherche qu'il serait souhaitable d'examiner.

5.5 La rédaction du rapport de recherche et sa diffusion

Le rapport de recherche doit se présenter comme un tout organisé. En effet, dans la mesure où il incite le lecteur à un effort de compréhension, le chercheur doit ordonner logiquement les étapes de son raisonnement, de son argumentation et de ses preuves. Le but de cette structuration est de faire ressortir la justesse de l'hypothèse posée à l'origine. Il ne faut pas oublier que les idées tirent leur valeur non seulement de leur pertinence mais aussi de leur ordonnance. Une idée pauvrement structurée amoindrit le caractère convaincant de la discussion menée par le chercheur.

Parallèlement à la nécessité de la clarté et de la cohérence du rapport de recherche, celui-ci doit respecter certaines normes. Il existe des publications concernant, entre autres, les normes à suivre dans la rédaction d'un mémoire de maîtrise et d'une thèse de doctorat.

Il existe également un ensemble de mécanismes pour que les résultats d'une recherche scientifique puissent être éventuellement publiés dans un périodique par exemple. La recherche doit être soumise à un jury dans des lieux et dans des délais assez précis. Le chercheur doit également être responsable socialement de l'utilisation éventuelle des résultats de sa recherche par des acteurs sociaux. Enfin, toute recherche importante s'inscrit dans un courant de recherche et en ce sens une recherche n'est jamais statique mais elle s'inscrit dans la dynamique de l'évolution de la science et des sociétés.

CONCLUSION

Nous avons vu dans ce chapitre que l'opérationnalisation des concepts d'une hypothèse implique la définition des dimensions et la construction d'indicateurs. Ce constat amène à reconnaître le rôle actif qui est dévolu au chercheur dans la structuration de la recherche. Cette construction consiste en un ensemble d'opérations qui permettent de traduire un concept, exprimé dans un langage abstrait, dans le langage de l'observation. Cette traduction n'est jamais complètement satisfaisante et elle oblige le chercheur à travailler par approximation. Pour que cette traduction soit la plus fidèle possible, le chercheur doit faire preuve d'imagination pour évaluer l'éventail des possibilités. Le chercheur doit aussi faire preuve de rigueur de façon à écarter les indicateurs qui présentent de trop grandes lacunes. Un indicateur doit être précis, il doit aussi donner des résultats constants dans le temps et l'espace et il doit toujours représenter adéquatement la dimension que l'on désire mesurer.

Dans la dernière section du chapitre, nous avons examiné rapidement les étapes du processus de recherche. Toutes ces étapes, ainsi que d'autres notions importantes, seront reprises en détail dans un second manuel.

Lecture suggérée

Dans le livre de Gauthier *et al.* (1984), *Recherche Sociale,* le chapitre 7 sur les indicateurs constitue une bonne lecture complémentaire.

TROISIÈME

PARTIE

LA PRATIQUE DE LA RECHERCHE

OBJECTIF

Initier l'étudiant à différentes pratiques de recherche en communication en présentant des types d'études et leurs méthodes, l'éthique et les aléas de la recherche de même que l'état de la recherche en communication au Québec.

INTRODUCTION

Nous amorçons la troisième partie du manuel qui porte sur la pratique de la recherche en communication. Cette troisième partie comprend sept chapitres. Les quatre premiers chapitres (chap. 9, 10, 11, 12) sont consacrés aux divers types et méthodes de recherche utilisés dans les sciences de la communication. Il faut préciser que toutes ces méthodes sont présentées en relation avec l'objet d'étude, c'est-à-dire comme mode d'approche ou d'investigation particulier pour résoudre un problème spécifique de recherche. Il ne s'agit donc pas d'une présentation des techniques de cueillette des données et d'analyse des résultats.

Le premier chapitre traitera des méthodes reliées aux études exploratoires qui visent essentiellement à se familiariser avec un phénomène peu connu et à essayer d'anticiper ce que le futur nous réserve. Le deuxième chapitre sera consacré aux études descriptives qui tentent d'effectuer une description exhaustive d'un phénomène ou d'une situation. Par la suite, deux chapitres seront consacrés aux études expérimentales. Les études expérimentales en laboratoire visent à vérifier les relations causales entre des variables tandis que les études expérimentales sur le terrain vérifient, entre autres, la pertinence et la valeur d'un modèle.

Nous examinerons ensuite les problèmes de déontologie et les notions d'éthique qui constituent des obligations morales pour le chercheur. Le chapitre quatorze présentera les parcours concrets dans l'élaboration d'une recherche. Il existe en effet diverses contraintes qui obligent les chercheurs à emprunter des parcours différents dans l'élaboration de leurs recherches. Afin d'illustrer ces aléas de la recherche, nous montrerons trois parcours différents d'une même recherche. Enfin, le dernier chapitre présentera une vision historique ainsi que l'état de la recherche en communication au Québec. On constatera que l'évolution de la recherche au Québec est intimement liée aux innovations et aux développements technologiques.

Un dernier élément mérite d'être repris ici. Nous avons mentionné, dans l'introduction de la deuxième partie, qu'il est important pour tout chercheur de ne pas se fier uniquement à la description des étapes de la méthodologie scientifique pour accomplir une recherche mais qu'il est indispensable d'« entrer en matière ». Cette consigne est encore valable ici et elle l'est d'autant plus que pour explorer, décrire ou expérimenter un problème de recherche, il faut absolument « mettre en pratique » sa recherche afin de mieux comprendre les multiples obstacles, le plus souvent imprévisibles, qui se présentent au chercheur. À ce stade de notre cheminement dans la méthode de recherche, les connaissances théoriques générales de la méthodologie sont apprises. Il faut maintenant les mettre à l'épreuve sur le terrain.

LES ÉTUDES EXPLORATOIRES ET LEURS MÉTHODES

OBJECTIF

Amener l'étudiant à connaître les
caractéristiques des études
exploratoires, les méthodes et les
procédés appropriés à ce type d'études.

INTRODUCTION

Nous examinerons dans ce chapitre les caractéristiques générales des *études exploratoires*. Ce type d'études consiste principalement à *explorer de nouveaux problèmes de recherche dans le but de formuler des questions de recherche nouvelles*. Ce type d'études fait appel à l'intuition et à l'ingéniosité du chercheur.

Les études exploratoires sont particulièrement pertinentes dans les sciences de la communication et cela essentiellement parce que cette discipline est jeune. Il est en effet très stimulant pour un chercheur d'« explorer » un ou plusieurs domaines d'étude en pleine expansion.

Nous ferons une analyse de quelques méthodes de recherche associées à ce type d'études. Nous verrons la recherche documentaire qui s'avère être le point de départ de toute exploration scientifique. Par la suite, nous entrerons dans l'univers de la prospective qui se veut un courant scientifique axé sur les études des futurs possibles. Nous nous attarderons surtout à la méthode Delphi et à la méthode des scénarios. Nous terminerons ce chapitre dans une perspective plus philosophique reliée aux études exploratoires en expliquant la phénoménologie et l'herméneutique.

1. LES CARACTÉRISTIQUES DES ÉTUDES EXPLORATOIRES

Comme le nom l'indique, les études exploratoires consistent à explorer des avenues de recherche un peu à la manière d'un explorateur qui s'aventure dans un environnement qu'il connaît plus ou moins. Les objectifs spécifiques des études exploratoires sont, dans un premier temps, la familiarisation avec un phénomène ou le développement de nouvelles intuitions à son sujet. Dans un deuxième temps, les études exploratoires visent la recherche de formulation et d'exploration de problèmes plus précis dans le but éventuel de produire des hypothèses. La préoccupation majeure de ces études qui poursuivent les objectifs mentionnés ci-dessus porte sur la recherche d'idées et d'intuitions. Le chercheur qui envisage une étude exploratoire se doit de constituer un plan de recherche assez flexible qui lui permette d'envisager plusieurs aspects différents d'un même phénomène.

Selltiz *et al.* (1977) expliquent qu'à l'intérieur de ces objectifs, les études exploratoires peuvent avoir différentes fonctions. L'exploration rend le chercheur plus familier avec le phénomène qu'il se propose d'étudier au cours d'une étude subséquente, mieux structurée. Dans la même optique, l'exploration rapproche le chercheur du *milieu* ou de l'*espace* dans lequel il a l'intention d'effectuer son étude. Les études exploratoires permettent aussi de *clarifier les concepts*, de *poser les priorités* pour les recherches à venir, de *recueillir des renseignements* sur les possibilités pratiques de faire la recherche dans les milieux naturels, de *servir d'inventaire* des problèmes considérés urgents par ceux qui travaillent dans un domaine particulier de la recherche en communication.

Les méthodes de recherche exploratoires demeurent très utiles dans les sciences de la communication car il y a tout de même peu de sentiers battus offerts au chercheur dans cette discipline. Parfois les théories sont trop générales ou parfois elles sont trop spécifiques pour servir d'orientation claire et nette à la recherche. La recherche exploratoire permet l'acquisition de l'expérience qui aidera à élaborer des hypothèses appropriées en vue d'études plus définitives.

On ne doit pas sous-estimer l'importance de la recherche exploratoire. Tout type de recherche, qu'elle soit de nature descriptive ou expérimentale, doit faire état d'un lien avec des questions plus vastes. Ce lien est réalisé par les études exploratoires, qui permettent de circonscrire adéquatement les différentes dimensions que la recherche tente d'appréhender.

Cependant, comme l'indiquent Selltiz *et al.* (1977), il convient aussi de considérer l'étude exploratoire comme la phase initiale d'un processus de recherche continu. En effet, une méthode de recherche, aussi sophistiquée soit-elle, aurait peu de valeur si elle faisait suite à un départ inadéquat ou inapproprié. L'imagination et même le hasard ont un rôle à jouer dans le succès d'une étude exploratoire. Enfin, peu importe la méthode choisie, il faut se servir des études exploratoires d'une manière souple, car au fur et à mesure que le problème, à l'origine plutôt vague, tend à se transformer en questions plus précises, il est nécessaire d'introduire des changements dans le procédé de la recherche afin de recueillir éventuellement des données appropriées aux hypothèses naissantes.

Nous ne pouvons couvrir, à l'intérieur de ce chapitre, l'ensemble des méthodes qui relèvent des études exploratoires. Nous avons choisi de présenter des méthodes, générales ou spécifiques, qui peuvent sembler relativement différentes les unes des autres, mais qui partagent toutes cette caractéristique d'exploration et de familiarisation avec un phénomène au départ relativement inconnu. Nous commençons par la *recherche documentaire* et nous poursuivons avec les *méthodes prospectives*, méthodes qui tentent d'anticiper le futur, pour terminer avec des méthodes générales empruntées, pourrait-on dire, à la philosophie, à savoir la *phénoménologie* et l'*herméneutique*.

2. LA RECHERCHE DOCUMENTAIRE

La recherche documentaire est une méthode d'exploration pour la formulation d'un problème de recherche. Bien sûr, la recherche documentaire constitue, comme nous l'avons vu, une étape logique de la méthodologie scientifique mais c'est aussi, en soi, la meilleure façon d'explorer un domaine de recherche. Il ne s'agit pas de présenter la recherche documentaire comme l'ensemble des outils disponibles pour accéder aux diverses sources d'informations scientifiques. La recherche documentaire est ici présentée en tant que méthode dont l'objectif est de faire une recension du travail que les autres chercheurs ont déjà fait et de s'en servir comme base pour explorer de nouvelles avenues ou, tout simplement, pour se familiariser avec un phénomène.

L'inventaire des écrits, ou la recherche documentaire, concerne les hypothèses qui peuvent servir d'orientation en vue de recherches ultérieures. Les chercheurs qui ont déjà réalisé des recherches ont formulé des hypothèses précises concernant divers objets d'étude. La méthode de la recherche documentaire consiste à *rassembler les diverses hypothèses proposées, à évaluer leur utilité* et à *explorer*, à partir de ces hypothèses, la possibilité de *créer de nouvelles questions de recherche* et éventuellement de *susciter de nouvelles hypothèses*.

Comme l'expliquent Selltiz *et al.* (1977), il est très fréquent que l'exploration porte sur un domaine où l'on n'a pas encore avancé d'hypothèses (ou très peu). Dans ce cas, la tâche consiste à faire l'inventaire du matériel accessible en se tenant à l'affût des hypothèses qu'on pourrait en tirer. Il faut donc établir une *stratégie de recherche documentaire* en exploitant des outils qui permettent la consultation des catalogues, encyclopédies, guides, répertoires, « abstracts », bibliographies, manuels et banques de données.

Ce serait faire erreur que de limiter son enquête bibliographique aux études immédiatement reliées à son propre domaine d'intérêt. La façon la plus efficace de susciter des hypothèses est de tenter d'appliquer au domaine dans lequel on travaille, les concepts et les théories qui ont pris leurs origines dans des contextes de recherche tout à fait différents. Par exemple, un chercheur en communication organisationnelle veut susciter des hypothèses pour comprendre certains problèmes spécifiques de communication dans une organisation entre les supérieurs et les subordonnés; ce chercheur peut, en fouillant dans les diverses théories de la psychologie sociale, emprunter à la théorie de l'attribution, des éléments qui apportent un éclairage nouveau à la compréhension des problèmes de relations interpersonnelles.

Il faut toutefois demeurer conscient du fait que la recherche documentaire, en tant que méthode d'exploration d'un domaine de recherche, risque de ne pas être une entreprise très fructueuse. Il est possible de découvrir qu'il n'y a pas eu de recherche importante dans le domaine qui nous intéresse. Cependant, lorsque le chercheur désire se familiariser avec un objet d'étude communicationnel dans le but de stimuler ses intuitions pour trouver de nouvelles questions, la recherche documentaire constitue probablement la première méthode à utiliser.

3. LA PROSPECTIVE ET LA PRÉVISION

Dans un sens très général, la prospective regroupe l'ensemble des recherches concernant l'évolution future de l'humanité et permettant de dégager certaines prévisions. Dans un certain sens, on pourrait dire qu'il n'y a pas d'étude plus exploratoire que celle vouée à l'étude du futur. Il existe trois types de courants reliés à la connaissance de l'avenir. D'abord, le courant déterministe qui affirme que l'on fait face à un futur nécessaire procédant de déterminants auxquels on doit se soumettre, c'est de la prévision. Ensuite, la connaissance approximative, celle qui prétend que le futur est aléatoire et totalement imprévisible, il s'agit de la futurologie. Enfin, il y a ceux qui croient que le futur c'est la liberté et donc que le futur libre est à construire. De façon générale, la prospective assume que le futur est à la fois la reconduction du passé et sa négation. Pour bien distinguer ces trois approches, nous vous référons au tableau 9.1.

TABLEAU 9.1 **Différences entre prévision, futurologie et prospective**

MODES	HORIZONS	CHAMPS D'APPLICATION	RÔLES DES TRAVAUX
Prévision	Court et moyen terme	Champ restreint à un domaine spécifique	Obtenir une image précise d'un domaine dans un avenir proche
Futurologie	Long terme	Interrelations entre divers domaines déterminés par un élément moteur	Élaborer des images de l'avenir à partir d'extrapolations de tendances
Prospective	Long terme	Études des interrelations entre divers domaines	– Comprendre le présent – Anticiper le changement – Inventer l'avenir

La prospective et la prévision sont, dans les sciences sociales et dans les sciences de la communication, un important courant scientifique contemporain. Elles se sont essentiellement développées pour répondre au besoin de *planification à long terme* dans les secteurs de l'activité humaine où des interactions multiples et complexes affectent sensiblement l'évolution des futurs possibles.

Outre le besoin de planification, la prévision peut aussi servir à déceler des tendances. Ces études analysent, par exemple, les habitudes d'écoute des médias dans la dernière année d'après le relevé des cotes d'écoute. À partir de ces données statistiques, il serait possible de dégager une courbe de progression de l'écoute de tel ou tel type d'émission. Étant donnée la progression observée dans la dernière année, on peut faire une projection sur le type d'émission qui serait le plus susceptible d'être écouté dans la prochaine année. On dégage alors une tendance générale qui permet de prévoir (au moins à court terme) que tel type d'émission véhiculant certains éléments spécifiques (thèmes présentés, acteurs particuliers, traitement audiovisuel, etc.) devrait être très écouté. On transmet ces informations aux publicitaires, qui « achèteront » alors un « public » aux postes de télévision ou de radio pour les heures où ce type d'émission sera diffusé.

Revenons à la prospective d'une manière plus globale. Elle vise à évaluer les probabilités d'occurrence de divers futurs tout en *décrivant comment ceux-ci pourront survenir*. Il ne s'agit donc pas seulement de décrire ce qui arrivera mais aussi d'expliquer les étapes qui conduiront à ces futurs. La prospective présente les caractères généraux du savoir scientifique, entendant s'occuper du futur de manière systématique, méthodique et aussi rigoureuse que possible tout en prenant en compte des variables qualitatives. Le chercheur qui s'adonne à la prospective doit nécessairement s'écarter d'une logique encadrée dans un mode traditionnel de pensée et dans les paradigmes scientifiques caractéristiques de la société actuelle. Pour ce faire, le chercheur procède à des inventaires de faits, exploite les intentions, les motivations et les comportements, individuels et collectifs, et met en évidence autant l'interdépendance que l'indépendance des relations. De plus, la prospective s'inscrit dans une approche systématique qui tient compte de l'espace occupé par un système donné dans un système englobant.

La prospective utilise différentes méthodes dont la méthode Delphi et la méthode des scénarios que nous présenterons dans les deux prochaines sections.

De nos jours, la prospective s'intéresse particulièrement aux prédictions dans le domaine technologique et économique. Elle cherche des *faits porteurs d'avenir* qui, le plus souvent, sont peu perceptibles mais dont l'importance ne tardera pas à s'affirmer et à susciter des répercussions profondes et étendues. Mentionnons simplement à titre d'exemple l'impact du laser, de la micro-informatique et de la télématique qui étaient, il n'y a pas si longtemps, à l'état embryonnaire.

Godet (1977) énumère quelques prémisses sous-jacentes à la prospective et aux différentes méthodes qu'elle utilise. Il affirme qu'étant donné le caractère dynamique des structures fondamentales d'une organisation (peu importe son ampleur), celles-ci changent et de nouvelles structures naissent continuellement. Il y a toujours des profils de changements qui sont reconnaissables, du moins en partie. Il est donc possible d'agir sur le rythme et la direction de ces changements. De plus, il est convenu que l'homme a une certaine liberté pour définir et choisir son avenir et que son jugement personnel peut déterminer quels sont les facteurs les plus susceptibles d'agir sur le cours des événements.

Enfin, il est important de comprendre que la prospective propose davantage des conjectures que des certitudes; il faut donc corriger sans cesse ses prévisions par des processus itératifs qui s'appuient sur l'appréciation des écarts constatés entre les conclusions et les situations subséquentes. Dans cette optique, les modèles et les schémas constituent des outils très utiles puisqu'ils permettent une vision d'ensemble. Nous présentons maintenant deux méthodes utilisées par la prospective : la méthode Delphi et la méthode des scénarios.

3.1 La méthode Delphi

Parmi les méthodes et les procédés utilisés dans les études exploratoires, la méthode Delphi est peut-être l'une des plus efficaces puisque c'est l'une des mieux structurées. Cette méthode est surtout utilisée dans le domaine de la communication organisationnelle.

La méthode Delphi a été développée dans les années cinquante afin d'établir des prévisions d'ordre technologique à long terme, en se fondant sur une *utilisation optimale de groupes d'experts*. Cette méthode est particulièrement utile lorsque le chercheur est confronté à des problèmes ambigus, à une faible disponibilité de données empiriques et à une base théorique incomplète ou encore à un niveau de complexité élevé. Les organisations se servent aussi de la méthode Delphi pour établir leurs politiques et identifier leurs objectifs et leurs priorités.

La méthode Delphi est une *technique de groupe* qui organise et utilise les opinions d'experts en vue de régler des problèmes complexes. Ainsi, on interroge d'une manière systématique des gens qui ont une excellente connaissance du milieu où se situe le problème. Cette démarche d'interrogation ne se fait pas d'une façon individuelle mais à un niveau collectif en regroupant plusieurs experts, ce qui permet tout de suite l'expression libre de tous les points de vue. Ce système de communication structuré implique deux, trois ou parfois quatre étapes (ou rondes) de discussions. À partir de la deuxième étape, il y a une rétroaction anonyme à propos des résultats de l'étape précédente. Cette méthode permet à chaque participant expert de faire des estimations indépendantes de celles des autres participants et de les réviser à chaque tour en fonction des informations supplémentaires émises par les autres membres du groupe. Les informations recueillies à chacune des étapes le sont par des questionnaires, mais parfois on utilise des entrevues individuelles ou la conférence assistée par ordinateur.

Un animateur supervise ces opérations en développant le questionnaire, en assurant la coordination des membres du groupe, en fournissant un résumé des résultats de la première ronde d'évaluation sous forme de rétroaction donnée au groupe pour l'amorce de la seconde étape. L'objectif est de produire un consensus dans les opinions du groupe (ou de constater qu'il est impossible d'avoir un consensus) à la fin des étapes.

Bordeleau (1987) définit la méthode Delphi de la manière suivante : « La méthode Delphi est une méthode systématiq٠ie d'interrogation formelle par questionnaire servant à faire des prévisions (Ieroncig, 1983) par l'expression d'opinions rationnelles sur des questions où il n'existe pas de réponse absolue[1] ».

---

1. Bordeleau, Y. (1987), *Comprendre et développer les organisations : méthodes d'analyse et d'intervention*, les éditions Agence d'Arc inc., Montréal, p. 247.

Le principal postulat sous-jacent à cette méthode est que l'évaluation, par un groupe, de problèmes complexes est supérieure à l'évaluation d'un seul individu. On prétend également qu'il y a une disponibilité raisonnable d'experts sur n'importe quel type de sujets où peuvent survenir des problèmes. On présume aussi que les experts peuvent mieux évaluer un problème complexe qu'un individu moyen.

Toutefois, les inventeurs de la méthode Delphi postulent que l'on doit être très vigilant dans l'utilisation d'experts car il se crée, chez les individus, une tendance à se laisser influencer par le statut ou la personnalité de ces experts. Les individus abandonneront alors leurs positions individuelles pour s'aligner sur les opinions majoritaires du groupe. Afin de surmonter ce problème, la méthode Delphi préconise l'utilisation de réponses anonymes chez les participants.

Les caractéristiques les plus importantes de la méthode Delphi sont l'*anonymat*, l'*itération* avec une rétroaction contrôlée et le *résumé statistique* de l'ensemble des opinions émises par le groupe d'experts. Répétons que l'individu n'a pas à exprimer ses opinions directement aux autres membres du groupe de sorte qu'il n'est pas possible d'associer un point de vue particulier à un participant spécifique étant donné le caractère anonyme de toute la démarche. Dans ce contexte, *chacune des idées émises est considérée selon son mérite et non en fonction des préjugés* que l'on peut avoir à l'égard de l'émetteur.

L'itération avec rétroaction consiste, pour le responsable, à conserver les informations pertinentes à la problématique étudiée et à les intégrer, puis à les communiquer au groupe dans un nouveau questionnaire. Les participants sont alors *informés de la position majoritaire du groupe et de l'ensemble des arguments appuyant chaque position.* Cette rétroaction contrôlée maintient la cohésion du groupe car cela permet à tous les participants de se concentrer essentiellement sur la problématique retenue.

Le résumé statistique de l'ensemble des opinions dégagées du groupe comprend une mesure de la tendance générale du groupe ainsi que les écarts d'opinion. Le chercheur-intervenant encourage alors les membres du groupe à *reconsidérer leurs opinions personnelles pour favoriser la convergence des opinions.* La méthode Delphi ne force pas l'unanimité ou le consensus car un éventail d'opinions peut éventuellement être retenu.

Nous présenterons brièvement les étapes de la méthode Delphi et discuterons des avantages et des limites de cette méthode. Bordeleau (1987) présente sept étapes principales, mais celles-ci peuvent varier entre cinq et sept. Il y a d'abord *la définition du problème* qui doit être cernée de façon claire et précise par le spécialiste. Le chercheur-intervenant identifie le genre d'informations qu'il désire recueillir auprès du groupe de personnes-ressources consultées. À partir de l'objectif de la recherche, le chercheur émet l'hypothèse principale de recherche, définit les variables en cause et formule adéquatement les questions ouvertes qui seront éventuellement posées au groupe.

Ensuite, il y a l'étape de *la sélection des participants.* La méthode Delphi repose sur la qualité, la quantité et la disponibilité des participants sélectionnés. Plus une problématique est spécifique, plus on retrouvera un groupe homogène de participants; si la problématique est large, abstraite ou générale, le chercheur sera amené à sélectionner un groupe hétérogène de sorte que les participants puissent faire ressortir les diverses facettes du problème. De plus, selon le type de problème soulevé, le groupe peut être constitué de personnes vivant elles-mêmes la situation problématique communicationnelle. On peut donc choisir les gens en fonction de leur expérience personnelle (la recherche est alors orientée vers la perception de la situation problématique) et de leur expertise (la recherche est orientée vers la connaissance scientifique [théorique] ou technique du problème). Enfin, il est important de s'assurer du désir de participation des membres du groupe.

La troisième étape est *l'élaboration du premier questionnaire.* Les questions seront fermées ou plus précises si le problème est spécifique et le groupe homogène et les questions seront ouvertes si le problème est général et le groupe hétérogène. Plus les questions exigent réflexion et considération des arguments proposés, plus le nombre de questions doit être limité. Enfin, il s'agit à cette étape de faire valoir les opinions des participants par rapport aux questions posées.

L'étape suivante consiste à *rassembler les opinions* suscitées par ce premier questionnaire pour formuler les questions du second questionnaire. Le but est d'obtenir la réaction des participants aux réponses obtenues lors du premier questionnaire. Par exemple, on présente les opinions et les participants évaluent leur importance sur une échelle de dix points (pas important... jusqu'à très important).

L'étape suivante consiste à *présenter les résultats statistiques de l'étape précédente* au groupe de participants à des fins de consultation. Le chercheur demande alors aux participants s'ils veulent modifier leurs réponses initiales ou la conserver.

Un quatrième questionnaire (optionnel) présente le résumé statistique des opinions et des commentaires; on demande alors aux participants de *réévaluer une dernière fois leur position respective* surtout par rapport aux opinions extrêmes. Dans ce dernier cas, on demande simplement de justifier davantage ces points de vue extrêmes. La dernière étape consiste en *l'analyse finale des résultats et la rédaction du rapport.* Rappelons que le consensus n'est pas nécessaire et que cette approche permet l'expression des opinions non conformistes lorsqu'elles sont justifiées.

3.1.1 Avantages et limites de la méthode Delphi

La méthode Delphi a l'avantage d'éliminer les effets néfastes du groupe (ex. : l'influence d'une personnalité en position hiérarchique supérieure, les conflits de personnalité, etc.) puisque l'anonymat des commentaires de chaque participant est respecté. Le contexte fournit une sécurité personnelle qui permet à chacun d'être dissident s'il le veut. Cette méthode permet un échange de points de vue diversifiés sur la problématique et apporte une grande richesse dans la cueillette des données car les points de vue sont exprimés et justifiés par des arguments logiques. En effet, il est possible de prendre en considération plusieurs facettes du problème et de constater les perspectives différentes des personnes-ressources qui ont souvent des formations et des expériences diversifiées.

Quant aux limites, il est rare que l'on puisse vérifier la qualité des questionnaires au point de vue de la validité et de la fidélité.

En effet, le chercheur n'est pas un expert dans tous les domaines et il lui est difficile de s'assurer que toutes les dimensions du problème ont été cernées. On a constaté que plus il y a de rondes, plus le consensus est grand. Enfin, il y un risque, de la part du chercheur de biaiser les résultats lorsqu'il reformule les arguments, car le groupe est constitué d'experts venant de différentes disciplines qui ont chacune une terminologie propre.

3.2 La méthode des scénarios

Cette méthode est particulièrement adaptée au domaine de la communication organisationnelle. Elle est en quelque sorte un dérivé de la prospective. La méthode des scénarios est une méthode d'anticipation des avenirs possibles. Elle s'inscrit dans une préoccupation qui a, de tout temps, fasciné et attiré l'homme, soit celle de connaître et de prévoir l'avenir à partir d'une connaissance la plus complète possible du présent.

Le fait de se pencher sur l'avenir permet d'*anticiper les change-ments* plutôt que de réagir à ceux-ci. On peut, avec cette démarche, tenter d'apprivoiser (du moins en partie) l'incertitude reliée à l'avenir. La méthode des scénarios permet d'organiser les informations pertinentes afin de spéculer, d'extrapoler, de pré-dire et de prévoir l'avenir, permettant ainsi d'éviter et de contourner les obstacles prévus. Par cette méthode, on peut donc mettre en relief des possibilités pouvant difficilement être mises en évidence autrement, et agir ensuite sur les événements (Jantsch, 1967, Wilson, 1978; dans Bordeleau, 1987).

La méthode des scénarios comporte une démarche synthétique qui simule les étapes des événements conduisant un système vers une situation future et qui présente ainsi une image d'ensemble de celle-ci. Cette méthode d'exploration se définit donc par la description plausible d'un cheminement des évé-nements permettant de passer de la situation d'origine à la situation future probable.

Bordeleau (1987) distingue deux types de scénarios : le *scénario exploratoire* et le *scénario d'anticipation*. Le scénario explora-toire décrit, à partir d'une situation présente et des tendances identifiées actuellement, une suite d'événements conduisant logiquement à un futur possible. Ce type de scénario démontre ce qui arrivera si on laisse l'évolution d'un système dépendre essentiellement de ses tendances naturelles. Le scénario d'anticipation, quant à lui, prend comme point de départ l'image des futurs possibles et souhaitables. Ce type de scénario permet d'imaginer un futur et de mettre en place les mesures pour l'atteindre. En somme, le scénario exploratoire part du présent pour aller vers le futur alors que le scénario d'anticipation part du futur pour revenir vers le présent.

Cette méthode de recherche fait appel à d'autres méthodes, tels le questionnaire, l'entrevue ou la méthode Delphi. Ce n'est donc pas une méthodologie complète en soi puisqu'elle repose sur d'autres outils d'analyse qui viennent se greffer au processus même du scénario. Quoiqu'il en soit, nous présenterons brièvement les étapes de la méthode des scénarios.

Dans un premier temps, il s'agit de *définir les éléments qui structurent une organisation,* les facteurs de déséquilibre et les tendances d'évolution et de mutation. Dès que la situation problématique est cernée, il faut identifier les sous-systèmes impliqués, tels l'économique, la main-d'œuvre, le politique, le social et les relations de travail pour chacun des aspects cités précédemment.

Les éléments structurants sont des éléments stables autour desquels le scénario est élaboré. Les tensions qui existent dans les éléments structurants correspondent aux facteurs de déséquilibre : ce sont les tendances. *Les tendances d'évolution sont les forces créées par les divers facteurs de déséquilibre.* Les mutations représentent ce qui pourrait agir sur l'évolution du scénario. Le chercheur établira une grille d'analyse représentant les *aspects principaux* et leurs sous-systèmes correspondants afin de dégager, avec l'aide d'experts, des lignes de force pouvant influencer le futur.

L'étape subséquente consiste à *analyser l'environnement externe de l'organisation.* Celle-ci est considérée comme un système ouvert qui interagit, c'est-à-dire qui influence et est influencé par son environnement, lequel peut présenter des contraintes ou des opportunités (changement de gouvernement, changement sociodémographique, état de la main-d'œuvre, développement des systèmes de communication et de télématique, etc.).

L'objectif de la troisième étape est *d'établir la progression du scénario à partir du présent jusqu'à une date future déterminée.* Il faut pour cela hiérarchiser les sous-systèmes entre eux et définir les interactions afin d'en ressortir la dynamique et la cohérence pour établir une chaîne de causalité. Puisque certains des éléments sont qualitatifs, la perception de leur évolution repose beaucoup sur la méthodologie adoptée. De plus, les probabilités d'occurrence des événements dus à leurs interactions exigent plusieurs scénarios compte tenu des possibilités en cause.

L'étape qui suit consiste à *évaluer les scénarios en les épurant ou en les enrichissant.* On évaluera la crédibilité, l'utilité et l'intelligibilité du scénario. La crédibilité est plus grande si le scénario a été élaboré par des experts. L'utilité est démontrée lorsque le scénario permet de prendre de bonnes décisions. Enfin, l'intelligibilité, c'est la clarté et la facilité à comprendre le scénario. La fidélité d'un scénario sera évaluée par un accord interjuges concernant la pertinence des éléments, l'évaluation des probabilités et la justesse des hypothèses.

Dans la méthode des scénarios, *plusieurs images du futur se dégagent* à mesure que le scénario s'élabore dans le temps. On peut opérer un découpage temporel du scénario pour évaluer la synchronisation, les interrelations, les probabilités d'occurrence des éléments afin d'envisager les actions à prendre.

Le scénario est donc utile à la planification, à la prise de décision et à la compréhension d'un problème. Bien que l'avenir soit toujours rempli d'incertitude, la méthode des scénarios permet de transformer un risque total en risque calculé.

3.2.1 Avantages et limites du scénario

Les avantages de la méthode des scénarios permettent à l'organisation d'envisager différentes éventualités parce que le scénario choisi tient compte de différentes possibilités dans le futur. De plus, cette méthode facilite la capacité à développer des plans, permettant ainsi une réponse rapide dans l'éventualité où les événements suivraient la trajectoire anticipée. Enfin, le scénario est axé sur la prévention puisque l'on anticipe les changements, ce qui permet aussi de réduire l'incertitude par rapport aux événements qui surviennent dans l'environnement.

La première limite de cette méthode est évidente : c'est la difficulté à saisir le futur. La principale contrainte est donc le temps car « le futur n'est pas un présent vieilli » (Barrette, 1984). De plus, il est impossible de représenter dans un scénario toutes les interactions possibles qui peuvent, d'une manière ou d'une autre, influencer les changements futurs. Enfin, idéalement, un scénario devrait être revu et corrigé périodiquement afin de conserver sa cohérence interne.

4. LA PHÉNOMÉNOLOGIE ET L'HERMÉNEUTIQUE

Nous avons présenté, jusqu'à maintenant, des méthodes que l'on pourrait qualifier de « spécifiques » par rapport aux études exploratoires. Il nous semble pertinent de terminer le chapitre en amenant cette fois, des méthodes à caractère exploratoire certes, mais qui sont nettement associées et enracinées dans un courant philosophique historique. La phénoménologie et l'herméneutique sont des disciplines qui partagent la caractéristique d'explorer les phénomènes et leurs interprétations. Nous ramènerons l'explication de la phénoménologie et de l'herméneutique dans le contexte de leur utilité en tant que méthodes de recherche pour des études de type exploratoire.

4.1 La phénoménologie

Au sens le plus élémentaire, la phénoménologie signifie *la description des phénomènes*. Dans une optique plus philosophique, la phénoménologie est *la science de l'expérience de la conscience*. C'est une méthode philosophique qui se propose de décrire les choses sans leur présupposer une construction conceptuelle sous-jacente afin de découvrir les structures transcendantes de la conscience qui nous révèlent ces choses.

La phénoménologie hégélienne visait le savoir absolu. Elle se donnait pour tâche de retracer le sujet, à partir de la conscience la plus abstraite, et de surmonter l'opposition entre le concept de sa conscience et l'expérience faite par le sujet. La phénoménologie réapparaît dans l'histoire avec Husserl (1859-1938), au moment où la théorie de la connaissance et l'épistémologie envahissent le domaine philosophique. Elle consiste à décrire les phénomènes et les structures de la conscience qui connaît ces phénomènes. Il y a alors opposition entre l'objectivité de la science et la subjectivité de la conscience. On substitue les vérités de la science à celles de l'expérience naturelle et spontanée. Le débat d'alors consiste, pour les phénoménologues, à effectuer un retour aux choses elles-mêmes. On reproche à la philosophie de ne plus être en contact avec les choses, les phénomènes, et de se laisser dicter ses questions par la science, sans voir que la science est une certaine explication du monde naturel, issue de lui, mais qui ne saurait se substituer à lui. L'explication de la réalité ne peut se confondre simplement avec la réalité et encore moins, prendre sa place.

La phénoménologie est issue du positivisme véritable et elle considère non pas que notre perception des phénomènes est entachée d'une représentation subjective, mais plutôt que notre conscience est toujours « visée » intentionnelle d'un objet. Notre conscience n'est pas un récipient dans lequel on accueille un contenu mais plutôt un phare qui illumine les choses.

En ramenant la phénoménologie à notre propos, on constate qu'elle est donc un mode d'appréhension exploratoire des phénomènes communicationnels. Pour la phénoménologie, il y a autant de manières (pour la conscience) de cerner intentionnellement l'objet communicationnel qu'il y a de manières, pour l'objet communicationnel, d'être donné ou d'apparaître. La phénoménologie se veut donc une méthode qui favorise le retour aux choses elles-mêmes, par des descriptions exploratoires en dehors de toute conceptualisation. Il s'agit d'une science des « essences » qui repose avant tout sur l'intuition. Enfin, la phénoménologie est à l'origine des diverses théories existentialistes qui reprennent l'idée de la supériorité de l'expérience personnelle et de la subjectivité sur les constructions conceptuelles.

La phénoménologie en tant que méthode de recherche pour les études exploratoires consiste en une attitude de l'esprit qui retourne aux choses elles-mêmes. L'objet d'étude peut apparaître de diverses manières selon l'intention de la conscience qui l'observe. Cette méthode philosophique d'exploration d'un phénomène permet de stimuler les intuitions pour générer diverses hypothèses.

4.2 L'herméneutique

Le mot herméneutique signifie « interprétation ». L'herméneutique caractérise les méthodes qui ont trait à l'interprétation et à la critique des textes. On a utilisé l'herméneutique, dans l'histoire, surtout dans le cas de l'exégèse biblique. Dans l'antiquité grecque, on avait compris que dire quelque chose de quelque chose, c'est déjà dire autre chose et cette forme de pensée voulait éventuellement assurer la dominance de la philosophie sur la mythologie.

L'herméneutique moderne souligne la pluralité et la divergence des sens, la succession historique des interprétations et la difficulté qu'il y a à surmonter le conflit des significations. Parmi ses postulats fondamentaux, l'herméneutique considère que la vie porte la pensée en elle et que, par conséquent, l'expérience vécue du « sens » est liée à la cohésion d'une vie particulière. Bien que le sens apparaît multiple et changeant comme la vie elle-même, il est possible de rechercher l'idéal de « l'objectivité » scientifique.

L'apport essentiel de l'herméneutique contemporaine, c'est d'avoir reconnu que l'interprétation suppose toujours un rapport vital à ce qui est exprimé directement ou indirectement dans un texte. Par exemple, seul un individu qui a le sens de la musique peut comprendre un texte de musique et en interpréter d'une manière sensible et adéquate les mesures. Une certaine littérature demeure donc fermée à certains critiques. Un chercheur qui évolue dans le domaine de la communication organisationnelle depuis plus de vingt ans est certainement plus apte à saisir la pleine signification d'un texte sur les crises dans l'organisation qu'un apprenti chercheur.

Certains prétendent même que la véritable condition de toute interprétation, c'est qu'interprète et auteur soient, comme individus, d'un même monde historique. De toute façon, le problème de l'herméneutique naît du fait que les questions demeurent multiples et les interprétations divergentes. L'important pour la méthode herméneutique, c'est que tout texte doit être lu d'abord de façon critique, non comme message transmis, mais comme témoignage d'un temps particulier à partir duquel il est né. Ce n'est pas d'abord ce que le texte dit, mais ce que l'auteur a voulu dire à ses contemporains qui est recherché.

L'herméneutique est donc relative à l'interprétation des phénomènes considérés en tant que signes. En acceptant la diversité
des significations possibles d'un phénomène, l'herméneutique
suscite également l'intuition, aide à la clarification des concepts
et stimule, par conséquent, la recherche de formulation et
d'exploration de problèmes plus précis dans le but de créer de
nouvelles hypothèses.

CONCLUSION

Les études exploratoires sont pertinentes pour des domaines relativement peu défrichés. Il est important de préciser que
l'attitude du chercheur est primordiale. Celui-ci doit adopter
une attitude de réceptivité consistant à *rechercher plutôt qu'à
vouloir contrôler*. En effet, au lieu de s'en tenir strictement à la
vérification des hypothèses déjà existantes, le chercheur doit se
laisser guider par les *caractéristiques de l'objet d'étude*. C'est le
propre d'une étude exploratoire que de reformuler et de réorienter
la recherche au fur et à mesure que le chercheur obtient de
nouvelles informations. L'objectif est donc essentiellement de
susciter de nouvelles pistes de recherche.

Un premier regard sur la nature des études exploratoires peut
laisser croire que cette approche n'est pas très « rigoureuse ».
Cependant, le progrès scientifique, que ce soit dans la physique,
la médecine ou la communication, ne se réalise pas simplement
par le fait que le chercheur obtienne une subvention pour
effectuer une recherche très spécifique. Les grandes découvertes
ont souvent été plus ou moins fortuites mais elles ont toujours
fait leur apparition à la suite de multiples explorations. En ce
sens, et pour cette raison, les études exploratoires sont indispensables au développement de toute discipline et leurs méthodes, comme nous l'avons vu, font preuve de rigueur scientifique.

Cela étant dit, il n'en reste pas moins que les études exploratoires
conduisent généralement à des intuitions approfondies ou à
des hypothèses théoriques.

Lectures suggérées

BORDELEAU, Y. (1987), *Comprendre et développer les organisations : méthodes d'analyse et d'intervention*, les éditions Agence d'Arc inc., Montréal. On retrouve dans le chapitre 6, des exemples de recherches effectuées avec la méthode Delphi et la méthode des scénarios.

Dans leur livre, *L'art de la thèse*, Beaud et Latouche, (Éditions Boréal, 1988) présentent une importante section sur la façon d'utiliser d'une manière optimale la recherche documentaire.

CHAPITRE

10

LES ÉTUDES DESCRIPTIVES ET LEURS MÉTHODES DE RECHERCHE

OBJECTIF

Amener l'étudiant à connaître les caractéristiques des études descriptives, les méthodes
et les procédés appropriés à ce type d'études.

INTRODUCTION

Dans ce chapitre, nous examinerons les caractéristiques des études descriptives. Ces études englobent aussi un très grand nombre de méthodes. Nous avons choisi d'en présenter six : l'*analyse de contenu*, la *sémiotique*, l'*analyse de discours*, l'*audit communicationnel*, le *diagnostic organisationnel* et l'*ethnographie*. Ces méthodes ont comme objectif de donner une description détaillée d'un phénomène. Contrairement aux méthodes des études exploratoires, ces méthodes exigent des connaissances préalables, c'est-à-dire qu'elles doivent être appuyées par un contexte théorique.

Les études descriptives sont très utilisées dans les sciences de la communication et les méthodes que nous présentons concernent principalement le domaine de l'analyse des messages médiatisés et le domaine de la communication organisationnelle.

1. **LES CARACTÉRISTIQUES DES ÉTUDES DESCRIPTIVES**

L'objectif des études descriptives est d'expliciter les caractéristiques d'un phénomène, d'un événement, d'une situation ou d'un groupe. On pourrait ajouter à cet objectif celui de déterminer la fréquence d'apparition ou de répétition d'un phénomène.

À la différence des études exploratoires qui élaborent des approximations pour éventuellement définir un problème plus précis, les études descriptives se concentrent sur l'explication des facettes observées d'un phénomène. Cette dernière est la préoccupation primordiale car pour décrire un phénomène ou un événement, il faut éviter les déformations systématiques et s'assurer de la fidélité des données obtenues. Les données sont fidèles quand on peut affirmer que l'on obtiendrait des résultats similaires en répétant la méthode adoptée pour recueillir les données.

À l'opposé des études exploratoires, les études descriptives présupposent une bonne connaissance préalable du problème à étudier. Les chercheurs doivent être capables de définir clairement ce qu'ils veulent mesurer et trouver des méthodes pour le faire. Le « qui » et le « quoi » à évaluer doivent être, sur les aspects conceptuel et opérationnel, définis d'une manière très précise.

Ainsi, les études descriptives ne possèdent pas la souplesse des études exploratoires, car pour décrire quelque chose il faut que les méthodes utilisées soient soigneusement planifiées. Selltiz *et al.* (1977) indiquent à ce sujet que l'objectif des études descriptives étant d'en arriver à une information acceptée par une communauté de chercheurs, il faut que le plan de recherche intègre plus de mesures de précaution contre les préconceptions que ne l'exigent les études exploratoires.

Il existe une très grande quantité de recherches sociales ayant porté sur la description des caractéristiques d'ensemble d'une communauté. Ces recherches décrivent les caractéristiques d'un groupe, la scolarité, les conditions de vie, le rapport avec les médias ou encore les structures de son organisation. Un autre vaste ensemble d'études descriptives a examiné les attitudes, les comportements ou les préjugés d'un groupe par rapport à une situation donnée. Ces études mesurent également les opinions sur des phénomènes sociaux, économiques, politiques ou culturels. Enfin, les études descriptives peuvent tenter de vérifier certains liens possibles entre, par exemple, la lecture et la fréquentation des salles de cinéma, ou entre le niveau de scolarité et la consommation d'un média de masse, etc.

Ainsi, l'assortiment d'intérêts de recherche qui se regroupent sous le titre d'études descriptives est assez vaste. La recherche en communication utilise abondamment les études descriptives et cela autant dans le domaine de l'*effet des médias*, que dans ceux de l'*analyse des messages médiatisés* ou de la communication organisationnelle. Nous présenterons maintenant quelques méthodes de recherche utilisées dans ces trois domaines d'étude. Il est évident que l'on ne peut pas, dans le cadre d'un seul chapitre, présenter d'une manière exhaustive l'ensemble des méthodes reliées aux études descriptives. Cependant, les méthodes que nous verrons représentent assez bien les recherches les plus importantes en sciences de la communication.

2. L'ANALYSE DE CONTENU

Le rôle de l'analyse de contenu est essentiellement de *décrire les caractéristiques du contenu d'un texte*. L'analyse de contenu a remplacé l'analyse du texte qui dépendait des qualités personnelles et des aptitudes implicites d'un observateur (et par conséquent de sa subjectivité) par des procédés plus standardisés qui servent parfois à quantifier, mais toujours à convertir les matériaux bruts en données pouvant être traitées selon une grille explicite.

Berelson (1948) a donné la première définition de l'analyse de contenu. Il la décrivait comme : « [...] une technique de recherche pour la description objective, systématique et quantitative, du contenu manifeste des communications, ayant pour but de les interpréter. » (Cité dans Roger Muchielli [1974], *L'analyse de contenu des documents et des communications*, Les éditions ESF, p. 14.)

L'analyse procède selon des règles claires et précises pour que des analystes différents, travaillant sur un même contenu, obtiennent les mêmes résultats. Les chercheurs doivent donc se mettre d'accord sur les catégories, les thèmes, les idées ou les mots à utiliser ainsi que sur une même définition opérationnelle de chaque catégorie. Le contenu doit être ordonné et intégré dans les catégories choisies, en fonction du but poursuivi.

Le contenu dont nous parlons est généralement le texte. Nous pouvons cependant élargir la notion de « texte » en y incluant toutes formes de communications orales (radio, etc.) et écrites (revues, articles de journaux, textes officiels, etc.) mais aussi de contenu audiovisuel tel que les émissions de télévision.

Dans cette optique d'une description systématique, l'analyse de contenu peut être autant un instrument d'exploration qu'un outil de vérification. On peut vouloir recenser un ensemble de textes afin d'en dégager quelques thèmes généraux sans hypothèse précise. Dans ce sens, l'analyse de contenu est exploratoire. Habituellement cependant, on attaque l'analyse d'un texte à l'aide de questions particulières à propos des caractéristiques du texte. À partir d'intuitions ou d'hypothèses, on analyse un texte afin de voir si nos présomptions sont justifiées.

L'analyse de contenu a connu une évolution depuis l'époque de Berelson (1952). Il a été suggéré qu'elle puisse constituer une méthode permettant de faire des inférences en identifiant systématiquement les caractéristiques spécifiques du message. On passe donc de caractéristiques manifestes et quantitatives des éléments du texte aux notions de forme et de structure. Malgré un certain raffinement dans sa définition et son utilisation, l'analyse de contenu demeure très quantitative. On mesure le nombre de fois que tel critère ou telle catégorie apparaît dans un texte (dans une émission de télévision ou dans des messages publicitaires) mais on ajoute une mesure qualitative qui inclut la notion d'importance et de nouveauté, d'intérêt et de valeur d'un thème. Ces dernières spécifications sont néanmoins teintées d'une certaine subjectivité.

L'analyse de contenu est depuis plus de vingt ans maintenant dans la deuxième phase de son évolution. On a compris qu'un même message pouvait véhiculer des sens différents en fonction des circonstances extratextuelles dans lesquelles il était émis et reçu. Pour comprendre un message, il faut connaître et comprendre son contexte.

Les facteurs composant le contexte d'un message sont appelés « les conditions de production ». Charron (1989) donne un exemple simple permettant de comprendre que le sens d'un message est déterminé par les conditions dans lesquelles il a été produit. L'expression « c'est un intellectuel! » émise par quelqu'un qui a horreur du travail intellectuel et qui considère que les intellectuels ne passent jamais à l'action est donc péjorative. Venant de quelqu'un qui a de la difficulté à comprendre les abstractions mais qui a un goût prononcé pour elles, cette expression a un sens admiratif.

Les conditions de production sont liées à des facteurs variés d'ordre psychologique, sociologique, politique, pédagogique, etc. On peut désormais analyser le contenu d'un message non seulement en fonction de ses caractéristiques, mais aussi pour en découvrir la trace. Il est donc possible à partir des caractéristiques du texte, de remonter aux conditions dans lesquelles il a été produit.

Voilà comment l'analyse de contenu a évolué. Nous expliquerons brièvement les étapes méthodologiques de l'analyse de contenu. Mais auparavant, mentionnons que les utilisations de cette méthode sont très variées. On pourrait les regrouper simplement sous formes de questions. L'analyse de contenu permet d'étudier « qui parle? » ou l'étude de l'émetteur, « pour dire quoi? »,

« comment? », « à qui? » ou l'étude du récepteur, « avec quel résultat? » (par exemple, l'effet d'une publicité, d'une propagande ou du courrier des lecteurs dans la presse écrite) et dans « quel contexte? » (conditions de production).

2.1 Les étapes méthodologiques de l'analyse de contenu

Pour réaliser une analyse de contenu, il faut suivre une procédure méthodologique en cinq étapes principales (Charron, 1989). Ces étapes sont le *choix des documents*, la *formulation des hypothèses*, le *découpage du texte en unités d'analyse* (ou le choix des catégories), la *quantification des thèmes* et la *description des résultats*.

Le *choix des documents* est d'une importance cruciale. Le document peut être un livre, une émission de télévision, des articles de journaux, etc. Il faut inévitablement faire un choix qui soit représentatif de ce que l'on veut étudier. Si l'on veut, par exemple, faire une recherche sur les stéréotypes dans les téléromans québécois, il ne faudrait pas faire l'erreur de choisir les articles traitant des téléromans plutôt que des vidéocassettes.

Dès que l'on a choisi le type de document, il faut constituer un corpus d'analyse. Le corpus est l'ensemble exhaustif des documents sur lesquels se réalisera l'analyse. Cependant, dans la pratique de la recherche, rassembler un corpus exhaustif rend celui-ci trop volumineux. Il faut donc réduire le corpus. Si l'on tient à conserver les mêmes objectifs de recherche, il faut faire un échantillonnage du corpus. Il s'agit alors de choisir un sous-ensemble représentatif du corpus exhaustif. Cet échantillon doit posséder, toute proportion gardée, les mêmes caractéristiques que le corpus exhaustif. Il faut de la rigueur pour constituer un échantillon car les résultats de l'analyse de ce sous-ensemble doivent s'appliquer au corpus initial.

L'étape suivante consiste à *formuler des hypothèses*. Que ce soit sous forme de présomption, de supposition ou encore d'affirmation provisoire, l'hypothèse est toujours fondée sur des connaissances préalables (contexte théorique) et sur des observations, ainsi que sur des intuitions. La formulation d'hypothèses oriente l'analyse mais il est aussi possible que ce soit le choix des documents qui l'oriente. En conséquence, on peut conclure que ces deux premières étapes — le choix des documents et la formulation des hypothèses — sont interchangeables, c'est-à-dire qu'une hypothèse peut être revue après le choix des documents.

L'étape suivante consiste à *découper le texte en unités d'analyse*. Cela implique une définition des catégories de classification. Une catégorie est une rubrique significative, en fonction de laquelle le contenu sera classé et éventuellement quantifié (Grawitz, 1984). On ne peut analyser un texte ou une émission de télévision en bloc, il faut la décomposer en unités d'analyse. Lorsque l'on a un objectif de recherche précis et quelques hypothèses, on peut donc prévoir les catégories.

Le choix des catégories représente la démarche essentielle de l'analyse de contenu. Ce sont les catégories qui vont permettre la « description de l'étude » car elles sont le lien entre l'objectif de la recherche et les résultats. Une analyse de contenu vaut donc ce que valent ses catégories. Les catégories doivent être exhaustives, c'est-à-dire que l'ensemble du contenu (échantillonnage ou corpus entier) que l'on a décidé de classer doit l'être en entier. Les catégories doivent aussi être exclusives, c'est-à-dire que les mêmes éléments ne doivent pas pouvoir appartenir à plusieurs catégories.

Quant à la pertinence du choix des catégories, elles requièrent des qualités de finesse, de subtilité et elles dépendent de l'expérience du chercheur, de sa connaissance du milieu et de son intuition. Les types de catégories que l'on retrouve le plus souvent pour l'analyse de textes sont le mot, le thème, le paragraphe, les personnalités et l'item. Pour l'analyse d'un contenu audiovisuel, on peut avoir les individus, les lieux, le nombre d'individus en interaction, l'habillement, la dimension temporelle, etc. Enfin, avant d'attaquer l'analyse du contenu en profondeur, il est souhaitable d'effectuer un prétest, c'est-à-dire de sélectionner un petit ensemble du corpus et de l'analyser afin de repérer les difficultés de catégorisation prévisibles.

Il s'agit ensuite de *quantifier les thèmes*. La quantification des thèmes repose sur le principe selon lequel l'importance significative d'un thème croît avec sa fréquence d'apparition. La quantification des thèmes n'est pas une simple étape de comptage d'occurrences de tel ou tel mot. Deux mots apparaissant un nombre égal de fois dans un texte peuvent ne pas être d'égale importance. En effet, si tel mot apparaît plus souvent dans de longues phrases, son importance est plus grande car il couvre une surface de texte plus considérable.

Dans le contexte des analyses de contenu relatives aux médias de masse, le processus de quantification est souvent axé sur le temps et l'espace occupés par les différents thèmes. On peut mesurer, par exemple, le temps attribué aux nouvelles internationales à la télévision ou l'espace, dans un journal écrit, consacré aux informations culturelles. Ces mesures sont utiles pour la description de la pondération des produits des médias de masse, mais elles demeurent insensibles à des caractéristiques de contenu plus significatives.

La *description des résultats* ne suit pas de règles absolument rigoureuses. Il s'agit de présenter dans un texte, les caractéristiques du contenu analysé qui, au terme de l'étape précédente, ont été exprimées principalement sous forme de chiffres. On présente alors des pourcentages et des proportions tout en apportant certaines nuances. Enfin, on vérifie si les hypothèses ont été confirmées. Il faut savoir que les textes sont souvent complexes et que cette étape doit présenter aussi une description des points ambigus que les données chiffrées n'ont pas fait apparaître.

2.2 Les avantages et les faiblesses de l'analyse de contenu

Cette méthode permet le traitement de grandes quantités d'informations et économise temps et argent. Elle peut remplacer, dans certains cas, des sondages très coûteux et très longs à réaliser. Elle offre de façon générale une mesure discrète et peu biaisée. Elle permet surtout l'analyse des communications écrites et audiovisuelles du passé, ce qui est un atout intéressant dans la perspective d'une étude longitudinale.

Gauthier *et al.* (1984) discernent trois faiblesses principales propres à l'analyse de contenu. D'abord le problème de la sélection des données de base. Les corpus sont trop volumineux et l'échantillonnage proportionnel est souvent difficile à réaliser. Les deux autres faiblesses sont relatives à la fiabilité et à la validité de l'analyse de contenu. L'expérience et la compréhension du chercheur qui élabore les catégories et le codage représentent potentiellement le principal problème de fiabilité. La validité renvoie au postulat qu'un instrument de mesure effectue bien la mesure qu'on pense qu'il effectue. Il y a toujours une certaine part de subjectivité dans les inférences que l'on tire des diverses communications. Il y a donc une part de risque quand on analyse des comportements et des priorités à travers des mots, des thèmes et des fréquences.

3. LA SÉMIOTIQUE

La deuxième méthode descriptive que nous présentons est la sémiotique. Le lecteur aura sans doute remarqué que l'analyse de contenu et la sémiotique correspondent aux principales études de l'axe de recherche en communication portant sur le contenu des messages médiatisés présentés dans le troisième chapitre. Après une courte présentation de cette méthode, nous expliquerons simplement comment la sémiotique analyse un message publicitaire.

La sémiotique étudie les systèmes de signes linguistiques et iconiques. Ces systèmes de signes incluent les langues, les codes, les signalisations, etc. Dans le contexte des études descriptives en communication, la méthode sémiotique se concentre, entre autres, sur le contenu symbolique et non manifeste d'un message. Pour cette approche méthodologique, on utilise les sens « connotés » et « dénotés » des divers messages médiatiques. La dénotation est la signification fixée, invariable d'un signe donné. La connotation est une signification variable d'un même signe ou encore plusieurs sens ou interprétations reliés au même signe.

Les médias, depuis l'écriture puis l'imprimerie, la presse, la télévision et maintenant la télématique, ont profondément transformé notre culture. L'analyse sémiologique considère que toute notre culture se définit comme un ensemble de systèmes de communication.

La sémiotique permet de donner une image assez exacte des caractéristiques non manifestes d'un message. Dans l'univers des messages médiatisés, il y a plusieurs messages qui peuvent donner lieu à une lecture connotée (plusieurs sens reliés au même signe). Le message iconique publicitaire constitue un type particulier de message médiatisé où il y a une lecture connotée assez évidente. Examinons comment la sémiotique analyse ce type de message.

Une publicité a toujours comme intention avouée de déclencher l'acte d'achat. Pour ce faire, la publicité ne procède presque jamais de façon directe. On veut vendre une « image » associée au produit par toutes sortes de moyens subtils et esthétiques. Par une mise en scène, on présente certaines caractéristiques du produit mais on y ajoute une série de valeurs qui elles, deviennent ce que l'on désire « vendre » (ou acheter) en quelque sorte. Autrement dit, on vend un objet chargé de connotations.

Charron (1989) reprend un exemple de Barthes (1964) à propos d'une publicité pour les produits français Panzani (pâtes, sauce, fromage, etc.). La photographie représente deux paquets contenant des pâtes, une boîte de conserve pour la sauce, un sachet contenant du fromage parmesan ainsi que des tomates, des oignons, des piments rouges et des champignons dans un sac en filet blanc à moitié ouvert. Les couleurs dominantes sont principalement le rouge, le jaune et le vert. Voilà pour la lecture dénotée.

Voici maintenant la lecture connotée. Le filet ouvert suggère d'abord l'idée d'un retour du marché et donc la fraîcheur des produits. Cette lecture connotée correspond à un code socio-culturel. Les couleurs rouge, jaune et verte ainsi que la conso-nance du mot Panzani évoquent ce que Barthes appelle l'italianité. Le code de cette lecture est fondé sur une connaissance des stéréotypes touristiques. Il y a d'autres connotations dans cette image mais la fraîcheur et l'italianité prouvent que ce ne sont pas de simples aliments que l'on veut vendre, mais bien une façon valorisante de s'alimenter.

Les exemples d'images publicitaires démontrant le pouvoir de connotation sont nombreux. Cependant, il faut bien compren-dre que l'on ne peut parler de l'analyse sémiotique comme d'une démarche formelle et objective. L'objectivité des résultats d'une analyse sémiotique signifierait que l'ensemble des connotations mises à jour seraient exhaustives. Ce n'est évidemment pas le cas car on ne peut cerner avec précision toutes les règles du code socioculturel à partir duquel le message est construit. Le message publicitaire est évidemment conçu à partir de l'ensemble des caractéristiques d'un public cible. Les publicitaires tentent donc d'établir les règles du code socioculturel du consommateur cible dans la mesure du possible, mais on ne peut jamais savoir exactement comment le destinataire associera tel signe avec tel sens (connotation). Ainsi, l'analyse sémiotique d'un message publicitaire correspond à ce que l'émetteur a voulu donner comme signification symbolique (la connotation) à ce message. On ne peut pas se baser sur une analyse sémiotique pour prévoir la façon dont les destinataires liront les messages. Malgré son caractère inévitablement subjectif, l'analyse sémiologique constitue une méthode intéressante pour l'analyse du contenu non manifeste des messages médiatisés.

4. L'ANALYSE DE DISCOURS

L'analyse de discours est une méthode de recherche qui provient surtout de la linguistique. Maingueneau (1976) considère que cette méthode se situe au point de contact entre la réflexion linguistique et les autres sciences humaines. L'analyse de discours est une discipline qui ne possède pas encore totalement son sujet. Le terme « discours » implique un problème terminologique assez considérable. On peut dire que le discours est considéré comme une unité linguistique de dimension supérieure à la phrase. C'est donc un message pris globalement. Le discours, c'est aussi un énoncé considéré du point de vue du mécanisme discursif qui le conditionne. L'analyse de discours est donc une étude linguistique des conditions de production d'un texte. Le discours doit être entendu dans sa plus large extension : toute énonciation suppose un locuteur et un auditeur et chez le premier l'intention d'influencer en quelque manière.

L'analyse de discours a pour spécificité de chercher à construire des modèles en les articulant sur des conditions de production.

Le discours est construit à partir de la langue évidemment, mais il se distingue de celle-ci de la façon suivante : la langue est un ensemble de signes formels qui exigent des procédures rigoureuses et qui se combinent en structures et en systèmes. Bien que la phrase soit une construction de la langue, c'est une unité de discours. Avec la phrase, on entre dans la manifestation de la langue, dans la communication vivante, on quitte le domaine de la langue comme système de signes et l'on entre dans l'univers de la langue comme instrument de communication dont l'expression est le discours.

L'analyse de discours est une approche qui utilise plusieurs outils méthodologiques. Maingueneau (1976) présente, entre autres, deux approches du discours : l'*approche lexicologique* et l'*approche syntaxique*. L'approche lexicologique refuse de privilégier quelque élément que ce soit dans un discours; elle se fonde sur l'exhaustivité des relevés et l'uniformité du dépouillement. Cette recherche se guide sur le choix de l'élément formel pour en dégager un réseau statistique. On cherche ainsi à dégager des lois, à construire des réseaux qui visent à définir le sens (la sémantique) comme résultat global de l'ensemble de relations d'efficacité. On dégagera ainsi des cooccurrences et des niveaux de paliers.

L'approche syntaxique relève de la linguistique descriptive qui vise à décrire les occurrences d'éléments dans tout énoncé. Cette méthode est formelle, elle est indépendante de toute recherche sur le contenu du texte. Elle ne permet pas de dire exactement ce que le texte dit mais elle permet de déterminer comment il le dit. Ainsi, cette méthode définit quelques classes de segments dont la récurrence est « caractérisable ». On regroupe ensuite les éléments possédant des distributions semblables dans une même classe.

L'analyse de discours ne peut pas analyser tous les types de discours. Cette méthode semble efficace pour des types de discours bien structurés dont le contexte de production est évident : discours politique, discours religieux, etc., mais dès que l'on sort d'un type bien précis de discours, la méthode manque de rigueur, elle doit emprunter à d'autres approches. L'analyse de discours semble chercher à constituer sa méthodologie et son objet d'étude.

5. L'AUDIT COMMUNICATIONNEL

Cette méthode de recherche, tout comme les deux méthodes qui suivront soit le *diagnostic organisationnel* et l'*ethnographie*, fait partie de l'ensemble des méthodes descriptives utilisées dans le domaine de la communication organisationnelle.

Lorsqu'un médecin fait passer un examen médical à un patient, il détermine l'état de sa santé en comparant les divers signes qu'il observe avec la norme des gens en santé du même âge et du même sexe que son patient. La répétition régulière de cet examen permet d'obtenir toute indication sur l'apparition éventuelle d'une maladie, d'en prévenir alors le développement et, par conséquent, d'assurer une plus grande longévité au patient.

Un examen médical périodique constitue un processus exactement similaire à l'audit communicationnel qui procure à l'organisation des informations « préventives » lui permettant d'éviter la détérioration du système de communication. L'audit (qui signifie en quelque sorte « vérification ») communicationnel permet donc à l'organisation de prendre des initiatives dans sa planification plutôt que de réagir défensivement à une crise communicationnelle.

L'audit communicationnel procure des données qui servent à comparer les mesures antérieures et les mesures postérieures du système de communication. On peut ainsi déterminer l'impact d'un nouveau programme de communication comportant, entre autres, l'ajout d'équipement informatique. L'audit permet d'identifier les coûts du système impliqués, par exemple, dans l'expansion d'une organisation (succursale à l'étranger).

C'est en 1971 que l'ICA (International Communication Association) a démarré son projet d'audit communicationnel. D'autres types de plans pour conduire un audit ont été élaborés mais celui de l'ICA représente le système d'audit le plus vaste. L'audit communicationnel de l'ICA est unique dans son approche parce qu'il constitue un système standard de cinq instruments de mesure utilisant l'analyse informatique et des procédures de rétroaction ainsi qu'une banque de données permettant la comparaison avec des systèmes de communication de plusieurs autres organisations.

Voici le type de résultat qu'un audit permet d'obtenir (Goldhaber, 1986) :

- le profil des perceptions pour des événements, des pratiques et des relations communicationnelles;
- un portrait du réseau communicationnel pour les messages sociaux et les rumeurs; une liste des membres de divers groupes, et des liaisons et des tensions entre ces groupes et les individus;
- un compte rendu verbal des expériences de communication réussies et non réussies;
- un profil des comportements communicationnels actuels incluant les sources, les intermédiaires, les destinataires, les types de messages et les canaux utilisés;
- un ensemble de recommandations générales, l'accès aux banques de données des divers audits et un personnel disponible pour l'expertise concernant l'audit.

L'audit communicationnel utilise cinq instruments de mesure qui sont administrés individuellement ou selon différentes combinaisons. Il y a d'abord une *enquête par questionnaire*. Le questionnaire comprend 122 éléments dont 12 questions d'ordre démographique. Les répondants peuvent indiquer leurs perceptions du système actuel de communication ainsi que leurs perceptions du statut idéal. Ces données aident à identifier des incertitudes à propos de la communication dans l'organisation. Les thèmes du questionnaire incluent aussi la satisfaction au travail, les politiques de l'organisation, les changements technologiques, les types de problèmes, la prise de décisions, etc.

La deuxième mesure est l'*entrevue*. Son but est la vérification des résultats de l'audit. Quelques employés, souvent choisis au hasard, ont à répondre à des questions ouvertes.

Le troisième instrument de mesure est l'*analyse de réseau*. Les répondants doivent indiquer jusqu'à quel point ils communiquent avec tel individu de tel département. Un examen de tous les liens communicationnels permet d'identifier le réseau opérationnel de communication.

La quatrième mesure se nomme l'*expérience communicationnelle*. Les répondants doivent décrire des épisodes critiques de leurs diverses communications dans lesquels ils évaluent si ces épisodes furent des succès ou des échecs. De ces descriptions, un ensemble d'exemples est développé pour illustrer pourquoi un département véhicule une bonne ou une mauvaise manière de communiquer. Ces données de nature qualitative ajoutent à la richesse des données quantitatives.

Enfin, la dernière mesure est un *journal communicationnel*. Chaque participant doit tenir un journal contenant des activités communicationnelles spécifiques (conversations, appels téléphoniques, réunions, matériels écrits reçus ou émis) pour une période d'une semaine. Ces données donnent des indications sur le comportement communicationnel actuel à travers les individus, les groupes et l'organisation entière. On peut donc constater que l'audit communicationnel permet de recueillir une quantité imposante d'informations toutes relatives aux divers aspects de la communication dans l'organisation.

6. LE DIAGNOSTIC ORGANISATIONNEL

Le diagnostic organisationnel est une méthode de recherche qui fait aussi partie des études descriptives en communication organisationnelle. Le terme « diagnostic » n'est pas utilisé uniquement dans le sens médical (déterminer une maladie d'après ses symptômes). Il signifie que dans l'étude des organisations, tout système de travail peut découler d'un diagnostic.

Pour bon nombre de dirigeants, le but d'une organisation est de fournir un produit ou un service; pour réaliser ces objectifs, l'organisation tend à respecter un ordre de priorités : le produit final détermine le choix des technologies qui déterminent les structures qui, à leur tour, déterminent l'activité des acteurs de l'organisation.

Cet ordre de priorités relègue au dernier rang l'être humain. Pour justifier ce choix, les responsables de l'organisation conçoivent que les contraintes technologiques ne sont pas « négociables » et que les contraintes structurelles permettent peu de variété. En conséquence, l'élément le plus susceptible d'être modelé est l'être humain. Toutefois, imposer à l'être humain à peu près n'importe quoi exige que celui-ci se sente impliqué dans le travail et les décisions relatives au fonctionnement de l'organisation. Il faut aussi que l'individu ait le goût de s'impliquer.

Progressivement, le monde industriel redécouvre ce que le monde artisanal des siècles passés savait à merveille : que la qualité et la quantité du travail dépendent non seulement de l'organisation et des contraintes qui la maintiennent mais aussi et surtout de l'implication que l'individu apporte à son travail. C'est dans cette vision de l'organisation que s'inscrit l'objectif du diagnostic organisationnel.

Rigny (1982) affirme que l'objectif du diagnostic organisationnel est en quelque sorte d'analyser une demande implicite provenant des êtres humains qui composent l'organisation. Cette demande pourrait se présenter de la manière suivante : quel que soit le travail des employés, il faut que ce travail fasse appel en tout ou en partie à leur faculté de penser. Les individus ne sont pas de simples prolongements technologiques mais représentent des ressources d'une nature originale. Les employés peuvent apporter beaucoup à l'organisation s'ils peuvent contribuer non seulement au processus d'exécution mais aussi à celui de la décision. Il s'agit donc de faire coïncider les objectifs personnels des individus avec les objectifs de l'organisation.

Dans cette optique, le diagnostic organisationnel s'intéresse aux forces qui régissent le domaine de son investigation. Ce domaine est perçu comme étant l'organisation d'une part et l'être humain d'autre part. Chacune de ces entités est soumise à des pressions qui tendent à réduire son caractère original et chacune de ces entités entreprend des activités compensatrices afin de lutter contre ces pressions.

D'un côté les contraintes organisationnelles viennent, entre autres, des revendications des travailleurs et des interdictions de tous genres. Menacée dans son existence, l'organisation mobilise des forces supplémentaires tels de nouveaux capitaux, des achats de brevets, de nouveaux collaborateurs, de nouvelles technologies, etc.

Les contraintes de l'être humain présentent le même type de champ de force adverse. Au chapitre des pressions, l'individu est partie intégrante d'un milieu physique, sociologique, politique qui impose un système de valeurs. Le conformisme à un ensemble de normes sociales et d'exigences de travail à différents degrés ajoute à ces pressions. Pour sauvegarder son identité dans cet univers de pressions réductrices, l'individu doit canaliser son énergie en efforts pour contrebalancer ces pressions. L'accomplissement personnel, la compétition et la participation à divers groupes de travail ou d'activités sociales ainsi que la recherche d'un certain pouvoir aident à combattre ces pressions.

Entre ces deux champs de force (contraintes et activités compensatrices de l'organisation et contraintes et activités compensatrices de l'individu), il existe une zone intermédiaire entre l'organisation et l'individu. Cette zone constitue le point central du diagnostic organisationnel. Elle est constituée de la communication verticale et horizontale dans la hiérarchie de l'organisation, du style de commandement, des modes de fixation des objectifs et du processus de prise de décision, de l'influence que chacun peut avoir sur l'ensemble de l'organisation, des mesures de résultats et du système de récompense et enfin, des possibilités de développement des individus.

L'utilisation du diagnostic organisationnel devrait permettre de faire la lumière sur les caractéristiques de la zone intermédiaire. Le « diagnosticien » devrait être très informé du domaine de l'administration des organisations et il devrait aussi être pratiquement un expert des problèmes de comportement. Il doit connaître la nature des communications interpersonnelles, il doit aussi être psychologue, anthropologue, bref, expert de la composante individuelle.

Par ailleurs, les membres d'une organisation formulent souvent des diagnostics organisationnels à propos de la fraction d'univers qui les entoure. Ces gens affirment que tout irait mieux si telle personne quittait son emploi, si telle autre était déplacée ou si telle autre acceptait les points de vue d'autrui. Ces diagnostics rudimentaires arrivent rarement à la conclusion que des attitudes individuelles ou des processus organisationnels pourraient être changés, avec le consentement des acteurs.

Les changements que l'on effectue le plus fréquemment dans l'organisation sont les changements structurels (c'est-à-dire des mouvements de personnel). Ces changements ne touchent pas à l'efficience organisationnelle, parce qu'ils ne touchent pas au contrat psychologique implicite qui lie les individus à l'organisation. Le chercheur qui pratique le diagnostic organisationnel prétend qu'il existe des moyens de changer l'organisation autrement qu'en manipulant ses technologies ou la distribution des rôles et des tâches. Ces moyens servent à modifier les comportements et, par conséquent, les attitudes internes des partenaires. Ces changements ont des effets plus durables que les autres.

La méthode d'approche du diagnosticien est d'abord de conquérir une crédibilité, puis de convaincre quelques employés à s'engager. De là, le diagnosticien constate que chacun peut s'engager s'il en voit d'autres le faire.

Le diagnostic organisationnel est donc une méthode d'intervention. Ses problématiques de recherche se situent dans la motivation et le leadership, les problèmes individuels et interpersonnels, les problèmes particuliers aux PME (petites et moyennes entreprises) et ceux des grandes entreprises et des administrateurs.

7. L'ETHNOGRAPHIE

Le champ des études en sciences de la communication a, comme nous l'avons expliqué dans le premier chapitre, des origines multiples. Dans le contexte des études sur la communication organisationnelle, il arrive que les chercheurs utilisent l'ethnographie comme méthode de recherche.

L'ethnographie est considérée comme la partie descriptive de l'ethnologie. L'ethnologie est la science des groupes et des cultures ethniques. L'ethnographie consiste dans l'observation et l'analyse de groupes humains considérés dans leur particularité et visant à la restitution, aussi fidèle que possible, de la vie de chacun d'eux. L'ethnographie se concentre donc sur la *description minutieuse des groupes sociaux.*

Cette méthode utilise un ensemble de techniques comme l'*analyse linguistique*, l'*analyse psychologique*, les *études statistiques* et les *méthodes historiques* pour décrire l'ensemble des complexes culturels. Axée surtout sur les cultures ethniques, l'ethnographie vise à investiguer, dans un groupe social précis, le plus de gens possible dans une aire et dans un temps déterminés.

L'ethnographie, par la préparation d'enquêtes (questionnaires et guides), fournit des informations, des observations, des documents et des objets d'étude que les chercheurs utiliseront pour l'enregistrement des données et pour la classification des matériaux. Le domaine de l'ethnographie embrasse les cultures spirituelle, matérielle et sociale et, dans le contexte de la communication organisationnelle, elle s'intéresse à la description des phénomènes culturels.

CONCLUSION

L'ensemble des méthodes que nous avons présentées dans ce chapitre exigent beaucoup de rigueur et de précision. Les études descriptives nécessitent l'emploi de méthodes qui réduisent la possibilité de penchants systématiques et augmentent ainsi la validité des faits recueillis. Les méthodes présentées respectent ces conditions, sauf peut-être l'analyse de discours qui ne semble efficace que pour un discours très structuré dont le thème est immédiatement perceptible.

Il ne faut pas oublier que chaque méthode possède ses limites. Il faut aussi se familiariser avec une méthode avant de conclure qu'elle est la meilleure pour un problème de recherche spécifique.

Lectures suggérées

Si vous désirez approfondir une des méthodes de recherche présentées dans ce chapitre, nous vous suggérons de consulter les références bibliographiques ci-dessous. Les monographies donnent généralement une bonne description de la méthode. Les articles que l'on retrouve dans les périodiques présentent plutôt la description d'une analyse, c'est-à-dire l'application d'une méthode.

BARTHES, R. (1964), Éléments de sémiologie, dans *Communications*, vol. 4.

BERELSON, B. (1952), *Content Analysis in Communication Research*, The Free Press, Glencoe.

CHARRON, D. (1989), *Une introduction à la communication*, coll. Communication et société, Presses de l'Université du Québec, Télé-université, Québec.

GAUTHIER, B. sous la direction de (1984), *Recherche sociale*, Presses de l'Université du Québec, Québec.

GOLDHABER, G.M. (1986), *Organizational Communication*, W.C. Brown Publishers, 4ᵉ éd., Dubuque, Iowa, USA.

GRAWITZ, M. (1984), *Méthode des sciences sociales*, Précis Dalloz, Paris.

MAINGUENEAU, D. (1976), *Initiation aux méthodes de l'analyse de discours*, Classique Hachette, Paris.

RIGNY, A.J. (1982), *Diagnostic organisationnel*, les éditions Agence d'Arc inc., Montréal.

LES ÉTUDES EXPÉRIMENTALES EN LABORATOIRE

OBJECTIF

Amener l'étudiant à connaître les caractéristiques des études expérimentales en laboratoire; familiariser l'étudiant avec les méthodes et les procédés appropriés à ce type d'études.

INTRODUCTION

Les études expérimentales en laboratoire sont très fréquentes dans les sciences humaines, particulièrement en sciences de la communication, en psychologie et en éducation. Dans ce chapitre, nous examinerons d'abord les fonctions les plus importantes de l'étude expérimentale. Dans un deuxième temps, nous analyserons de plus près les caractéristiques du déroulement d'une expérience en laboratoire à l'aide d'une étude qui examine la relation entre l'anxiété et l'écoute de la télévision. Enfin, dans un troisième temps, nous étudierons la structure de quelques plans expérimentaux.

Les études expérimentales en laboratoire visent à démontrer l'existence d'une relation causale entre un traitement appliqué et un effet produit. Il est important de toujours garder à l'esprit que pour réussir à faire cette démonstration, l'expérimentateur doit absolument s'assurer d'une manière constante de la précision, de la rigueur et du contrôle le plus complet possible accordés à son expérience. Ce qui lui interdira, d'ailleurs, d'extrapoler ses résultats à tout autre contexte.

1. LES FONCTIONS DE L'ÉTUDE EXPÉRIMENTALE EN LABORATOIRE

Il existe trois fonctions principales associées à toute étude expérimentale en laboratoire. La première fonction consiste à faire la *preuve de l'existence d'une relation fonctionnelle entre les variables étudiées.* Une deuxième fonction consiste à *contrôler d'une façon systématique les variables à l'étude.* La troisième fonction est celle qui permet de *prédire les événements dans la situation expérimentale.*

1.1 La relation causale

La première fonction consiste à prouver l'existence d'une relation fonctionnelle ou plus précisément d'une relation causale. Cette causalité entre les variables établie par l'hypothèse de recherche peut être confirmée ou infirmée selon que l'expérimentateur fournit une preuve suffisante quant à la probabilité (Ouellet, 1981).

L'hypothèse de l'existence d'une relation causale stipule qu'un événement ou une caractéristique particulière est l'un des facteurs qui déterminent un autre événement ou une autre caractéristique. Les études expérimentales en laboratoire sont celles qui visent la vérification de ce type d'hypothèse. Pour ce faire, ces études doivent fournir des données ou des informations à partir desquelles on peut légitimement faire l'inférence que l'événement « A » exerce ou n'exerce pas d'effet sur l'événement « B » (Selltiz *et al.*, 1977). Il est très important de bien comprendre ce que l'on entend par « relation causale ». Lorsque l'on affirme que A « est la cause » de B, cela revient à dire que chaque fois que l'événement A se présente, il est vraisemblable que l'événement B s'ensuive. Lorsqu'un chercheur observe que les événements A et B sont concomitants, on peut faire des déductions théoriques stipulant que B fait suite à A dans le temps.

C'est dans ce sens et uniquement dans ce sens que l'on doit comprendre la signification du mot « cause ». Le terme n'est pas entendu dans le sens d'un motif, d'une intention ou d'une finalité absolue. La relation causale est prise dans le sens d'une probabilité. Dans les sciences de la communication, il est rare que l'on puisse identifier des facteurs uniques qui soient à la fois nécessaires et suffisants à la production d'un effet. Généralement, dans une hypothèse, on cherche à identifier des séries de conditions qui, lorsqu'elles sont considérées ensemble, sont habituellement suffisantes pour produire un effet. L'expérimentateur qui recherche des preuves pour les hypothèses causales le fait de la même façon que lorsqu'il cherche à évaluer des faits pour n'importe quelle autre hypothèse.

1.2 Les variables et le contrôle des variables

La deuxième fonction de l'étude expérimentale consiste à contrôler d'une façon systématique les variables de l'étude. La notion de contrôle est très importante dans une situation expérimentale. Toutes les étapes du processus d'expérimentation doivent être contrôlées mais il faut d'abord commencer par le contrôle des variables. Il sert à s'assurer que la manipulation d'une variable indépendante est bel et bien ce qui cause les changements de la variable dépendante. Autrement dit, le contrôle sert à s'assurer qu'il n'y a pas d'éléments ou de variables extérieurs au plan expérimental, qui seraient susceptibles de causer les changements de la variable dépendante. Avant d'aller plus loin, il serait bon d'expliquer un peu ce que signifie une variable dépendante et une variable indépendante.

Les deux variables les plus importantes d'un devis expérimental sont la *variable indépendante* et la *variable dépendante*. C'est dans la relation de ces deux types de variables que se situe la nature de la causalité dont nous discutions plus haut. On peut dire simplement que la variable indépendante est la cause, et la variable dépendante l'effet de cette cause.

La variable indépendante est en quelque sorte une variable-stimulus, un intrant qui opère dans le but d'affecter un comportement. C'est le facteur qui est *manipulé* par l'expérimentateur afin de déterminer sa relation avec le phénomène observé. Autrement dit, *la variable indépendante, c'est celle qui est manipulée afin de voir comment elle affecte l'autre variable, la variable dépendante.*

Si un chercheur étudie la relation entre deux variables « X » et « Y », et se demande : « Qu'est-ce qui arrivera à « Y » si je modifie « X » en plus grand ou en plus petit? », il considère alors que la variable « X » est sa variable indépendante. C'est la variable qu'il manipulera ou changera afin de causer un changement sur la variable « Y ». Il considère cette variable comme étant indépendante parce qu'il est intéressé à savoir *comment* elle en affecte une autre. Il pourra influencer ce changement avec une variable de contrôle « Z ».

La variable dépendante est une variable-réponse ou un extrant. C'est, par exemple, l'aspect observé d'un comportement qui a été stimulé. La variable dépendante est *ce que l'on mesure*. C'est le facteur que l'on observe et que l'on mesure afin de déterminer l'effet de la variable indépendante. C'est donc la variable « Y », qui changera en fonction des variations de la variable indépendante « X ». *On la considère dépendante car sa valeur dépend de la valeur de la variable indépendante.* Ainsi, la variable dépendante représente la conséquence d'un changement chez une personne ou dans une situation donnée.

Revenons à la notion de contrôle des variables. Elle sert donc à s'assurer que la manipulation d'une variable indépendante est ce qui cause uniquement les changements de la variable dépendante. Dans une expérimentation, on ne peut pas étudier toutes les variables en même temps; on doit neutraliser certaines variables afin de garantir qu'elles n'auront pas d'effet extérieur sur la relation entre la variable indépendante et la variable dépendante. On appelle ces variables, les *variables de contrôle*.

Prenons un exemple simple afin d'illustrer les trois types de variables que nous venons de présenter. Cet exemple d'hypothèse n'a aucun fondement théorique, il est uniquement utilisé à des fins d'illustration. « Parmi les individus du même âge (Z), le nombre d'heures d'écoute (Y) de la télévision est directement relié au niveau de scolarité (X). »

Dans cette hypothèse, la variable dépendante est le nombre d'heures d'écoute (Y), la variable indépendante (X) est le niveau de scolarité et la variable de contrôle (Z) est l'âge. En effet, pour vérifier la causalité de cette hypothèse, il faut trouver des individus qui ont différents niveaux de scolarité et mesurer leur exposition à la télévision. Si on prenait des individus de tout âge, c'est-à-dire autant des jeunes de 10 ans, que des adultes de 40 ans ou de 75 ans, il serait légitime alors de postuler que le nombre d'heures qu'ils passent à regarder la télévision n'est pas relié à leur niveau de scolarité mais à d'autres facteurs. Par exemple, la personne âgée de 75 ans est probablement à la retraite et peut donc consacrer plus de temps à regarder la télévision qu'une personne de 40 ans ayant le même niveau de scolarité, puisque cette dernière est probablement beaucoup plus active sur le marché du travail et a moins de temps à consacrer à ce loisir. Le fait de choisir des gens du même âge (variable de contrôle) diminue grandement la possibilité que le nombre d'heures d'écoute soit relié à un autre facteur que le niveau de scolarité. C'est donc en contrôlant l'âge que l'on s'assure un peu plus de la relation causale entre la variable indépendante (X) et la variable dépendante (Y). Rappelons que cette notion de contrôle n'est pas du tout exclusive à la détermination des variables car le contrôle est important à toutes les étapes du processus d'expérimentation.

1.3 La fonction de prédiction

L'expérimentation sert à prédire les événements dans la situation expérimentale. Il est évident que si l'on prévoit que telle variable (X) est la cause qui produira tel effet sur l'autre variable (Y), il s'agit d'une opération de prédiction. Ce caractère prédictif entraîne aussi la possibilité de pouvoir généraliser la ou les fonctions établies. Si l'on observe que le niveau de scolarité détermine le nombre d'heures d'écoute chez les gens du même âge dans un milieu représentatif de l'ensemble de la population, alors il est possible de généraliser cette situation à l'ensemble de la population. La généralisation consiste donc à faire des applications en dehors du contexte expérimental, sur une plus grande population.

2. DESCRIPTION D'UNE EXPÉRIENCE EN LABORATOIRE

L'étude expérimentale en laboratoire exige l'élaboration d'un plan d'expérimentation. Ce plan est élaboré en fonction de l'hypothèse de recherche. Plus précisément, il s'élabore en fonction des variables indépendantes et des variables dépendantes. Autrement dit, on construit un plan expérimental afin de *vérifier si tel facteur influence tel comportement*. Un plan ne vise pas seulement à mettre en évidence l'influence des facteurs expérimentaux, mais également, et c'est tout aussi important, à faire disparaître les facteurs parasites. L'élimination des facteurs parasites est une des tâches du contrôle dans l'expérimentation. Il s'agit, par exemple, d'identifier et d'éliminer les variables rivales possibles. Nous verrons, au fur et à mesure de la présentation d'un plan expérimental, d'autres sources de biais possibles qui nécessitent un contrôle parfait de l'expérience.

Nous ne pouvons, à l'intérieur d'un seul chapitre, présenter une description exhaustive de la méthode expérimentale. Nous avons choisi de prendre l'exemple d'une étude expérimentale concernant les effets de la télévision sur le niveau d'anxiété des individus. C'est donc à travers l'expérience de Bryant, Carveth et Brown (1981) que nous décrirons les principales composantes de l'étude expérimentale en laboratoire, soit : l'hypothèse de recherche, la manipulation de variables, la mobilisation des sujets, les consignes, le devis expérimental et le déroulement de la procédure expérimentale.

Dans cette étude, Bryant, Carveth et Brown (1981) veulent examiner la relation entre l'écoute de la télévision et l'anxiété dans le cadre d'un plan expérimental. Présentons d'abord brièvement le contexte théorique de cette expérience. Selon la revue des écrits, plusieurs auteurs prétendent que l'exposition à la télévision peut modifier la perspective des téléspectateurs. Cependant, il n'y a pas beaucoup d'études empiriques pour appuyer ce constat. Les auteurs citent toutefois une enquête de Gerbner et Gross (1976) dans laquelle ceux-ci affirment que les rituels et les mythes sont importants sinon déterminants pour une société car ils ont la fonction d'être des agents de contrôle. Cette socialisation se manifeste, entre autres, par une dramatisation des normes et des valeurs de cette société.

Dans notre société, la télévision est l'un des plus importants véhicules des rites et des mythes. La télévision contribue ainsi à construire une réalité sociale pour les téléspectateurs en leur donnant une image de ce qui existe, de ce qui est important, etc. Les contenus violents de la télévision servent à communiquer des normes sociales, des buts et des significations à propos des « gagnants » et des « perdants » et aussi à propos des risques de la vie et du prix à payer pour la transgression des règles sociales.

Après avoir fait une analyse de contenu de « l'image » de la société présentée dans plusieurs émissions dramatiques à la télévision, Gerbner et Gross (1976) ont relevé des divergences importantes entre certaines images et certains événements présentés à la télévision et leur occurrence réelle dans la société. Ils ont constaté, par exemple, que les femmes, les minorités et les gens âgés étaient largement sous-représentés dans « l'univers télévisuel » relativement à leur proportion réelle dans la société. De plus, ces mêmes groupes d'individus sont surreprésentés en tant que victimes d'actes violents dans le contenu des émissions dramatiques à la télévision. Les auteurs concluent que la violence dans les drames télévisés qui présentent une vision déformée d'une certaine population contribue à créer une réaction amplifiée de peur face au monde réel. La télévision cultive ainsi une idée fausse à propos d'une réalité sociale présentée de façon trop violente.

Pour tester cette hypothèse, Gerbner et Gross (1976) ont réalisé une enquête. Ils demandaient, par exemple, à des gens qui regardent souvent la télévision (plus de quatre heures par jour) si on pouvait faire confiance à la majorité des individus. Ces gens ont affirmé qu'ils ne faut pas faire confiance aux individus (« on n'est jamais assez prudent », ajoutaient-ils) et ils ont aussi tendance à exagérer leurs propres risques d'être impliqués dans un acte violent. D'autres enquêtes ont confirmé cette corrélation entre la quantité d'écoute télévisuelle et cette tendance à donner des « réponses de nature télévisuelle » aux questions relatives à la violence dans la société.

Revenons maintenant à notre étude expérimentale. Bryant, Carveth et Brown (1981) ont voulu, à la lumière des éléments théoriques précédents, examiner un aspect de la relation entre l'écoute télévisuelle et l'anxiété. Ils ont examiné l'effet d'une forte écoute comparée à une faible écoute télévisuelle, sur l'anxiété. Deux groupes qui se distinguent par une grande différence dans leur niveau d'anxiété sont exposés, l'un à de légères sessions, et l'autre à de fortes sessions d'écoute télévisuelle pendant une durée de six semaines.

Le groupe « forte écoute » est divisé en deux sous-groupes : un sous-groupe qui regarde régulièrement une grande quantité d'émissions d'aventures qui présente un dénouement où la justice triomphe. Le deuxième sous-groupe visionne la même quantité d'émissions d'aventures mais cette fois, il y a dans le contenu une prépondérance d'injustice (l'ordre social n'est jamais restauré, les crimes ne sont pas punis et les « méchants » triomphent des « bons »). À la fin de la session d'écoute de six semaines, on recueille des mesures de l'anxiété.

Revoyons de plus près le devis expérimental de cette expérience. Les auteurs désirent examiner un effet (ou une hypothèse) de la relation entre l'écoute de la télévision et l'anxiété. Cet effet que l'on désire examiner sert à vérifier l'hypothèse de Gerbner et Gross (1976). En résumé, l'hypothèse de Gerbner et Gross (1976) prétend que la violence dans les drames télévisés contribue à créer une réaction amplifiée face au monde réel.

Pour vérifier l'hypothèse de Gerbner et Gross (1976), Bryant, Carveth et Brown (1981) prédisent que parmi les trois groupes de sujets exposés à des émissions (un groupe à faible écoute télévisuelle, un groupe à forte écoute où la justice triomphe, un groupe à forte écoute où l'injustice triomphe), c'est ce dernier groupe où l'injustice triomphe qui devrait susciter, après exposition, le plus haut taux d'anxiété. Rappelons qu'il y a en tout six groupes de sujets. Les trois groupes précédents sont subdivisés en deux sous-groupes chacun (faible anxiété et forte anxiété préalable à l'exposition). La figure 11.1 permet de visualiser les conditions expérimentales de ces six groupes.

Dans ce devis expérimental, il y a trois variables indépendantes : le niveau d'anxiété préalable (faible, fort), la quantité d'exposition télévisuelle (faible, forte) et le type de contenu (la justice triomphe, l'injustice triomphe).

FIGURE 11.1 **Les conditions expérimentales dans lesquelles sont affectés les six groupes de sujets dans l'expérience de Bryant, Carveth et Brown (1981)**

FAIBLE ANXIÉTÉ AVANT L'ÉCOUTE DE LA TV			*FORTE ANXIÉTÉ AVANT L'ÉCOUTE DE LA TV*		
groupe faible écoute TV	groupe forte écoute TV	groupe forte écoute TV	groupe faible écoute TV	groupe forte écoute TV	groupe forte écoute TV
	contenu avec justice	contenu avec injustice		contenu avec justice	contenu avec injustice

Si les résultats démontrent qu'une forte exposition à la télévision provoque une plus forte anxiété qu'une faible exposition à la télévision, alors l'hypothèse de Gerbner et Gross (1976) sera supportée. Toutefois, les auteurs précisent que la description d'un contenu où l'injustice triomphe présente un univers plus angoissant que la description d'un contenu où la justice triomphe. Ce faisant, il est légitime de postuler que « les sujets qui reçoivent une forte exposition au contenu où l'injustice est triomphante deviendront plus anxieux ». Voilà pour l'hypothèse des chercheurs. Ceux-ci précisent que si les sujets des groupes « faible écoute » et « forte écoute/justice » deviennent également plus anxieux après l'exposition télévisuelle, cela met en doute sérieusement l'hypothèse de Gerbner et Gross (1976).

Nous discuterons maintenant de la mobilisation des sujets, des critères de sélection des contenus télévisuels, de la façon dont on a évalué leur degré d'anxiété préalable et enfin des consignes qui leur ont été données.

Structurer une expérience en laboratoire nécessite un ensemble de spécifications méthodologiques qui visent à éliminer les facteurs parasites afin d'avoir le meilleur contrôle possible des paramètres impliqués dans l'expérience. Bryant, Carveth et Brown (1981) ont donc recruté 90 étudiants inscrits à des cours d'introduction à la communication. Ils ont assigné les étudiants au hasard parmi les différents groupes expérimentaux tout en respectant le ratio homme/femme. Les sujets assignés aux groupes à forte écoute télévisuelle devaient regarder 30 heures d'émissions.

Les chercheurs ont engagé une trentaine d'étudiants gradués pour effectuer la sélection des émissions. Cette sélection s'est faite parmi le matériel télévisuel (émission ou film d'action dramatique) présenté dans la programmation hivernale d'un réseau de télévision nationale. Globalement, les critères dont ces étudiants devaient tenir compte pour la catégorie où la justice triomphe incluent les programmes où le premier acte de transgression est puni, soit par une vengeance personnelle, soit par des mesures légales. Dans tous les cas, jamais plus d'un seul délit ne demeurait sans punition. Pour la catégorie où l'injustice triomphe, il fallait retrouver dans les émissions visionnées une majorité de délits de toutes sortes qui n'étaient jamais punis.

Ces critères semblent, à première vue, faciles à identifier mais ce n'est pas toujours le cas. Les étudiants qui évaluaient les émissions à partir de ces critères étaient regroupés en équipe de trois. Il fallait que les trois étudiants, par un vote secret, concluent à l'unanimité que le contenu rencontre bien les critères retenus. Si c'était le cas, alors l'émission était retenue pour l'expérimentation. Un grand nombre d'émissions ont été rejetées car il n'était pas possible d'obtenir l'unanimité du groupe.

La sélection des sujets, nous l'avons mentionné, s'est effectuée dans un cours d'introduction à la communication. On a distribué à tous les étudiants un questionnaire portant sur les attributs et les intérêts personnels. On a informé les étudiants que les réponses à certaines questions aideraient le professeur à ajuster sa démarche pédagogique et que d'autres sections du questionnaire serviraient à d'autres projets de recherche dans le département. Les éléments d'une échelle de mesure de l'anxiété étaient intégrés au milieu du questionnaire. Les chercheurs ont retenu les étudiants qui ont obtenu une note de 0 à 7 sur l'échelle d'anxiété (faible anxiété) ainsi que ceux qui ont obtenu une note entre 11 et 28 (forte anxiété) pour l'expérimentation qui devait débuter trois semaines plus tard. Les étudiants choisis n'ont pas été informés de l'objectif de l'expérience et de plus, ils ne savaient pas qu'ils avaient été évalués sur une échelle d'anxiété. Nous verrons, dans un chapitre ultérieur, les problèmes éthiques que pose ce genre d'expérience.

Tous les sujets sélectionnés pour l'expérimentation ont été convoqués et ils ont été informés qu'ils participaient à un projet de recherche visant à mesurer comment les valeurs esthétiques changent dans le temps selon que l'on est plus ou moins exposé à des contenus télévisuels. On leur a dit que certains sujets ne regarderaient pas la télévision plus de deux heures par jour tandis que d'autres la regarderaient au moins quatre heures par jour. On a demandé aux sujets d'évaluer sur une échelle de cinq points chacune des émissions en fonction de critères tels que : l'intérêt, la nature excitante du contenu, le caractère esthétique de l'émission et le caractère instructif. Enfin, les étudiants ont rempli un formulaire de consentement et on leur a désigné un endroit et un horaire précis pour le visionnement des émissions. L'expérience s'étalait sur une période de six semaines.

À la fin de la période d'écoute télévisuelle, tous les sujets ont été conviés à compléter un questionnaire assez élaboré. Ce questionnaire contenait les éléments d'une échelle de mesure de l'anxiété. Ces éléments étaient les mêmes que ceux qui avaient été présentés neuf semaines plus tôt aux mêmes sujets, soit trois semaines avant le début de l'expérimentation.

La variable dépendante, c'est-à-dire ce que l'on mesure dans une expérimentation, est donc la différence entre le niveau d'anxiété avant et après l'écoute des émissions télévisuelles. On a cependant ajouté trois variables dépendantes. Ces trois variables étaient représentées sous forme de trois questions noyées dans l'ensemble du questionnaire. On a repris les mêmes questions utilisées dans l'étude de Gerbner et Gross (1976). Voici ces trois questions.

1. « Dans quelle mesure croyez-vous qu'un jour vous serez victime personnellement d'un acte violent? »

   La réponse devait se donner sur une échelle de dix points allant de :

aucun risque d'être victime d'acte violent =	0,
50 % de risque d'être victime d'acte violent =	5,
absolument certain d'être victime d'acte violent =	10.

2. « Avez-vous peur de subir des torts un jour à cause d'un acte de violence? »

   La réponse devait se donner sur une échelle de dix points allant de :

pas du tout peur =	0,
moyennement peur =	5,
extrêmement peur =	10.

3. « Si vous étiez un jour victime d'un acte de violence, est-il vraisemblable que votre assaillant soit capturé et soumis à la justice? »

   La réponse devait se donner sur une échelle de dix points allant de :

pas du tout vraisemblable =	0,
moyennement vraisemblable =	5,
tout à fait vraisemblable =	10.

En terminant, il serait utile de consulter le tableau 11.1 qui illustre l'ensemble du schéma expérimental en présentant les deux variables indépendantes et les quatre variables dépendantes. Ce type de tableau sert essentiellement à donner les résultats de l'expérience. Dans ce cas, on retrouvera un ensemble de valeurs quantitatives (par exemple, l'augmentation de la valeur du niveau d'anxiété après la session d'écoute ou la moyenne par groupe des réponses données aux questions sur l'échelle en dix points). Pour notre propos, il suffit de dire que l'hypothèse a été confirmée, c'est-à-dire que les chercheurs ont constaté que l'écoute massive d'émissions où l'injustice triomphe augmente le niveau d'anxiété chez ceux qui manifestent un faible niveau d'anxiété préalable et plus encore chez ceux qui avaient un haut taux d'anxiété préalable. Notons ici que le niveau d'anxiété mesuré sur des sujets est considéré, dans la communauté scientifique, comme un trait de personnalité et devrait par conséquent demeurer relativement stable dans le temps.

Revenons brièvement, à la lumière de l'expérience que nous venons de décrire, aux fonctions de l'étude expérimentale en laboratoire expliquées en début de chapitre. Ces fonctions, rappelons-le, étaient de *fournir la confirmation d'une relation causale*, d'assurer le *contrôle systématique de toutes les étapes du processus d'expérimentation* et la *capacité de prédire et de généraliser les résultats de l'expérience.*

TABLEAU 11.1 **Schème expérimental de Bryant, Carveth et Brown (1981) représentant l'interaction entre les variables indépendantes et les variables dépendantes**

	VARIABLES INDÉPENDANTES					
	FAIBLE ANXIÉTÉ AVANT L'ÉCOUTE DE LA TV			*FORTE ANXIÉTÉ AVANT L'ÉCOUTE DE LA TV*		
	Groupe faible écoute TV	Groupe forte écoute TV contenu avec justice	Groupe forte écoute TV contenu avec injustice	Groupe faible écoute TV	Groupe forte écoute TV contenu avec justice	Groupe forte écoute TV contenu avec injustice
VARIABLES DÉPENDANTES *Niveau d'anxiété*						
Possibilité d'être victime d'acte violent						
Peur de subir des torts						
Possibilité que l'assaillant soit jugé						

La relation causale que les chercheurs tentaient de démontrer dans cette expérience apparaît clairement dans la relation entre les variables indépendantes et les variables dépendantes. Plus précisément, on a structuré un plan d'expérimentation dans lequel on voulait démontrer qu'une forte écoute d'émissions, où le contenu illustre le triomphe de l'injustice, augmentait le niveau d'anxiété, la croyance dans la possibilité de devenir victime d'une agression, la peur de subir des torts et la possibilité qu'un agresseur ne soit pas traduit en justice. Dans ce plan expérimental, on a tenté de regrouper des séries de conditions qui, lorsqu'elles sont considérées ensemble, sont suffisantes pour produire un effet.

Nous avons aussi discuté de la notion de contrôle qui est importante à toutes les étapes du processus d'expérimentation. Examinons cette notion de contrôle, d'une part à propos du contenu des émissions et, d'autre part, relativement aux sujets de l'expérience.

L'analyse du matériel destiné à l'expérimentation nécessite un contrôle rigoureux. Plusieurs émissions visionnées par les étudiants gradués chargés d'effectuer la sélection se situaient aux confins des critères discriminant le triomphe de la justice et celui de l'injustice. Si les chercheurs avaient choisi ce type d'émissions, il est clair que cela serait devenu un facteur parasite parce que cela n'aurait pas permis de conclure à l'effet de la variable indépendante « type de contenu » sur la variable dépendante « niveau d'anxiété ». En effet, chacun des sujets peut légitimement percevoir le concept « justice » d'une manière différente pour un même contenu. Dès lors, il n'est plus possible de conclure à partir de l'effet de ce contenu puisqu'il n'est pas défini précisément et objectivement.

En ce qui concerne le contrôle expérimental relatif aux sujets de l'expérience, il est primordial que les chercheurs s'efforcent de dissimuler les vrais objectifs de la recherche aux sujets (voir chapitre treize concernant l'éthique de la recherche). Toute une série de mesures ont été prises à cet effet. D'abord, la mesure de l'anxiété préalable est implicite dans un questionnaire portant apparemment sur les attributs et les intérêts personnels. Ensuite, on a informé les sujets qu'ils participaient à une recherche sur les valeurs esthétiques reliées à l'écoute de la télévision. En plus, les sujets devaient évaluer sur une échelle de cinq points, le contenu des émissions en fonction de critères esthétiques. Cette évaluation avait pour seul but de confirmer la nature présumée de l'étude et les résultats n'avaient aucune utilité. Le questionnaire que les sujets ont rempli à la fin de la session expérimentale était orienté sur des thèmes esthétiques reliés au contenu télévisuel, mais ce questionnaire contenait aussi, bien dissimulé à travers d'autres questions, le même test de mesure de l'anxiété présent dans le premier questionnaire.

L'ensemble de ces mesures visent à dissimuler l'objectif réel de la recherche, afin de ne pas créer de facteurs parasites qui nuiraient aux résultats objectifs de l'expérience. En effet, si les sujets connaissent le but de l'expérience, ils peuvent par un comportement volontaire et subjectif, créer d'énormes biais dans l'étude et rendre celle-ci tout à fait invalide. Ainsi la relation causale sous-jacente à l'hypothèse de recherche n'aurait plus de valeur scientifique. En conséquence, la fonction de prédiction et de généralisation serait complètement invalidée. Mais cette exigence n'est certes pas sans poser plusieurs problèmes d'éthique que nous abordons dans le chapitre treize.

3. LES TYPES DE DEVIS EXPÉRIMENTAUX

L'expression « devis expérimental » réfère à un schème ou à un plan expérimental précis. Il existe une multitude de plans expérimentaux dont la complexité est très variable. Nous présenterons dans cette section quelques plans expérimentaux.

L'expérimentation se caractérise par le contrôle complet de la situation, en ce sens que le chercheur détermine avec précision qui participe à l'expérience et qui sera assigné à tel ou tel niveau de traitement, ou encore à tel ou tel groupe contrôle. C'est dans ce cas que l'on peut parler de généralisation et de relation causale entre un traitement appliqué et un effet produit.

Les généralisations s'appuient sur des présomptions concernant ce qui serait observé dans le cas où il y a traitement expérimental et cela en comparaison avec le cas où il n'y aurait pas de traitement expérimental. Dans l'exemple que nous avons présenté précédemment, on pouvait prévoir qu'il n'y aurait à peu près pas de variation dans le niveau d'anxiété entre le moment où les sujets remplissent le questionnaire pour la première fois et le moment (9 semaines plus tard) où ils le remplissent une deuxième fois *si ces sujets ne sont pas soumis* au traitement expérimental, c'est-à-dire s'ils n'avaient pas à regarder une grande quantité d'émissions de télévision. Ces sujets, dans le plan expérimental, sont assignés à un *groupe contrôle*. C'est le cas, pourrait-on dire, des sujets qui ont été assignés au groupe « faible écoute ». Le groupe contrôle est indispensable car il permet une comparaison des sous-groupes et le processus de comparaison est fondamental dans toute recherche d'évidence scientifique.

Le groupe contrôle est soumis, comme les autres sous-groupes, à un prétest et à un post-test sans toutefois être soumis au traitement expérimental. Les résultats du post-test du groupe contrôle permettent de justifier que les résultats du post-test du groupe expérimental sont réellement attribuables au traitement expérimental et non à d'autres facteurs externes à l'expérimentation.

Examinons maintenant trois plans expérimentaux différents. Voici, pour les trois plans représentés aux figures 11.2, 11.3 et 11.4 (inspirées de Ouellet, 1981), des précisions concernant la signification des symboles utilisés. D'abord, chaque rangée réfère à un groupe différent de sujets. Ensuite, chaque colonne réfère à un point différent dans le temps. La lettre « H » signifie que les sujets ont été assignés au hasard dans le groupe. La lettre « O » représente des observations ou des mesures que l'on prend. Lorsqu'il est question de « prétest » ou de « post-test », on fait référence à « O ». La lettre « X » signifie application du traitement expérimental. Enfin, la lettre « c » identifie le groupe contrôle. Pour les trois plans présentés, nous donnerons la présentation graphique et une brève description suivie de quelques commentaires.

FIGURE 11.2 **Un plan expérimental à un seul groupe avec prétest et post-test**

$$O^1 \qquad\qquad X \qquad\qquad O^2$$

Le premier plan que nous présentons est un plan faible que l'on pourrait même qualifier de pseudo-expérimental. C'est celui à un seul groupe avec prétest et post-test illustré par la figure 11.2. Ce plan à un seul groupe introduit une comparaison de mesures « O^1 » et « O^2 » avant et après le traitement « X ». On ne peut pas systématiquement conclure que les résultats de la mesure O^2 sont dus au traitement X car il n'y a pas de groupe contrôle ayant reçu les mêmes mesures O^1 et O^2. Ce plan est donc faible à cause du grand nombre de variables étrangères qui peuvent intervenir. Ces variables affectent plusieurs hypothèses rivales qui peuvent expliquer la différence entre les résultats de O^1 et O^2. En effet, entre O^1 et O^2, il peut se produire plusieurs événements dans le temps qui expliquent la différence entre deux observations ou deux mesures.

De plus, le prétest peut créer chez le sujet une prise de conscience de la situation expérimentale, ce qui pourrait changer son comportement ou sa façon de recevoir le traitement. La seule façon de vérifier l'effet du prétest est d'ajouter au plan expérimental un groupe contrôle qui recevra les mesures O^1 et O^2.

La figure 11.3 illustre un véritable plan expérimental, recommandé dans les textes qui traitent de méthodologie de la recherche. Dans ce plan, nous avons deux groupes dans lesquels les sujets ont été assignés au hasard « H ». Ces deux groupes sont donc équivalents. Chacun de ces groupes est soumis à une mesure de prétest et à une mesure de post-test. Enfin, le groupe « O^1 » subit le traitement expérimental alors que le groupe « O^3 » ne le subit pas car c'est le groupe contrôle.

FIGURE 11.3 **Un plan expérimental avec prétest, post-test et un groupe contrôle**

HO^1	X	O^2
HO^3	c	O^4

Ce plan expérimental permet d'augmenter la précision du déroulement expérimental en contrôlant mieux l'ensemble des facteurs parasites. Par exemple, les événements qui auraient pu se produire entre O^1 et O^2 auraient également pu se produire entre O^3 et O^4. Cela n'est peut être pas absolument certain mais les probabilités que des événements intrasessions se soient produits pour un groupe plutôt que l'autre sont très faibles. Il est donc légitime de postuler que les résultats de O^2 sont bien dus au traitement expérimental « X » car les prétests sont donnés au même moment dans les deux groupes et avec le même instrument. Il en est de même pour les post-tests, de sorte que le temps séparant les deux épreuves est égal pour les deux groupes. Enfin, les biais de sélection des sujets comme explication de la différence entre les deux groupes sont écartés dans la mesure où le choix au hasard « H » a assuré l'équivalence des groupes.

Examinons maintenant la figure 11.4. Ce plan diffère du précédent car il n'y a aucun prétest. Les sujets sont assignés au hasard « H » à l'un ou l'autre groupe avant l'application du traitement expérimental « X ». Dans ce cas, il n'y a pas de réaction ou de sensibilisation au traitement qui soit due à la prémesure. Le choix et l'attribution au hasard « H » des sujets aux différents niveaux de traitement suffit à écarter l'hypothèse de biais initial ou de non-équivalence des groupes. En somme, comme les groupes sont choisis et assignés au traitement par pur hasard, nous pouvons dire que ce plan est contrôlé. Ce plan est préférable dans les cas où la prémesure est difficile ou même impossible.

FIGURE 11.4   **Un plan expérimental avec seulement un post-test et un groupe contrôle**

H	X	O^1
H	c	O^2

Les deux derniers plans que nous avons présentés font preuve d'une rigueur méthodologique essentiellement parce que, dans chaque cas, il y a toujours comparaison d'un groupe qui reçoit le traitement « X » avec un groupe qui ne le reçoit pas.

CONCLUSION

Nous avons vu dans ce chapitre que les études expérimentales, contrairement aux études exploratoires et autant sinon plus que les études descriptives, nécessitent de la précision, des contrôles ainsi qu'un cadre théorique très bien articulé. Il ne faut pas oublier que les résultats d'une expérience servent, en dernière analyse à renforcer ou à diminuer la portée d'une théorie.

Les études expérimentales exigent beaucoup de travail sur la dimension méthodologique de l'expérience. Aucune dimension ne doit être négligée : sujets, consignes, plan expérimental, prétest, post-test, etc. Tous ces facteurs doivent être rigoureusement contrôlés afin d'éviter que des variables externes ou divers facteurs parasites viennent entraver la procédure et mettre en doute la validité des résultats.

TROISIÈME PARTIE

Lectures suggérées

Les lectures les plus pertinentes sont, sans contredit, les articles dans les périodiques en communication qui traitent d'études expérimentales comme celle que nous avons présentée dans ce chapitre.

Une des disciplines des sciences sociales qui utilisent abondamment la méthode expérimentale est la psychologie cognitive.

LES ÉTUDES EXPÉRIMENTALES SUR LE TERRAIN ET LEURS MÉTHODES DE RECHERCHE

OBJECTIF

Initier l'étudiant aux caractéristiques des
études expérimentales sur le terrain et le
familiariser avec les méthodes et les
procédés appropriés à ce type d'études.

INTRODUCTION

Les études expérimentales sur le terrain n'exigent pas autant de contrôle que les études expérimentales en laboratoire. Cela ne minimise pas pour autant la valeur, la portée et la rigueur de ces études sur le terrain. Les méthodes associées à ce type de recherches sont quelque peu différentes puisque le terrain constitue un environnement varié et complexe. Le rôle du chercheur est généralement plus actif; il doit « plonger » dans le milieu de son objet d'étude, c'est-à-dire qu'il doit s'impliquer davantage avec la population étudiée et éventuellement intervenir pour résoudre une situation problématique. Ce type d'études amène le chercheur à appliquer la théorie à la pratique.

Les études expérimentales sur le terrain visent globalement à vérifier l'efficacité d'un design ou d'un modèle ou encore d'une description sur un objet ou une situation communicationnelle. Dans ce chapitre, nous présenterons deux méthodes de recherche : l'*approche sociotechnique* et la *recherche-action*.

L'approche sociotechnique vise à optimiser la relation entre les humains et la technologie dans l'organisation. Le système d'intervention visé consiste à appliquer un design sociotechnique à partir d'un modèle systémique qui considère l'organisation comme un ensemble d'entités (sociales et techniques) essentiellement interreliées entre elles. Ce ne sont pas les individus que l'on analyse mais les interrelations entre les individus et on suggère ensuite, par un design ou un plan, une façon d'optimiser le travail par une meilleure compatibilité entre groupe social et technologie.

La recherche-action est une approche alternative qui vise à comprendre une dynamique en suscitant des questions autour des situations de conjoncture. Comme son nom l'indique, dans la recherche-action le chercheur est un collaborateur qui réinjecte constamment les résultats de ses recherches dans la population étudiée afin que celle-ci trouve une solution dans un plan d'action. La recherche-action s'oppose au *positivisme* qui se limite à l'observation systématique. Cette méthode s'articule vers le changement concret et palpable.

1. LES CARACTÉRISTIQUES DES ÉTUDES EXPÉRIMENTALES SUR LE TERRAIN

Les études expérimentales sur le terrain se réalisent hors du laboratoire. Le terme « terrain » est un terme qui désigne un ensemble très hétérogène : les lieux de travail, la rue, les salles de classe et le domicile, etc. sont tous des terrains où de nombreux chercheurs en sciences de la communication accomplissent une partie de leur travail.

Les objectifs les plus fréquents des recherches sur le terrain englobent les concepts « décrire, expliquer, prévoir et intervenir ». Ces concepts ne semblent pas pouvoir s'appliquer aux études expérimentales en laboratoire car il s'agit alors essentiellement de vérifier des hypothèses. Il est évident qu'à partir du moment où l'on sort du laboratoire, et quel que soit le terrain où l'on se rende, le problème principal est d'arriver à se débrouiller dans un environnement complexe. Il faut suppléer au manque de rigueur de la démarche par l'abondance des informations et aussi par une compréhension directe de la réalité.

L'expérimentation ou tout simplement l'expérience n'est pas une technique au même titre que l'observation ou l'interrogation : c'est une manière de produire des données structurées, en fonction des analyses qu'on veut en faire. L'expérience au sens général, c'est l'ensemble des acquisitions de l'esprit résultant de l'exercice de nos facultés entrées en contact avec la réalité. L'expérience, c'est aussi provoquer un phénomène dans l'intention de l'étudier, de le conceptualiser, de le vérifier et éventuellement d'intervenir.

Ce préambule sur la notion d'« expérience » vise en quelque sorte à justifier l'appellation « études expérimentales sur le terrain » car à première vue une recherche expérimentale, avec ses exigences de rigueur et de contrôle, ne semble être possible que dans le cadre d'un laboratoire. Ainsi, les caractéristiques des études expérimentales sur le terrain ne sont pas les mêmes que celles en laboratoire. Elles partagent cependant la signification du concept « expérience ».

La recherche expérimentale sur le terrain vise à *vérifier l'efficacité d'un modèle, d'un design ou d'une description sur l'objet communicationnel*. Par exemple, le chercheur développe un modèle de fonctionnement et il vérifiera, en expérimentant sur le terrain, l'efficacité de ce modèle. Cette méthode exige aussi une plus grande implication des chercheurs, qui ne se confinent pas uniquement à des tâches de recherche exécutées isolément. Le chercheur s'implique dans son milieu d'étude; il franchit le pont entre la théorie et la pratique puisqu'il va sur le « terrain » afin de faire une expérience. Le chercheur passe donc à l'action car il participe à la solution du problème en intervenant directement dans le milieu concerné.

Nous présenterons maintenant deux méthodes de recherche associées aux études expérimentales sur le terrain. La première méthode est l'*approche sociotechnique* qui constitue un système d'intervention dans le cadre des études sur l'organisation et la communication organisationnelle. La deuxième méthode est la *recherche-action* qui constitue un nouveau type de rapport entre chercheurs et groupes dans une organisation ou une collectivité. Examinons d'abord l'approche sociotechnique.

2. L'APPROCHE SOCIOTECHNIQUE

L'approche sociotechnique est un système d'intervention sur le développement organisationnel qui vise à optimiser la relation entre les humains et la technologie. Cette démarche vise à rapprocher l'humain de son travail en faisant de ses exigences de fonctionnement cognitif et émotif, des contraintes de gestion pour l'organisation.

Comme l'explique Boisvert (1980), l'essence de l'approche sociotechnique réside dans la réunion de deux éléments : la *conceptualisation de l'organisation* en tant que système et l'*optimisation conjointe des systèmes sociaux et techniques de l'organisation.* « Parler de l'organisation comme d'un système, c'est privilégier la description de l'interdépendance entre les différentes parties de l'organisation » (Boisvert, 1980, p. 24). Cette vision admet que l'organisation constitue un tout qui possède un caractère unique et distinct. On perçoit déjà que l'approche sociotechnique conçoit l'organisation comme un modèle, un modèle systémique.

Par ailleurs, le design sociotechnique ou « re-design » des structures organisationnelles est l'aboutissement naturel de tout le processus d'intervention sociotechnique. Le design sociotechnique a pour but d'*établir de nouveaux modes d'interaction au travail afin de rendre l'organisation plus efficace et la vie au travail plus humaine.* C'est donc dans ce sens que l'approche sociotechnique fait partie des études expérimentales sur le terrain car elle sert à vérifier, par un processus d'intervention, l'efficacité du modèle systémique et du design sociotechnique sur l'objet communicationnel.

2.1 L'utilisation d'un modèle systémique

L'approche sociotechnique n'est pas seulement une théorie ou un modèle de l'organisation. Elle comprend une approche méthodologique de l'organisation qui s'appuie sur la théorie générale des systèmes. Un système, selon cette théorie, est une collection d'entités en interaction des sous-systèmes. Chacun des sous-systèmes est différent du grand système qui est l'organisation et d'un autre système qui est l'environnement.

En appliquant cette théorie générale du système à l'organisation ou à tout autre objet d'étude, on parle désormais de « modèle systémique ». Dans ce modèle, l'important est l'accent mis davantage sur les interactions que sur les éléments.

Une des caractéristiques majeures du modèle systémique est la notion de « système ouvert ». En biologie, les systèmes ouverts sont ceux qui échangent régulièrement de la matière avec l'environnement afin de maintenir leurs caractéristiques. Par exemple, un être humain est un système dont les entités en interaction correspondent au fonctionnement des divers organes tels l'estomac, le foie, les reins, etc. Le corps humain est un système ouvert car il a besoin de matières extérieures à son système, comme la nourriture, et il doit aussi éliminer une quantité de matière afin de maintenir ses caractéristiques. Pour en revenir à l'approche sociotechnique, elle considère toute organisation comme un système ouvert.

L'organisation possède des « entrées » qui peuvent être des matières premières, de l'énergie, des informations. C'est tout ce qui vient de l'environnement et y pénètre pour lui permettre d'accomplir sa tâche. Les « sorties » de l'organisation sont les produits, les services, les résultats d'études, bref, tout ce qui quitte l'unité pour aller dans l'environnement. Les « frontières » se manifestent par une discontinuité dans l'espace, dans le temps ou dans la technologie utilisée. La frontière délimite aussi un « langage » ayant des particularités propres aux membres de l'unité. Ainsi, on n'utilise pas les mêmes mots à l'intérieur d'une organisation que lorsqu'on est en interaction avec une autre organisation. C'est donc une discontinuité dans les communications. Entre les entrées et les sorties, il y a des transformations qui mettent en jeu des équipements techniques et des êtres humains. Cette transformation est de nature sociotechnique.

Un système ouvert importe de l'énergie de son environnement pour accomplir sa tâche principale mais aussi pour lutter contre la tendance au désordre et pour assurer son évolution. Cette énergie se traduit donc en temps, en compétences et en moyens financiers. Un système ouvert doit aussi s'adapter aux changements dans son environnement.

Un système ouvert recherche une certaine stabilité, un certain équilibre. Pour ce faire, il maintient ses caractéristiques essentielles alors que ses éléments constituants changent. Dans une organisation, les membres du personnel, les machines, les procédures peuvent changer, et pourtant l'organisation maintiendra son identité en fournissant des produits et (ou) des services. De plus, dans une organisation, les individus évoluent en se différenciant les uns des autres par le développement de leurs qualités propres et de leur niveau de spécialisation. Ils doivent simultanément s'intégrer socialement afin de poursuivre des objectifs communs qui nécessitent la coordination des activités de chaque membre.

Enfin, une dernière caractéristique du modèle systémique est l'*équifinalité*. Les organisations (ou les systèmes ouverts) peuvent atteindre le même état final en partant d'états initiaux différents et en suivant des chemins différents. Ainsi, il n'y a pas de déterminisme absolu dans les séquences de transformations sociotechniques puisque chaque groupe semi-autonome (ou chaque unité) peut réaliser à travers des modalités spécifiques son organisation interne. Cette propriété assure plus de flexibilité aux diverses unités de l'organisation. Voilà donc brièvement en quoi consiste le modèle systémique appliqué à l'organisation. Rappelons que l'objectif de l'approche sociotechnique comme celui des études expérimentales sur le terrain est, entre autres, de vérifier l'efficacité d'un modèle sur une situation communicationnelle. Examinons maintenant comment fonctionne l'analyse sociotechnique.

2.2 Le système technique et le système social

L'approche sociotechnique conçoit l'organisation comme un ensemble d'opérations de transformation de matières premières en produits finis. L'efficacité de l'organisation dans cette optique résultera de l'optimisation conjointe des systèmes techniques et sociaux.

L'approche sociotechnique privilégie, dans le système technique, l'examen des activités de production de même que les transformations auxquelles elles donnent lieu. Un système technique rassemble les ressources matérielles, outils et machines qui modifient et produisent la matière, l'énergie ou l'information. Plusieurs auteurs soulignent l'impact de la technologie sur l'organisation du travail. La technologie se présente, selon Bright (1958) à trois niveaux : comme *source de puissance*, comme *mode d'ajustement de la machine* et comme sa *source de contrôle*. Le passage d'un niveau à l'autre est susceptible d'entraîner des changements dans les conditions de gestion et dans les comportements humains. Ainsi, la technologie constitue une condition frontière de base du système social.

Selon Woodward (1965), la technologie influence les traits caractéristiques de la structure de l'organisation. Les modes de production à l'unité exigent une faible proportion d'employés-conseils et une forte proportion d'employés de fabrication. La production de masse exige une proportion moyenne de main-d'œuvre et plus de conseillers. Il y a donc une covariation de la technologie et de la structure.

Enfin Davis (1971), qui examine les systèmes automatisés, estime que les employés sont fortement interdépendants car leurs tâches consistent à éliminer les écarts de fonctionnement. Dans ce cadre, l'employé a plus d'autonomie d'action et la surveillance des activités est moins importante.

La technologie détermine souvent la nature du travail et elle est un outil de changement social. Lorsqu'il y a automatisation, divers modes de structuration sociale au sein de l'organisation sont désormais possibles.

Le réseau social dans l'organisation est systémique. Ce système peut favoriser ou limiter les transformations à caractère technologique des intrants en extrants. Les actions humaines sont fortement interreliées particulièrement au niveau des groupes de travail. Le groupe a une identité propre qui ne peut s'expliquer par la somme des agissements individuels. Les structures sociales du travail peuvent régulariser le niveau de production. Elles peuvent constituer des conditions frontières de la technologie en encadrant ou en limitant la productivité.

Ainsi, les structures sociales et la technologie sont à la fois dépendantes et indépendantes. Leur fonctionnement est donc interdépendant et l'efficacité conjointe et optimale peut être réalisée s'il existe des choix tant sur le plan technologique que social. C'est là l'objectif absolu de l'approche sociotechnique.

L'organisation est un système ouvert influencé par l'environnement à ses « entrées », à ses « sorties » et aussi au niveau des processus de transformation. Le design sociotechnique s'intéresse à ce dernier élément. Il privilégie l'autonomie locale des composantes organisationnelles. Examinons brièvement le design sociotechnique et le processus d'intervention. L'approche sociotechnique repose sur une analogie organique plutôt que mécaniste.

2.3 Design sociotechnique

Le terme « design » est employé ici dans le sens d'une création et d'une intervention de l'homme. Boisvert (1980) affirme que le design constitue une œuvre d'art autant qu'un résultat scientifique. Ce terme désigne donc la description de l'intervention sur des structures organisationnelles résultant d'efforts de mobilisation de l'homme par l'homme.

Le design, c'est donc l'*établissement du plan de la structure qui s'insère dans le processus d'intervention*. L'unité fondamentale du design sociotechnique est située au niveau d'un ensemble de personnes plutôt que de l'individu isolé. Le design cherche à rendre un ensemble d'individus collectivement responsables d'une étape distincte du processus de fabrication.

Boisvert (1980) présente sept critères de design sociotechnique que le chercheur pourrait utiliser dans sa recherche. Le premier critère propose d'*orienter toutes les actions organisationnelles en fonction de l'optimisation du système opératoire accomplissant la tâche principale.* Ce critère sous-entend que l'action doit être justifiée par le travail et orientée vers lui. Le second critère est le *support mutuel de la technologie et du social.* C'est au niveau du groupe que l'on peut assurer une compatibilité naturelle des structures sociales et techniques. La *minimisation des variables* est un autre critère. Il s'agit de décomposer le couple technologie-social en sous-systèmes moins complexes afin d'éliminer les interactions entre les erreurs de fonctionnement des diverses étapes d'opération.

Un quatrième critère consiste à *créer des allégeances multiples.* Afin de minimiser les oppositions au changement, le design doit proposer des structures sociales flexibles, adaptables et réceptives au changement. Pour ce faire, le design suggérera que les employés soient impliqués dans des groupes de travail différents, tels que des comités de prévision, de formation, de sécurité ou de coordination. Le critère suivant est la *prédétermination minimale des caractéristiques détaillées de l'organisation du travail.* Au lieu de spécifier complètement les tâches de l'employé, ce qui le sépare des autres employés, l'approche sociotechnique propose qu'on s'y prenne différemment. Il s'agit de spécifier, pour chacune des étapes de base de transformation, les conditions et les résultats indispensables de fonctionnement en laissant aux employés responsables le soin de détailler les tâches et les rôles individuels. L'approche est donc orientée vers le processus plutôt que vers les résultats.

Un sixième critère consiste à *susciter une orientation extérieure à la direction.* Ce critère permet aux employés de se sentir vraiment responsables de leurs actions et de les prendre en charge. Cela libère le directeur du quotidien et lui permet de penser à long terme au développement social et technique de l'organisation.

Enfin, le dernier critère consiste à *assurer une compatibilité entre processus et objet du design*. Il s'agit essentiellement de favoriser le sentiment de propriété du design par les utilisateurs grâce à leur participation à sa conception. Les employés se sentiront alors familiers avec la nouvelle structure et ils en adopteront les orientations.

Nous avons maintenant une idée générale de l'approche sociotechnique et de son utilisation du modèle systémique. Nous avons aussi décrit sommairement le design sociotechnique. Nous terminerons la description de cette méthode en discutant de l'intervention organisationnelle.

2.4 **Intervention**

Traitons d'abord de l'intervenant car il joue un rôle clé dans le succès de la mise en place du design. Ce peut être un consultant externe ou une personne qui fait partie de la société ou de l'entreprise. L'intervenant peut être un technicien utilisant des compétences précises et limitées. Il peut aussi être une personne-ressource qui intervient sur le plan de la formation des membres. Il peut encore être un professionnel qui définira le problème à l'aide d'hypothèses pour ensuite le résoudre. Enfin, l'intervenant peut être un collaborateur qui participe, avec d'autres intervenants, à la résolution du problème.

L'intervenant et l'organisation s'entendent sur un *contrat* qui couvre les aspects suivants : objet et définition des responsabilités, identification précise d'un contact organisationnel, mécanismes de protection et support, possession et accès aux données, confidentialité, coût et durée.

L'intervention commence par la *phase de diagnostic* qui regroupe les activités décrivant le système cible et ses faiblesses d'opération. Il s'agit de recueillir et d'analyser les faits sur les activités organisationnelles et leurs liens réciproques ainsi que les ressources utilisées pour ce faire. On ne peut cependant accorder une importance égale à tous les aspects du fonctionnement de l'organisation. Il faut sélectionner les faits en fonction d'un problème à tester, en recueillant le point de vue respectif des principaux groupes d'intérêts de l'organisation. Le diagnostic systémique doit être fait en ayant recours à des outils capables de retracer les interactions. On suggère d'utiliser le questionnaire, l'entrevue et l'observation.

Dès que les données sont recueillies et analysées, on peut *concevoir le changement*. Il faut structurer l'étape de conception de façon telle que l'intérêt de l'utilisateur vienne l'influencer. Pour s'assurer de la contribution réelle des employés, il faut situer les raisons et les conséquences de l'intervention dans son impact sur la vie quotidienne. Ce n'est toutefois qu'au niveau de la structuration interne des unités de travail que la participation directe est recommandée. La mise en œuvre du changement provoque souvent des remous et des résistances. L'intervenant doit alors procéder graduellement et soumettre un *projet pilote.* Ce projet pilote vise à démontrer qu'il est acceptable et non dommageable sur le plan des résultats organisationnels et qu'il vise aussi à modifier la structure organisationnelle pour la rendre plus appropriée dans la résolution des problèmes quotidiens.

Déjà, à ce stade, il faut prévoir le *processus d'évaluation* mais dans une optique formative et non sommative. Cette forme d'évaluation vise non pas l'adoption ou le rejet, mais l'adaptation à l'organisation.

La période de transition doit être brève. Il faut aussi planifier la *formation* à l'accomplissement de tâches multiples pour les employés. Il sera aussi question de formation interpersonnelle car tout changement systémique modifie le jeu des interrelations et exige une prise de conscience des impacts mutuels.

Après avoir réalisé des changements, le chercheur-intervenant doit *évaluer son travail.* Il ne doit pas « geler » l'action pour la maintenir au niveau du plan original afin de pouvoir attribuer sans difficulté les effets aux « causes ». Tout au long du processus d'intervention, il doit recueillir de l'information sur les réactions des gens et sur les résultats des opérations. Ces informations serviront à la rétroaction, c'est-à-dire qu'elles seront mises à la disposition des preneurs de décision pour une éventuelle modification des plans initiaux.

Ceci termine notre description de l'approche sociotechnique. Cette forme d'étude expérimentale sur le terrain tente donc de vérifier l'efficacité du modèle systémique sur le processus d'une organisation tout entière. Cette vérification cible les changements dans les interrelations entre les individus, et entre ceux-ci et la technologie. L'approche sociotechnique tend à favoriser l'apport des travailleurs dans l'organisation. Ceux-ci, grâce à l'intervenant deviennent des collaborateurs ce qui, à toutes fins pratiques, correspond à une démarche de recherche-action. En effet, la démarche de conception et de mise en œuvre est inspirée de la recherche-action. Nous n'avons pas encore élaboré cette méthode : c'est ce que nous ferons dans la prochaine section.

3. LA RECHERCHE-ACTION

Faire des études expérimentales sur le terrain, comme nous l'avons vu avec l'approche sociotechnique, exige une implication concrète du chercheur sur le terrain. La recherche-action, est d'après Gauthier *et al.* (1984), *une modalité de recherche qui fait de l'acteur un chercheur et du chercheur un acteur, qui oriente la recherche vers l'action et qui ramène l'action vers des considérations de recherche.*

La recherche-action s'est développée en réaction au positivisme. Rappelons que le positivisme s'inscrit dans une approche qui implique que la recherche sociale doit faire de l'observation systématique, se référer à des théories, considérer les faits sociaux comme entièrement déterminés et inhiber toute présence idéologique du chercheur au profit de l'objectivité par rapport à l'objet de recherche. La recherche-action délaisse ce déterminisme pour s'orienter vers « l'articulation des théories et pratiques dans une perspective de changement social[1] ».

Il existe, théoriquement et pratiquement, diverses manières de relier la recherche à l'action et c'est pour cette raison qu'il y a une diversité de définitions, de conceptions et de pratiques de la recherche-action. Il n'y a donc pas de position unifiée concernant le rapport entre la recherche et l'action.

---

1. Gauthier, B. (1984), « La recherche-action », chap. 18, dans Gauthier, B. sous la direction de, *Recherche sociale*, Presses de l'Université du Québec, Québec, p. 459.

Goyette et Lessard-Hébert (1987) proposent un ensemble de fonctions et de finalités spécifiques à la recherche et à l'action dans le concept de recherche-action. Ces auteurs nous rappellent que ces types de fonctions ne font pas nécessairement l'unanimité chez l'ensemble des auteurs consultés.

3.1 Fonctions de recherche

Les fonctions de recherche dans la recherche-action regroupent la *fonction d'investigation*, les *fonctions charnières à la recherche et à l'action* et la *fonction critique*.

La *fonction d'investigation* se définit d'abord par la description, l'explication et le contrôle de phénomènes. Il s'agit de tendre à une réduction de l'ambiguïté des concepts, des hypothèses et des propositions. Ce qui distingue à ce niveau la recherche-action de la recherche traditionnelle c'est sa forme de contrôle des hypothèses sur les phénomènes. Il s'agit de contrôler les pratiques au lieu de contrôler l'expérience en laboratoire. L'aspect pratique vient d'abord pour ensuite passer à une formulation théorique puis à une réapplication dans une pratique meilleure.

L'interprétation est située dans une situation problématique concrète, vécue dans le temps et l'espace naturel du chercheur ou des acteurs concernés. L'interprétation peut aussi référer au diagnostic, à l'énonciation d'une problématique, à l'évaluation formative. L'explication qui suit l'interprétation pourrait se définir plutôt comme la compréhension d'une situation particulière. La mise en relation des variables se formule ainsi en termes de compréhension.

La deuxième fonction de recherche regroupe les *fonctions charnières à la recherche et à l'action*. La recherche-action met constamment en relation un système de recherche et un système d'action. La première activité est la communication. Goyette et Lessard-Hébert (1987) affirment que la communication est essentielle pour la recherche (confronter, discuter, clarifier les résultats) et pour l'action (comprendre une situation, se sensibiliser à différentes hypothèses de changement, élaborer des recommandations, décider, amorcer un processus de changement). Dans la recherche-action dite d'évaluation formative, la communication agit comme l'agent qui amorce et facilite un changement planifié. La communication intervient dans l'ensemble du processus de recherche : le chercheur transmet ses résultats aux acteurs et ceux-ci donnent en retour des informations sur leurs problèmes, leur milieu, leurs perceptions, leurs valeurs et leurs réactions au processus de recherche.

L'activité de recherche appliquée est une autre fonction charnière puisque la recherche-action introduit l'action sur les phénomènes à l'étude comme partie intégrante du processus de compréhension. Cette méthode de recherche introduit la jonction entre la théorie et la pratique. Ce lien peut être formulé en fonction de la prise de décision, à la suite d'une évaluation-description d'une situation problématique. C'est aussi l'utilisation de résultats d'autres recherches pour prendre une décision et intervenir dans une situation particulière.

Enfin, la fonction de critique se situe dans un débat épistémologique. La critique existe en tant que mouvement global de réflexion sur les sciences de l'homme, ses produits et ses processus, c'est-à-dire ses méthodologies de recherche. La fonction critique est une façon de présenter la recherche-action comme une alternative à la science positiviste. Avec la recherche-action, la compréhension d'une situation et l'élaboration de principes d'action s'opposent à l'explication par le modèle de la loi générale. De plus, dans la réalisation de l'action, le chercheur devient, avec le client, coproducteur de changement et de connaissance.

3.2 Fonctions d'action

Les fonctions d'action dans la recherche-action se regroupent principalement autour du changement et de la formation.

L'action en tant que changement social peut avoir une finalité d'adaptation et de transformation. L'adaptation est propre à la recherche gouvernementale qui est parfois axée sur l'action et a pour but d'adapter les humains à leur milieu. Il s'agit d'encourager une réflexion de changement chez les acteurs. La recherche-action transformatrice tend à susciter chez les acteurs une remise en question des présupposés idéologiques de la recherche sociale. Les propriétés de l'action dans l'optique d'un changement relèvent d'a priori idéologiques (éducation, société, politique) et socioculturels.

La formation dans la recherche-action s'oriente sur le changement individuel et social. On admet généralement que le changement social passe par le changement individuel ce qui exige l'implication du chercheur et entraîne une dimension éducative ou « rééducative » en permettant à un acteur de poursuivre son développement personnel et d'enrichir son expérience professionnelle. Elle permet donc de transférer des connaissances et des capacités en offrant à l'acteur des outils nécessaires à cette fin.

La formation consiste à encourager une certaine prise en charge en délibérant sur le changement. Le processus de formation permet au praticien d'apprendre, à partir de son action, pour mieux orienter son avenir. L'expérience de la formation permet d'élaborer une théorie qui tienne compte de son passé.

Les fonctions d'action visent donc un nouveau rapport entre chercheurs et groupes par l'expérience de la participation, de l'intervention et de l'apprentissage dialectique.

3.3 Approche méthodologique de la recherche-action

La recherche-action n'est pas vraiment une méthodologie en soi à cause de la nature diverse des problèmes généralement abordés. Une approche systémique lui convient bien. La recherche-action peut cependant utiliser d'autres méthodes de recherche avec contrôle de variables à un moment ou l'autre du processus de recherche.

On peut assigner à la recherche-action un contrôle d'hypothèse mettant en relation une variable indépendante (un traitement) et une variable dépendante (la mesure des effets). Dans ce contexte, il ne sera pas question d'une expérimentation au sens strict comme celle du laboratoire, mais d'une expérimentation sur le terrain, en milieu naturel. Les expériences menées sur des situations réelles recourent à des méthodes qui sacrifient la plupart des contrôles exercés en laboratoire (groupe choisi au hasard, groupe contrôle). Ces expériences transforment ainsi les rôles du chercheur et des sujets participants ainsi que leurs relations mutuelles.

Bruyne *et al.* (1984) présente la particularité de la recherche-action dans le contexte des études expérimentales sur le terrain par rapport à la quasi-expérimentation également utilisée sur le terrain.

– La position du chercheur : celle d'un catalyseur actif qui s'implique et non pas celle d'un observateur passif.

– Le rôle du chercheur : c'est un rôle de collaboration plutôt qu'un rôle d'analyste.

– Le but de la recherche : connaissance et pratique de la dynamique plutôt qu'explication du changement.

– Formulation de la problématique : questions conjecturales plutôt que présentation d'hypothèses explicites.

– Variables expérimentales : elles sont nombreuses, non sélectionnées et provoquées. (Exactement le contraire de la quasi-expérimentation.)

– Traitement : réactif plutôt que non réactif.

Nous terminerons cette section en présentant l'exemple d'une méthode utilisée en recherche-action : l'enquête « feed-back » (*feed-back* signifie rétroaction ou retour en arrière). Globalement, les résultats d'une enquête auprès d'une organisation sont retournés à cette population en vue d'éclairer ses prises de décision et ses actions.

L'enquête *feed-back* comprend deux volets. Dans un premier volet, les chercheurs établissent un diagnostic de la situation problématique. Un questionnaire d'enquête est administré à une population. Ce questionnaire est construit à partir d'un prédiagnostic établi par le chercheur à la suite de rencontres avec des membres de l'organisation et d'une analyse de la documentation disponible. On recueille des données quantitatives concernant les perceptions, les attitudes et les opinions exprimées par des acteurs sur une situation vécue comme problématique. Les résultats de l'enquête donnent lieu à un rapport.

Dans un deuxième volet, le rapport est remis aux membres de l'organisation. C'est la phase du *feed-back*, de l'appropriation du diagnostic. *C'est le feed-back qui joue le rôle de pont entre la recherche et l'action.* On peut alors confronter les données quantitatives à de nouvelles données qualitatives (entrevues). Sur le plan de l'action, ce *feed-back* permet de sensibiliser les acteurs à leur propre situation et de favoriser l'émergence de solutions possibles. C'est là qu'on se fixe des objectifs et que l'on se donne un plan d'action. Cette enquête *feed-back* est une forme de recherche-action car c'est une méthode de diagnostic et d'intervention dans l'organisation. Ainsi, dans l'enquête *feed-back*, l'information recueillie auprès de la population est une fonction assignée à la recherche-action, tout comme la modification des comportements est un objectif, et le *feed-back* est utilisé comme déclencheur pour l'atteinte de cet objectif.

CONCLUSION

Nous avons examiné dans ce chapitre les études expérimentales sur le terrain et deux de leurs principales méthodes de recherche. On peut affirmer que ces méthodes sont relativement nouvelles et qu'elles constituent une alternative à l'expérimentation traditionnelle.

L'usage du modèle systémique permet de comprendre d'une nouvelle façon les situations communicationnelles problématiques dans les organisations. Les méthodes que nous avons vues tentent, à différents niveaux, d'appliquer ce modèle.

L'approche sociotechnique se fonde sur la reconnaissance de l'autonomie de chaque travailleur et des apports positifs de l'apprentissage. La recherche-action est, quant à elle, en pleine expansion et développement quant à sa définition et à ses fonctions. Ces méthodes impliquent que le chercheur, par sa collaboration et son intervention, devienne un membre actif du changement souhaité.

Lectures suggérées

Le livre de Maurice Boisvert, *L'approche sociotechnique*, et celui de Michel Liu, *Approche sociotechnique de l'organisation*, constituent deux très bons ouvrages de base qui reprennent plus en détail les éléments de contenu élaborés dans ce chapitre. De plus, les chapitre VI et VII dans Liu présentent deux études sociotechniques d'un atelier de production et d'un service.

Gauthier *et al.* (1984) présentent un bref chapitre sur la recherche-action mais le livre de Goyette et Lessard-Hébert (1987) est plus complet. Les auteurs argumentent abondamment sur les concepts, les fonctions et les finalités entourant la recherche-action.

CHAPITRE

13

DÉONTOLOGIE ET
PRINCIPES D'ÉTHIQUE

OBJECTIF

Initier l'étudiant à la déontologie et aux
principes d'éthique propres aux pratiques
de recherche en communication.

INTRODUCTION

Dans ce chapitre, nous examinerons une dimension importante de la recherche : l'éthique. L'éthique renvoie aux obligations morales du chercheur particulièrement envers les sujets de la recherche. Nous verrons, bien que sommairement, que les problèmes d'éthique sont présents à toutes les étapes du processus de recherche.

Nous examinerons dans un premier temps la notion de déontologie puis de code déontologique prescrit pour les recherches en sciences sociales. Ensuite, nous ferons l'examen de quelques problèmes d'éthique tout en démontrant que le chercheur a le devoir de contribuer au progrès du savoir mais qu'il a également l'obligation stricte de veiller au bien-être des sujets de sa recherche.

En sciences de la communication, les questions d'éthique se présentent comme un devoir implicite pour les chercheurs. Ce devoir doit être respecté à partir du choix de l'objet d'étude et de la demande de subventions, jusqu'à la publication du rapport de recherche.

1. DÉONTOLOGIE

Au sens étymologique, le terme déontologie réfère à la science des devoirs. De nos jours, la déontologie impose des obligations à tout professionnel dans l'exercice même de ses fonctions. Quand une profession s'organise en corporation, elle tend à se donner un statut codifié, ou tout au moins des usages, précisant les devoirs de ses membres. Ce code de déontologie est plus ou moins développé selon les professions.

En général, ce sont les professions libérales, axées vers l'humanisme, qui se préoccupent le plus de codifier leurs règles de déontologie. Il existe par exemple, en médecine et en droit, des définitions du devoir professionnel plus explicites que dans d'autres professions. Cependant, il n'est pas de profession qui ne cherche à veiller au respect, par certaines règles considérées comme essentielles, du bon exercice du métier commun. À défaut de textes formels et codifiés, ces règles prennent à tout le moins l'aspect d'une coutume.

Dans les devoirs que l'on codifie relativement à une profession, on retrouve souvent les mots « probité », « désintéressement », « modération », « confraternité » et « honneur ». Les règlements déontologiques se limitent assez souvent à mentionner des exigences générales.

Il existe des censures morales qui visent à infliger des peines disciplinaires aux professionnels ayant manqué à leurs devoirs. On parle dans un premier temps, d'avertissement puis, si le manque est plus grave, on parle alors de blâme et de réprimande. Les peines les plus graves entraînent la suspension ou même l'exclusion du corps professionnel.

Enfin, le code déontologique est exclusif aux corporations dont les membres exercent une profession. Le conseil d'une université, par exemple, exerce un pouvoir disciplinaire à l'égard des étudiants de cette université, mais on ne parle pas alors de déontologie parce que la collectivité douée d'une justice disciplinaire n'est pas, en ce cas, la profession. Le code déontologique est un principe démocratique car la profession se donne à elle-même sa loi.

2. LE CONTENU D'UN CODE DÉONTOLOGIQUE DE LA RECHERCHE

Les chercheurs qui œuvrent en sciences de la communication, comme dans les autres sciences sociales, doivent se conformer à un code déontologique. Cependant, cet engagement est très souvent implicite car ce ne sont, comme nous l'avons vu, que les corporations de professionnels qui possèdent un code strict et formel.

L'ensemble des chercheurs suit généralement des règles de conduites professionnelles. On pourrait affirmer que l'influence des considérations éthiques s'est accentuée depuis la montée des mouvements pour les droits de la personne et la croissance de l'activité gouvernementale dans le domaine de la recherche depuis 40 ans. Les questions d'éthique ont d'abord fortement sensibilisé l'opinion publique à la suite des expériences médicales que les médecins nazis ont perpétrées durant la Seconde Guerre mondiale. Ensuite, d'autres expériences médicales plus récentes dans lesquelles des patients ont subi des dommages, imputables à l'essai de nouvelles drogues ou de nouvelles techniques chirurgicales, ont été dénoncées. Ces événements dans les sciences médicales ont donné sa force au mouvement en faveur de la protection des sujets de recherche. Les problèmes déontologiques qui se posent en sciences sociales et en sciences humaines n'en sont pas moins réels.

Le Canada, dans le cadre des programmes de subventions de recherche qu'il octroie en sciences humaines, oblige les chercheurs qui font des demandes à suivre un code déontologique de la recherche utilisant des sujets humains. Ce code déontologique s'applique à tous les cas où un chercheur intervient dans la vie des autres. Voici en résumé les points importants de ce code.

Le document spécifie en préambule que : « Le code a pour but de guider les chercheurs et les comités d'évaluation déontologique des établissements de recherche de manière à éviter les effets nocifs que pourrait exercer la recherche sur les sujets humains[1] ». Le sujet humain étant défini comme celui sur qui doit porter la collecte de données brutes.

Les droits individuels ou collectifs doivent être sauvegardés en tout temps. L'individu doit connaître la nature de la recherche et ses buts afin d'accorder ou de refuser son consentement en connaissance de cause.

Ce consentement doit être éclairé (le sujet doit connaître le but, les avantages et les inconvénients, les tâches à exécuter, les risques encourus, etc.) et il devrait être obtenu par écrit. Le

---

1. Conseil de recherches en sciences humaines (CRSH) (1988), *Subventions de recherche : guide des candidats*, Ministère des Approvisionnements et Services Canada, Annexe H.

sujet ne doit pas faire l'objet d'une pression indue et il peut se retirer du projet quand bon lui semble. La confidentialité des renseignements obtenus doit être assurée.

Le recours à la duperie (dissimuler des renseignements essentiels ou induire en erreur) ne devrait jamais être autorisé si le sujet encourt un risque. De plus, il ne faut rien cacher au sujet qui puisse l'amener à refuser son consentement.

Le code précise sous la rubrique « risques et avantages » que : « Il faut porter plus d'attention aux risques qui pourraient se présenter sur le plan des valeurs physiques, psychologiques, humaines, matérielles et culturelles qu'à la contribution possible de la recherche à l'avancement des connaissances[2] ». Le chercheur a donc le devoir de minimiser les risques que comportent, pour le sujet, la recherche et la publication des résultats.

Le chercheur a le devoir de veiller à la protection de la vie privée des sujets. Cela s'applique tant aux renseignements sur l'état physique et mental d'une personne, qu'à sa situation personnelle ou à ses relations sociales. Quant au secret et à l'anonymat, s'ils ne peuvent être gardés, le sujet devra être averti des conséquences éventuelles. Les informations qui pourraient être divulguées ou tenues secrètes doivent faire l'objet d'une entente claire entre le chercheur et le sujet.

Enfin, le comité d'évaluation doit particulièrement veiller à ce que le consentement des personnes « dépendantes » (des mineurs, personnes handicapées ou défavorisées, etc.) ne soit obtenu par des pressions subtiles pouvant invalider ce consentement. Voilà pour cet aperçu du code déontologique de la recherche utilisant des sujets humains. Rappelons que toute demande de subventions présentée par des chercheurs au Conseil de recherches en sciences humaines est soumise à ce code. Cet organisme, qui gère des deniers publics, doit s'assurer que les activités qu'il subventionne respectent les droits du public qu'il dessert.

---

2. *Op. cit.*

3. PRINCIPES D'ÉTHIQUE ET PROCESSUS DE RECHERCHE

Lorsqu'un chercheur amorce un processus d'étude, il doit respecter des principes d'éthique. Il a d'abord le devoir d'investiguer des phénomènes importants. Vis-à-vis de la communauté scientifique, le chercheur a des responsabilités spécifiques : il doit informer ses collègues des procédures suivies pour en arriver aux résultats décrits. Il ne peut pas empiéter sur les droits de la personne qui participe à la recherche. Les participants n'ont pas à être lésés ou maltraités durant une recherche. N'oublions pas que l'un des buts de la science est de servir l'humanité; une recherche qui fait du tort aux humains ou à tout être vivant tendrait à s'éloigner de cet objectif et le chercheur susciterait la méfiance à l'endroit des savants et de la science.

3.1 Le coût d'une pratique douteuse versus le bénéfice de la recherche

Le chercheur, lorsqu'il aborde une nouvelle étude devrait faire une analyse coûts/bénéfices. Cette analyse tente de prendre en compte tous les bénéfices et toutes les pertes qui en résulteront. La science et la société ont le droit de faire enquête et de savoir. D'un autre côté, chaque sujet de recherche a droit à la dignité, à son intimité et à son autodétermination.

Les problèmes d'éthique apparaissent lorsque l'on se demande si une bonne fin (l'acquisition de connaissances) justifie l'emploi de mauvais moyens (les usages douteux envers les sujets de recherche). Selltiz *et al.* (1977) prétendent que la première obligation du chercheur est de peser avec soin les possibilités, en tant que contribution scientifique, de la recherche envisagée et ce qu'il doit en coûter aux sujets de se soumettre à des pratiques discutables. Si le chercheur estime que les avantages théoriques et pratiques sont trop limités pour justifier le coût, il ne devrait pas amorcer la recherche. Si au contraire, il considère qu'il doit aller de l'avant, la décision de ne rien faire quand l'action est justifiée est aussi répréhensible, nous disent Selltiz *et al.* (1977), que celle d'agir quand l'action n'est pas justifiée.

Il est évident que la pondération des bénéfices éventuels d'une recherche et de son coût probable est nécessairement subjective. Ce processus de comparaison demeure, en dernière analyse, sous la responsabilité du chercheur seul.

Les coûts possibles pour le sujet des pratiques douteuses de la recherche comprennent, entre autres, l'atteinte à la dignité, l'anxiété, la honte, la gêne, le doute de soi, la perte d'autonomie et même la diminution du respect envers soi-même. Les bénéfices possibles d'une recherche donnée comprennent, entre autres, les progrès théoriques, une meilleure compréhension des comportements humains, le développement de connaissances pratiques pour la société et les avantages qu'en retirent les sujets de recherche, telles une meilleure compréhension de soi et d'un phénomène à l'étude ainsi que la satisfaction d'avoir apporté une contribution à la science.

L'évaluation du coût d'une pratique douteuse est relative. Des chercheurs comparent des pratiques douteuses liées à la recherche avec des pratiques semblables dans la vie quotidienne. Certains argumenteront que le stress que comporte la recherche est insignifiant en comparaison de celui rencontré dans la vie réelle. Ces mêmes chercheurs affirmeront également qu'un mensonge utilisé à des fins de recherche est bénin en comparaison du mensonge de la vie quotidienne dont le but est d'exploiter les autres en vue de gains personnels. Ces comparaisons sont valables mais elles prennent cependant le caractère de la justification du moindre mal.

L'évaluation de la gravité d'une pratique douteuse peut aussi dépendre du fait que le prix à payer sera rapidement réduit. Cet argument se base sur le fait qu'une dissimulation, que l'on peut corriger à la fin d'une expérience, serait moins grave qu'une autre que l'on ne pourrait dissiper. Nous traiterons de cette question lorsque nous aborderons la responsabilité du chercheur à l'égard des sujets une fois la recherche terminée.

Le chercheur attache évidemment, une grande importance à l'étude qu'il veut faire. Cela implique que si la recherche doit avoir recours à des pratiques discutables, le chercheur devrait consulter des membres de la communauté scientifique afin d'en arriver à une évaluation acceptable des avantages et des coûts relatifs. Il est possible de créer un comité de conseillers sur les problèmes d'éthique lorsque l'envergure et les risques d'une recherche l'exigent. À ce propos, il est utile de mentionner qu'il existe aussi des comités institutionnels formés pour assurer la protection des sujets humains. Le rôle de ces derniers consiste à assumer la responsabilité éthique et morale de l'université par exemple. Ces comités accordent l'autorisation de l'établissement concernant les aspects déontologiques d'une expérience. Ces comités ont souvent la responsabilité additionnelle de réviser périodiquement les travaux en cours pour s'assurer que des changements de méthodes de recherche n'entraînent pas de nouvelles préoccupations relatives au bien-être des sujets. Néanmoins, il ne faut pas oublier que la responsabilité déontologique du bien-être des sujets appartient au chercheur lui-même.

Enfin, lorsque la situation est incertaine, il faut toujours accorder la priorité à la dignité et au bien-être des sujets. Les conditions dans lesquelles s'effectue la recherche devraient être de celles que le chercheur accepterait de proposer à des membres de sa propre famille.

3.2 Éthique et stratégie d'étude

Les problèmes d'éthique dans le processus de recherche commencent à partir du choix d'un sujet de recherche. Un chercheur en sciences de la communication qui voudrait, par exemple, faire une étude sur la relation entre la race et le type de presse lue pourrait susciter un débat sur la pertinence du sujet et même sur son intégrité et sa compétence professionnelle. Si le chercheur suggère qu'il y a une différence innée entre les races par rapport aux activités intellectuelles, il risque d'être accusé à tout le moins de racisme. Il faut prendre pour acquis que toute société a des sujets tabous auxquels on ne touche pas impunément, que l'on soit scientifique ou non. Et ceci varie au cours de l'histoire.

Une fois le sujet arrêté, le chercheur adopte une stratégie d'étude. Qu'il choisisse d'élaborer une expérience en laboratoire ou sur le terrain, ou une étude descriptive, il fait face à certaines questions relevant de l'éthique. Dans la procédure expérimentale en laboratoire, on peut créer une situation où plusieurs variables indépendantes peuvent être contrôlées. Dans ce type d'études, les effets attendus et inattendus de la recherche sur les sujets sont sous la responsabilité totale du chercheur.

Afin d'illustrer les problèmes d'éthique possibles dans une expérience en laboratoire, nous reprendrons l'exemple de l'expérience que nous avons présentée au chapitre onze. Nous verrons qu'en modifiant certains éléments du devis expérimental, il eut été possible de provoquer des problèmes d'éthique.

On se souviendra que cette expérience visait à examiner la relation entre l'écoute de la télévision et le niveau d'anxiété des individus. À l'aide d'une échelle de mesure spécifique, les chercheurs avaient évalué le degré d'anxiété des sujets avant et après l'exposition à divers types de contenus télévisuels. Imaginez qu'un autre chercheur, voulant faire une expérience sur le même objet d'étude, décide de s'y prendre autrement pour obtenir un certain nombre de sujets ayant un haut degré d'anxiété.

Ce chercheur pourrait tenter de provoquer l'anxiété chez les sujets. Peu importe la façon dont le chercheur s'y prendrait pour susciter l'anxiété (par exemple, si ses sujets sont des étudiants, il peut leur faire croire qu'ils ont échoué à tel ou tel examen et qu'ils risquent un échec pour un cours à moins de participer à l'expérience), ce procédé serait rigoureusement contraire aux principes d'éthique. Le chercheur ne peut pas, dans cet exemple, faire des choses contraires à des principes moraux car il n'a pas le droit de créer volontairement de l'anxiété chez les sujets. Il n'a pas non plus le droit de susciter une situation mensongère en laissant croire à un échec et il peut encore moins se servir du chantage, c'est-à-dire, dans cet exemple, affirmer aux étudiants que leur participation à l'expérience annulera leur échec.

L'exemple précédent a pour but de démontrer que le chercheur ne peut pas manipuler à sa guise les sujets qui participeront à une expérience. Un chercheur n'a pas du tout le droit de créer des situations psychologiques inconfortables. Il y aurait au moins une autre façon de créer ce genre de situation inconfortable dans l'étude sur l'écoute télévisuelle et l'angoisse. En effet, le chercheur pourrait filmer les sujets chez eux à leur insu pendant qu'ils regardent une émission de télévision. Il pourrait prétendre analyser les réactions dans la physionomie des sujets et en déduire éventuellement un changement comportemental. Cette technique susciterait un problème d'éthique car il y aurait dans ce cas une violation de l'intimité des sujets. Les sujets qui apprendraient plus tard qu'ils ont été filmés à leur insu chez eux pourraient, à juste titre, se sentir lésés dans leurs droits à l'intimité.

Le viol de l'intimité des sujets est une pratique qui est moralement très discutable. Le chercheur peut violer l'intimité des sujets par différentes techniques de cueillette des données tels l'observation à la dérobée, les enquêtes par interview qui touchent à la vie intime et personnelle et *des tests indirects et camouflés au cours desquels les sujets ne sont pas conscients de ce qu'ils révèlent.*

Il arrive que l'inquiétude suscitée par l'utilisation de ces techniques ne soient pas nécessairement due aux techniques elles-mêmes, mais aux utilisations que peuvent en faire tout établissement au pouvoir. De toute façon, tout individu détient le droit de ne pas voir étalé publiquement des renseignements qui lui sont personnels. Ce droit est valable autant pour les renseignements obtenus par l'observation d'activités qu'un individu préfère ne pas divulguer, que par l'observation systématique à l'insu de l'individu.

Les études expérimentales sur le terrain peuvent également susciter des problèmes d'éthique. Prenons l'exemple de l'intervention d'un chercheur dans le cadre de l'implantation d'un design sociotechnique. Ce type d'intervention peut remettre en cause l'efficacité de certains membres de l'organisation. Cela risque donc de créer des luttes de pouvoir et chacun peut légitimement manifester de la résistance à dévoiler certaines informations de peur que cela se retourne contre lui. Afin d'éviter de susciter des craintes multiples, en regard de l'utilisation qui pourrait être faite des renseignements donnés par les membres, l'intervenant et l'organisation doivent stipuler certaines règles d'éthique à l'intérieur d'un contrat.

Il est courant de garantir, dans le contrat, l'anonymat des informateurs et la confidentialité du rapport vis-à-vis d'autres organismes et du public en général. Ceci signifie clairement que l'intervenant protège les personnes et l'image concurrentielle et commerciale de l'organisation. Il est aussi fréquent que pour toute utilisation éventuelle des informations qui dévoilerait le nom de l'organisation, l'intervenant doive recevoir l'assentiment de cette dernière.

Les études descriptives, elles aussi, peuvent présenter des problèmes d'éthique. Ces problèmes sont en général moindres car dans ce type d'études, c'est le phénomène lui-même qui est la cause principale des effets positifs ou négatifs ressentis par les sujets. La responsabilité du chercheur en ce qui concerne le bien-être des sujets est donc minime.

Cependant, dans les études descriptives, c'est parfois le recours à des techniques de cueillette d'information qui peuvent créer des problèmes d'éthique. Les enquêtes et les sondages d'opinions sont des techniques qui peuvent soulever ces problèmes. Dans le cadre d'une enquête par exemple, le chercheur peut créer un stress et rendre l'interviewé mal à l'aise dans une entrevue. Gauthier *et al.* (1984) expliquent qu'un sujet peut se sentir mal à l'aise d'être incapable de répondre à des questions auxquelles tout le monde est « censé » pouvoir répondre. De même, un vocabulaire trop sophistiqué peut ridiculiser l'interviewé.

Gauthier *et al.* (1984) expliquent aussi que le simple fait d'être associé à un échantillon dans une recherche peut causer des problèmes aux participants : « Imaginons que vous faites une recherche sur la délinquance et que vous réussissiez à établir, grâce à des informateurs ou autrement, une liste de délinquants à interviewer. Cette liste pourrait avoir un certain intérêt pour la police. Des chercheurs américains qui faisaient justement ce type de recherche se sont aperçus qu'à la suite de leur participation ces délinquants avaient reçu une autre visite, celle de la police[3] ». Cet exemple illustre l'omniprésence des problèmes d'éthique dans toutes les étapes du processus de la recherche.

---

3. Crête, J. (1984), « L'éthique de la recherche sociale » dans Gauthier, B., sous la direction de, *Recherche sociale*, Presses de l'Université du Québec, Québec, p. 211.

Le CRSH (Conseil de recherches en sciences humaines, du Canada), dans son code déontologique sur la recherche réalisée avec des sujets humains, énonce quelques règles à suivre dans le contexte des enquêtes et des sondages. Ces règles concernent la planification, la réalisation et la valeur des enquêtes-sondages; essentiellement, elles reprennent les éléments que nous avons déjà présentés. Il s'agit de règles d'éthique qui concernent l'information et la protection des répondants, l'accessibilité et la conservation des données.

Le chercheur doit donc s'assurer que la vie privée et l'anonymat des personnes qui font l'objet d'une recherche sont préservés. Le chercheur doit expliquer les buts de sa recherche afin d'obtenir un consentement en connaissance de cause. Il doit aussi donner aux sujets la garantie explicite que leur vie privée sera respectée et que l'anonymat de leurs réponses sera préservé. Enfin, les sujets doivent être avertis que les données recueillies seront éventuellement accessibles à d'autres chercheurs.

Les données recueillies lors d'une enquête-sondage sont un bien public, le chercheur ayant toutefois le droit d'être le premier à en bénéficier. Enfin, le chercheur qui confie ces données à un organisme, en mesure d'en assurer la conservation et la diffusion, devra voir à ce qu'elles ne soient utilisées qu'à des fins acceptables du point de vue déontologique.

3.3 La responsabilité à l'égard des sujets une fois la recherche terminée

Lorsqu'une recherche s'est déroulée de telle façon que les sujets ont été induits en erreur ou exposés à des pratiques douteuses, le chercheur se voit dans l'obligation de corriger cette situation dès que la recherche est terminée.

Selltiz *et al.* (1977) présentent les obligations du chercheur comme suit : il doit communiquer aux sujets ses sentiments sur la valeur potentielle de la recherche. Le chercheur doit donner une appréciation aux sujets de la contribution qu'ils ont apportée à la recherche. Il doit justifier la nécessité du recours à des moyens douteux pour l'obtention de réponses significatives à la question posée dans l'étude.

Le chercheur a aussi le devoir d'éliminer, chez les sujets, les effets consécutifs négatifs. Une expérience qui simulerait, par exemple, un conflit organisationnel entre des supérieurs et leurs subordonnés pourrait entraîner un stress relativement permanent. Une autre expérience dans laquelle des sujets sont exposés à d'énormes quantités de publicités télévisuelles pourrait susciter une certaine fatigue et un sentiment général de saturation. Dans ces deux cas, le chercheur est responsable de ces effets consécutifs et il a l'obligation morale de prévoir des mesures pour assurer le retour à l'équilibre psychologique des sujets.

Même une recherche qui n'a pas de conséquences fâcheuses comme celle sur la relation entre l'anxiété et l'écoute de la télévision comporte une obligation morale de la part du chercheur. Celui-ci doit informer les sujets des vrais objectifs de la recherche. Il doit leur dire qu'il ne s'agit pas d'une recherche sur les aspects esthétiques des contenus télévisuels mais d'une recherche sur la relation entre l'écoute de la télévision et le niveau d'anxiété.

Dans tous les cas, le chercheur doit répondre aux questions des sujets sur la recherche et il doit pouvoir maintenir ou rétablir le niveau de confiance qu'on lui vouait au début de la recherche.

4. ÉTHIQUE ET PUBLICATION

La connaissance scientifique ne repose pas sur l'opinion d'un chercheur mais sur une observation objective. La science est aussi cumulative; c'est-à-dire que les phénomènes communicationnels sont généralement complexes, de sorte qu'un chercheur progresse difficilement s'il ne peut compter sur les recherches réalisées par ses prédécesseurs.

Ainsi, un chercheur utilise les résultats de quelques autres afin d'exécuter son étude et éventuellement, communiquer et publier les résultats de sa propre recherche à travers des revues scientifiques. Ce processus s'inscrit dans : « la structure de l'entreprise scientifique occidentale [qui] exerce sur le chercheur une pression pour qu'il publie des travaux originaux sur des sujets d'importance tels que définis par le paradigme dominant[4] ».

La publication d'une recherche procure diverses gratifications à son auteur : emploi, prix, notoriété, etc. Dans ce contexte, il est possible que certains d'entre eux puissent être tentés d'introduire dans leurs publications certains biais ou parfois même une tricherie systématique. Ces biais constituent des problèmes d'éthique au niveau de la publication et ils portent atteinte à la communauté scientifique en général.

Le biais peut être le simple fait, pour un auteur, de ne citer que des références qui concordent avec son point de vue et d'ignorer les autres observations. Il y a cependant des problèmes d'éthique plus graves qui portent atteinte à l'intégrité de la communauté scientifique. Il est possible qu'un auteur rapporte des résultats d'expériences qui n'ont jamais eu lieu. Ces cas de fraude sont cependant très rares surtout si la recherche se réalise en équipe. Crête (1984) mentionne que la falsification ne peut se pratiquer que sur une partie de la recherche. Il arrive, en effet, que des assistants de recherche ou parfois des étudiants inventent des résultats pour éviter d'aller sur le terrain recueillir les données.

Il est toutefois difficile pour un chercheur de commettre une fraude dans le cadre d'une expérience en laboratoire. La parution d'un article, qui concerne une expérimentation en laboratoire, inclut généralement un *cadre théorique* (avec les références à d'autres auteurs), une *problématique de recherche*, une section qui présente la *méthodologie employée* et toute la procédure d'expérimentation, une *description des sujets* qui ont participé à la recherche, les *résultats*, l'*analyse*, l'*interprétation* et la *discussion de ces résultats*. Tous ces éléments sont présentés pour expliquer, certes, le déroulement de la recherche, mais aussi pour permettre à d'autres de reproduire, quand cela est possible, avec les mêmes techniques les résultats obtenus. Ce faisant, toute fraude dans ce contexte serait rapidement détectée par les autres chercheurs.

---

4. Crête, J. (1984), *op. cit.*, p. 213.

Il en est autrement pour ce qui est des études expérimentales sur le terrain car les observations se font dans le monde réel et il serait difficile par exemple, de reproduire les résultats d'une observation réalisée dans une organisation à un moment et dans un temps donnés.

L'auteur d'une publication est celui qui reçoit la reconnaissance auprès de la communauté scientifique. La qualité d'auteur est attribuée aux individus selon l'ampleur, l'importance et l'originalité de leur contribution. Le crédit d'auteur est attribué au chercheur qui participe à la conceptualisation, au devis et à la préparation du rapport. Si la recherche a été accomplie en équipe, on attribue la première signature au chercheur « sénior » et c'est généralement lui qui décide d'y ajouter la signature du chercheur « junior » ayant collaboré à la recherche.

Enfin, en plus de cette question de la propriété intellectuelle du rapport de recherche, il y a d'autres questions d'éthique reliées à sa publication. Par exemple, il est contraire à l'éthique professionnelle de soumettre le même manuscrit à plusieurs revues simultanément. Les auteurs peuvent être tentés de procéder à plusieurs soumissions en même temps afin d'augmenter leurs chances qu'un comité de lecture de l'une de ces revues accepte de publier le manuscrit. Si l'article est publié dans plus d'une revue, d'autres recherches qui auraient pu être publiées dans le même espace se verront privées de ce privilège.

CONCLUSION

L'éthique d'aujourd'hui dans les sciences sociales cherche globalement à garantir à tous droits et bien-être. L'éthique peut donc dans certains cas empêcher le développement de la science.

Crête (1984) raconte que l'histoire de la science présente souvent des cas où différentes formes de censure ont empêché l'éclosion de la pensée libre. Galilée, Darwin et Freud, pour ne nommer que ceux-là, ont été victimes de la censure. À travers l'histoire, la religion, l'idéologie ou la politique ont souvent censuré les idées. De nos jours, la censure s'exerce encore au nom de l'éthique.

Comme nous l'avons vu, le dilemme du chercheur, au point de vue déontologique, est de trouver un équilibre entre son obligation de faire progresser la connaissance et son devoir de protéger les participants à la recherche. Il n'y a pas de doute qu'en plus de la compétence du chercheur, son honnêteté et son intégrité sont les principales qualités qui assurent la crédibilité de ses travaux et le respect de ses pairs.

Lectures suggérées

Le chapitre 7 « Problèmes d'éthique se rapportant à la recherche sur les relations sociales » dans le livre de Selltiz *et al.* (1977) présente très bien les problèmes d'éthique relatifs aux sujets qui participent à une recherche. Bien que les exemples soient issus de recherche en sociologie, il y a néanmoins certains cas qui peuvent s'appliquer en communication.

L'annexe H de la publication *Subventions de recherche : guide des candidats*, du CRSH présente le code déontologique de la recherche utilisant des sujets humains. Tout chercheur qui demande des fonds de recherche à cet organisme sait qu'un comité examinera sa demande du point de vue déontologique en se référant au contenu de cette annexe.

LES PARCOURS CONCRETS DANS L'ÉLABORATION D'UNE RECHERCHE

OBJECTIF

Initier l'étudiant aux pratiques de la recherche en communication; lui permettre de connaître les aléas et les contraintes dans l'élaboration d'une recherche.

INTRODUCTION

Nous avons examiné, dans la deuxième partie du cours, les étapes logiques d'une méthodologie scientifique. Elles ont été présentées successivement à partir du choix d'un sujet de recherche jusqu'à l'opérationnalisation des hypothèses en passant par la définition de la problématique et le choix d'une perspective théorique.

Le procédé de recherche que nous avons présenté consiste en un nombre d'activités étroitement liées entre elles. De plus, comme nous l'avons mentionné à quelques occasions, ces activités se recoupent continuellement au lieu de se dérouler dans un ordre prescrit avec rigueur. Elles sont interreliées et interdépendantes, à tel point que la première étape d'un projet de recherche détermine en grande partie ce que sera la dernière étape.

Si l'on consulte la table des matières de quelques rapports de recherche, on a l'impression que le chercheur a effectué une suite prescrite de procédés où chaque étape présupposait que l'étape précédente avait été franchie. Il semble que la recherche a été effectuée selon un modèle très précis. Cependant, le processus de recherche ne suit presque jamais le plan d'activités séquentielles ordonné que laisse voir l'agencement des rapports de recherche. Ce processus comprend plusieurs activités additionnelles dont on fait rarement mention dans la publication de ces études.

Ce chapitre a comme objectif d'illustrer les contraintes et les aléas associés à la pratique de la recherche dans la réalité en présentant, entre autres, le va-et-vient nécessaire entre les étapes de la recherche. Tous les chercheurs sont à peu près unanimes à déclarer qu'il est très rare que l'on se trouve en présence d'une série de procédés consécutifs, au cours desquels une étape de la recherche devrait être entièrement terminée avant que ne débute l'étape suivante.

Le parcours de la recherche dans la pratique est un peu comme n'importe quel autre parcours effectué dans la vie. Il implique des obstacles, des événements imprévus, bref, différentes contraintes qui ne sont pas toujours prévisibles. C'est dans ce sens que s'oriente ce chapitre, c'est-à-dire une description des aléas dans le parcours d'une recherche.

Afin d'illustrer le mieux possible ces aléas, nous en ferons une description à travers des parcours différents pour un même sujet de recherche. Outre les exigences scientifiques de la recherche, les contraintes se présentent souvent comme des impératifs très pratiques : établissement d'un budget, matériel inadéquat, échéance serrée, problème d'éthique insoupçonné, commande inattendue ou commande pour résoudre un problème immédiat d'ordre pratique, entraînement spécial pour des assistants de recherche, phénomène observé tout à fait imprévisible, court délai pour une étape spécifique de la recherche, abandon des sujets à l'étude, etc.

1. UN SUJET DE RECHERCHE AVEC QUATRE PARCOURS DIFFÉRENTS

Afin d'expliquer les aléas dans le parcours concret d'une recherche, nous présenterons d'abord un sujet de recherche, puis nous illustrerons quatre parcours différents pour ce même sujet. Nous croyons que cette forme de présentation permet de saisir concrètement les divers obstacles auxquels les chercheurs peuvent être réellement confrontés.

Nous nous y prendrons donc de la façon suivante : nous présenterons, dans cette section, un sujet de recherche en communication organisationnelle. Dans les prochaines sections du chapitre, nous décrirons quatre parcours fictifs mais tout à fait plausibles qui peuvent être entrepris à propos de cette même recherche. Il ne s'agira pas d'expliquer, pour chaque parcours, le contenu de la recherche mais plutôt de décrire les obstacles et les contraintes qui, dans la pratique, interviennent lors de l'exécution de la recherche.

Nous avons choisi un sujet de recherche dans le domaine de la communication organisationnelle et s'inscrivant dans le paradigme interprétatif. Ce paradigme est une alternative à l'approche fonctionnaliste de l'organisation. Rappelons que ce paradigme considère l'organisation comme une construction faite par les expériences subjectives de ses membres. Selon cette approche, l'habileté à communiquer des individus leur permet de créer et de construire leurs propres réalités sociales à travers les mots, les symboles et les comportements.

Nous nous inspirerons d'une recherche de Kreps (1987) qui utilise l'approche interprétative pour le développement d'un programme de socialisation dans une organisation.

Une organisation est définie comme une collectivité sociale où les individus développent des modèles de communication ritualisés. L'apprentissage et la pratique de ces rituels constituent les conditions premières pour l'intégration des membres dans la culture organisationnelle. Cette dernière oriente le comportement des membres et leur perception de la réalité.

Le folklore dans l'organisation est une dimension importante du rituel communicationnel car il contribue fortement à la socialisation de ses membres. Le folklore réfère aux légendes qui perdurent, aux rituels, aux histoires, aux mythes et aux métaphores partagés par les membres de l'organisation. Ces éléments, décrivant l'histoire de l'organisation, sont enseignés aux nouveaux membres durant leur période de socialisation. Cela facilite l'assimilation de l'identité et de la réalité organisationnelles pour les nouveaux membres. La recherche (Kreps, 1987) dont nous nous inspirons examine le rôle de la socialisation dans l'organisation pour l'intégration des nouveaux membres dans la culture de l'organisation.

Les formes de communication dans l'organisation constituent une voie importante pour imprégner les nouveaux membres de la culture organisationnelle. Les documents de l'entreprise, le journal de l'entreprise, le rapport annuel et toutes autres formes de publications formelles contribuent à l'endoctrinement du nouvel employé. Les communications informelles du genre « C'est la façon dont les choses ont toujours été faites ici... » contribuent également à la socialisation, cette dernière étant le mécanisme à travers lequel le consensus sur la structure existante et les pratiques communicationnelles sont transférées à de nouvelles générations de participants. L'organisation doit donc développer des techniques pour optimiser ce processus de socialisation.

Les représentants d'une organisation qui ne connaissent pas les valeurs culturelles, les priorités et les buts de l'organisation, ne sont pas les plus aptes à agir dans les meilleurs intérêts de l'organisation. C'est seulement par une socialisation efficace des membres de l'organisation que l'on peut comprendre et utiliser l'« intelligence » de l'organisation dans l'accomplissement valable de son travail.

1.1 Le contexte organisationnel de l'étude

Dans cette étude interprétative, Kreps (1987) et ses assistants ont conçu un programme d'orientation dans le but d'aider l'organisation à socialiser ses nouveaux membres à la culture de l'entreprise. Les chercheurs doivent examiner la *création du sens* dans les interprétations que font les membres de l'organisation à propos de l'entreprise et essayer de transmettre ces interprétations aux nouveaux membres par la création d'un outil communicationnel.

L'organisation dont il est question ici est la compagnie RCA (compagnie spécialisée dans le secteur de l'électronique, des disques, etc.). Au début de la deuxième moitié des années quatre-vingt, la compagnie décide d'attaquer le marché de la vidéo commerciale. La division responsable du développement du vidéodisque connaît un essor et une expansion très importants. D'énormes quantités de recherches, de plans et le développement de nouveaux produits ont entraîné l'embauche d'un grand nombre de travailleurs.

La compagnie a fait face à une situation unique car le nombre des travailleurs, dans la division du vidéodisque, a dû passer de 300 à plus de 900 en une période de quelques mois. Les méthodes traditionnelles pour orienter les nouveaux employés dans la compréhension des opérations, des buts et de la culture de l'organisation se sont révélées inadéquates. En conséquence, plusieurs nouveaux employés se sont sentis confus par rapport à leurs rôles dans l'organisation, à la nature du produit sur lequel ils travaillaient, ainsi qu'à propos de l'histoire et de la philosophie de l'entreprise.

La tâche du chercheur consiste, dans ce contexte, à découvrir la logique sous-jacente et les légendes qui ont permis d'élaborer le folklore de la division du vidéodisque à RCA. Ensuite, il s'agit de recréer ce folklore organisationnel dans une forme éducative qui serait utilisable par l'employé.

La recherche se doit d'investiguer (outre les documents formels de l'organisation) par une étude descriptive (techniques d'observation et entrevues) les symboles significatifs qui ont construit la culture organisationnelle et traduire cette recherche descriptive dans un scénario. Ce dernier doit se développer à travers un outil d'orientation qui prendra la forme d'un vidéo destiné à éduquer les nouveaux membres à propos de la logique et des légendes reliées à la culture organisationnelle de la division du vidéodisque de RCA.

Voilà donc globalement en quoi consiste cette recherche. Nous présenterons quatre parcours différents de recherche afin d'illustrer les aléas dans la pratique de la recherche.

2. PREMIER PARCOURS

Imaginons pour ce premier parcours, que le mandat d'accomplir la recherche décrite est confié à un chercheur du département de communication d'une université québécoise.

Le chercheur en question est reconnu pour sa compétence dans l'approche interprétative de la communication organisationnelle à cause de ses nombreuses publications dans ce domaine. C'est pour cette raison que l'organisation l'a approché pour effectuer l'étude. Le chercheur est sincèrement flatté par cet intérêt constituant pour lui une marque de reconnaissance internationale et il manifeste son accord à certaines conditions. Puisque l'entreprise est située aux États-Unis, il exige un budget de déplacement et de séjour pour lui et pour quatre de ses assistants de recherche car il tient absolument à engager la moitié des assistants (8 en tout) parmi ses propres étudiants.

Cette mise en situation, un peu particulière, implique une première contrainte à l'élaboration de l'étude. La première contrainte exige que dans un premier temps, le chercheur fasse une sélection de tous ses assistants de recherche (dans son propre département et à l'université voisine de l'entreprise) et par la suite, organise un entraînement spécial pour tous ses assistants de recherche.

Cette contrainte entraînera un certain retard dans l'exécution de la recherche car les assistants recrutés à l'université américaine doivent se familiariser avec la méthode du chercheur et avec ses habitudes de travail. Il faut comprendre qu'un retard dans une des étapes de la recherche entraîne souvent des conséquences sur toutes les autres étapes. Puisqu'en général toutes les recherches doivent être complétées dans un délai raisonnable, sinon à une échéance précise, un retard dans ses préparatifs exige parfois de court-circuiter certaines étapes. Le type de recherche dont il est question ici exige une échéance précise car l'objectif de l'entreprise, rappelons-le, est de produire un outil de socialisation pour les nouveaux membres de la division du vidéodisque, puisqu'ils doivent être productifs le plus rapidement possible et qu'on choisira parmi eux le personnel pour les prochaines années. Ces nouveaux membres sont engagés pour une période de quelques mois seulement. Il faut donc que cet outil soit opérationnel pour une date très précise.

La situation pousse donc le chercheur à précipiter l'étape de la cueillette des données. Il élaborera un cadre théorique plus tard. Il doit recueillir les données avec ses assistants sur le terrain le plus tôt possible car les vacances de Noël approchent et les nouveaux employés seront embauchés à la fin du mois de janvier. Une autre raison pousse le chercheur à recueillir les données le plus tôt possible : la période qui précède le congé de Noël est propice à l'examen du folklore organisationnel. Il y a dans presque toutes les organisations, durant cette période, quelques fêtes, cocktails, échanges de cadeaux, bref une ambiance d'allégresse qui permet de faire ressortir les histoires, les mythes, les légendes les plus typiques de la culture organisationnelle. Dans ce contexte, le chercheur entame avec ses assistants la cueillette des informations sous forme d'observations non participantes et d'entrevues semi-ouvertes.

Précisons que le chercheur planifie deux phases de collecte des données. Premièrement, puisque le moment s'y prête, saisir la culture organisationnelle relative à la fête de Noël par des extraits de films et quelques entrevues avec des questions ouvertes. Le chercheur obtient donc l'autorisation de filmer des extraits de quatre fêtes particulières : le cocktail des chefs de division et des cadres supérieurs, la fête organisée pour l'ensemble des ingénieurs, la soirée des ouvriers d'usine et le dîner des employés de bureau. Avant le début de chacune de ces fêtes il réalise, aidé de ses assistants, quelques entrevues avec au moins un représentant de chacun de ces groupes.

La deuxième phase de la collecte des données consiste à analyser les documents formels de l'organisation, puis à préparer une autre séance d'observation non participante mais cette fois, dans le contexte du travail, immédiatement après les vacances de Noël. Il s'agit alors d'observer les cadres, les ingénieurs, les ouvriers et les employés de bureau dans leurs tâches quotidiennes. Les données recueillies seront par la suite réorganisées dans un script afin de dégager un portrait culturel et folklorique global de cette division de l'organisation.

Ainsi, les aléas dans le parcours de cette recherche se présentent sous deux formes. D'abord un prolongement nécessaire de l'étape de la formation des assistants de recherche et conséquemment une certaine urgence dans la cueillette des données à cause du congé des fêtes de Noël. Ensuite, cette situation imprévisible pousse le chercheur à prendre la décision de recueillir les données durant les festivités qui précèdent le congé de Noël. Cela permettra de recueillir des données très riches quant à la nature de la culture organisationnelle.

3. **DEUXIÈME PARCOURS**

Dans ce deuxième parcours, nous imaginons que ce même projet de recherche est attribué à une firme privée. Le chercheur « sénior » de cette firme connaît bien le domaine de la communication organisationnelle. Il reçoit donc la commande de concevoir un outil de socialisation pour les nouveaux membres de la division du vidéodisque de RCA.

En examinant le devis de la commande, le chercheur identifie rapidement une contrainte majeure : le budget alloué à la recherche est insuffisant. Cette contrainte en entraîne plusieurs autres, mineures, qui exigent une préparation minutieuse se distinguant de l'élaboration normale d'une recherche. Un bon chercheur doit apprendre à gérer intelligemment un budget de recherche. Si les sommes consenties sont insuffisantes, il doit faire des coupures à différents endroits, c'est-à-dire d'abord au niveau du personnel rémunéré car cela représente souvent plus de la moitié du budget et ensuite au niveau du matériel et dans les dépenses relatives à la cueillette des données.

Cette contrainte budgétaire est cependant accompagnée d'une échéance plutôt large. Le chercheur décide donc de n'engager éventuellement que quelques assistants de recherche pour une très courte période de temps. Il choisit d'abord de consacrer beaucoup de temps et d'énergie à développer un bon cadre théorique en analysant en profondeur tous les documents formels de l'organisation (rapports annuels, journal interne, pamphlet publicitaire, documents de relations publiques, feuillet syndical, etc.) afin de très bien se familiariser avec les caractéristiques de la réalité organisationnelle. Puis, il délimite et précise une problématique spécifique et élabore des questions de recherche très précises afin de pouvoir effectuer une cueillette de données le plus rapidement et le plus efficacement possible.

Dès que le chercheur a clairement défini les concepts et les variables qu'il veut investiguer, il prépare, en convoquant ses assistants, la cueillette des données. Les contraintes budgétaires exigent que cette étape spécifique du processus de recherche se réalise dans le plus court laps de temps possible.

Le chercheurs ont prévu réaliser la cueillette des données en deux jours. Une première journée sera consacrée aux entrevues avec des représentants de divers services de la division du vidéodisque. Durant cette première journée, ses assistants feront de l'observation non participante dans l'usine. Ils prendront des notes selon une grille préétablie et des critères assez précis. La deuxième journée sera consacrée à l'observation de l'ensemble des bureaux.

Généralement, la technique de l'observation non participante consiste à noter à peu près tout ce que l'on observe et qui est considéré pertinent ou significatif au point de vue de la culture organisationnelle. Cependant, dans ce cas-ci, étant donné la contrainte budgétaire qui implique une période de récolte des données beaucoup plus courte, le chercheur a préalablement élaboré une grille d'analyse. Les assistants n'ont qu'à cocher certains éléments lors de leur observation tout en ayant la liberté d'y ajouter quelques commentaires lorsque la situation le justifie.

Ce procédé « accéléré » de cueillette des données permettra aussi d'effectuer une analyse plus rapide des données. En effet, il est toujours plus facile et moins long d'analyser des données déjà codifiées (ou du moins codifiées en grande partie) que d'analyser des données parfois hétéroclites de nature qualitative.

On peut dégager de ce deuxième parcours un certain nombre de choses. D'abord, l'impact de la restriction budgétaire sur une recherche peut provoquer des contraintes sur plusieurs plans (sinon sur tous les plans). Cela peut se répercuter sur le traitement des données, sur la construction de l'outil de socialisation ou encore sur le transport, l'achat de matériel, etc.

Dans cet exemple, nous avons choisi d'illustrer l'impact que peuvent entraîner des restrictions budgétaires quant aux salaires attribués aux assistants de recherche (moins de temps de travail) sur le processus de la recherche. Cela se répercute inévitablement sur la quantité et peut-être aussi la qualité des données recueillies en raison de la courte période allouée à cette activité. Les contraintes budgétaires ont obligé le chercheur à approfondir sa problématique et à raffiner la mesure qu'il entend utiliser. Cela l'a conduit à modifier la technique de cueillette des informations afin de diminuer la quantité de travail à effectuer pour analyser ces données.

4. TROISIÈME PARCOURS

Le troisième parcours, toujours pour la même recherche, consiste en une commande émise par l'organisation à son service interne de recherche et conjointement à son département de relations publiques. Les contraintes relèvent d'abord d'un phénomène quelque peu imprévisible et par la suite d'un certain problème d'éthique.

Le service interne de la recherche est composé de deux chercheurs qui sont assez familiers avec le domaine de la communication organisationnelle. Quant au service des relations publiques, ses représentants connaissent très bien l'ensemble de la documentation formelle de l'organisation. Les deux services tentent, tant bien que mal, d'élaborer ensemble une stratégie de recherche. Une légère lutte de pouvoir s'installe entre les deux groupes à propos de « la façon de faire » cette recherche, surtout à l'étape de la cueillette des données. Le service de recherche estime qu'il faudrait faire appel à des consultants externes pour effectuer les entrevues alors que le service des relations publiques n'en voit pas l'utilité. Les chercheurs du service interne expliquent au personnel des relations publiques qu'il est important d'effectuer une reconnaissance préalable du terrain et de s'assurer ainsi de la « faisabilité » du travail. Il est important, poursuivent les chercheurs, de repérer les points d'appui possibles ou assurés, les interlocuteurs privilégiés ainsi que les obstacles et les zones de résistance. On décide donc, ensemble, de réaliser un prétest afin d'évaluer la pertinence de cette suggestion.

Après avoir élaboré quelques questions du type « Parlez-moi de votre expérience avec cette entreprise... » et « Que savez-vous de l'histoire de votre organisation? », un des relationnistes réalisera trois entrevues servant au prétest. Une des entrevues est réalisée auprès d'un cadre supérieur, l'autre avec une secrétaire de bureau et une dernière avec un ouvrier de l'usine. Ces entrevues ont été filmées, puis les chercheurs et les relationnistes les ont analysées. Les premiers n'étaient pas du tout satisfaits alors que les seconds trouvaient le contenu tout à fait acceptable.

Les chercheurs ont estimé qu'il y avait là un phénomène imprévisible et qu'il fallait tout mettre en œuvre pour le contourner. Les relationnistes trouvaient au contraire que les résultats des entrevues étaient excellents car les gens interrogés projetaient une image très favorable de l'entreprise. C'est justement cette image uniquement favorable de l'entreprise qui constitue, aux yeux des chercheurs, un phénomène imprévisible et non désirable. En effet, l'objet de la recherche n'est pas de produire, affirment les chercheurs, un outil ou un vidéo pour le département des relations publiques qui constituerait un outil promotionnel. Il s'agit de montrer l'organisation telle qu'elle est, c'est-à-dire à travers un document neutre incluant les aspects favorables et défavorables de la division du vidéodisque. Les aspects négatifs de l'entreprise doivent être inclus car ils reflètent les perspectives de certains membres de l'organisation. L'identification de problèmes dans l'organisation rend le document plus réaliste.

De plus, les chercheurs ont reproché aux relationnistes d'orienter leurs entrevues de façon à ce qu'il n'y ait aucune controverse possible. Ce manque d'objectivité ne renvoie pas un portrait juste de la culture organisationnelle. Cet élément de discorde a suscité de nombreux débats et une véritable lutte de pouvoir s'est amorcée.

Les relationnistes ont reproché aux chercheurs de vouloir à tout prix véhiculer une image négative de l'entreprise alors que les chercheurs reprochaient aux relationnistes de vouloir « redorer leur blason » auprès de la haute direction en réalisant des entrevues où l'accent était mis sur les grandes qualités du cadre supérieur. Les chercheurs concluent qu'il y a là un problème d'éthique qui fait perdre de sa validité à la recherche et que l'on doit par conséquent trouver une alternative. Ils ajoutent enfin que les ouvriers et les employés de bureau que l'on interroge ou que l'on observe peuvent manifester de la résistance face aux relationnistes, de peur de subir certaines conséquences désagréables.

Après de longues discussions, la nécessité d'une décision s'imposait afin de ne pas effectuer le travail sur le terrain trop tardivement, le moindre contretemps pouvant remettre en cause le calendrier prévu. On décide donc de confier tout le travail sur le terrain (entrevues et observations non participantes) à des consultants externes.

Les consultants externes en général, et les chercheurs en communication organisationnelle en particulier, sont mieux formés pour identifier et utiliser les informations culturelles que le département des relations publiques parce qu'ils peuvent mieux découvrir et analyser ces données culturelles. Le consultant externe apporte une certaine naïveté dans l'examen d'une organisation qui lui permet d'identifier des aspects culturels que des membres de l'organisation prennent pour acquis. En somme, le consultant externe peut présenter la culture organisationnelle d'une manière plus impartiale que le personnel des relations publiques.

Nous avons vu dans ce parcours que les luttes de pouvoir peuvent constituer des aléas possibles dans la pratique de la recherche. Les problèmes d'impartialité et les problèmes d'éthique montrent qu'il est préférable de confier ce genre d'étude à des consultants externes.

5. QUATRIÈME PARCOURS

Dans ce dernier parcours, l'organisation offre la commande à une firme privée de recherche. Cette firme a développé une expertise dans le domaine du film vidéo. Quelques chercheurs de cette firme sont aussi familiers avec la recherche interprétative. En examinant le mandat, les chercheurs de cette firme décident de mettre l'accent sur le développement d'un outil pour le programme de socialisation de la division du vidéodisque à RCA.

Ainsi, dans ce parcours, on insiste dès le départ, non pas sur l'habileté des assistants de recherche à exécuter une cueillette pressante des données, à gérer un budget restreint ou encore à envisager un problème d'impartialité des observateurs, mais sur l'outil communicationnel qui servira à l'orientation culturelle des nouveaux membres.

Les chercheurs ont la possibilité d'accéder à du matériel très adéquat et très moderne pour tout ce qui concerne la vidéo. Ils décident donc d'examiner, dans un premier temps, la situation problématique et de conceptualiser un canevas pour l'outil de communication. Après avoir développé quelques esquisses et un premier synopsis, on décide d'orienter la cueillette des données en fonction de ce synopsis.

Le chercheur responsable engage plusieurs assistants et décide de tout filmer, c'est-à-dire autant les entrevues que les activités quotidiennes des membres de l'organisation. On prévoit que la cueillette des données devrait durer près d'une semaine et avec l'accord de l'organisation, l'équipe de recherche s'implante dans l'organisation avec un imposant dispositif vidéo. Dans ce contexte, l'équipe de recherche ne passe pas inaperçue : l'entreprise semble transformée en plateau de tournage cinématographique (matériel vidéo, plusieurs caméras, perches sonores, système d'éclairage, régie centrale, etc.).

Après deux jours, le chercheur doit se rendre à l'évidence : l'imposant matériel vidéo provoque une importante résistance de la part des acteurs de l'organisation. Au lieu de capter naturellement les activités culturelles quotidiennes de l'organisation, l'équipe de chercheurs est en train de créer une situation tout à fait artificielle. Les membres de l'organisation s'efforcent de « bien paraître » sous l'œil inquisiteur de la caméra. Le naturel disparaît et l'instrumentation servant à capter le portrait de l'entreprise constitue désormais un biais méthodologique de taille.

Le chercheur avait prévu cette possibilité mais il ne croyait pas que la mise en scène imposée par le matériel vidéo provoquerait un si grand malaise. Il était persuadé qu'un certain nombre d'acteurs garderait leur « naturel » malgré ce contexte particulier. Il doit réagir rapidement afin d'atténuer cette contrainte. Il décide donc de réduire l'équipe d'assistants et de conserver le minimum d'équipement vidéo. De cette façon, la présence de l'équipe des chercheurs sera plus discrète et les membres de l'organisation pourront continuer à vaquer à leurs activités quotidiennes.

Ce changement dans l'approche de l'équipe de chercheurs aura des répercussions sur la conception du produit final. Le chercheur doit modifier le choix des données qu'il veut recueillir. Il n'y aura plus seulement du film vidéo, on devra insérer des photographies et des graphiques et l'ensemble du produit final sera présenté par un narrateur externe à l'organisation.

Ce parcours a la particularité suivante : le début des étapes de la recherche n'est pas d'une nature théorique mais essentiellement pratique. La contrainte principale dans ce cas-ci est la présence trop voyante de l'équipe (et de son matériel) chargée de recueillir les observations et les divers commentaires des membres de l'organisation.

CONCLUSION

Les différents parcours que nous avons présentés dans ce chapitre sont fictifs mais ils n'en sont pas moins plausibles. Parmi les aléas possibles dans un parcours de recherche, les plus fréquents sont reliés à la cueillette des données. C'est à cette étape qu'il y a le plus d'imprévus. Quand on décide d'observer des données sur le terrain, il est primordial d'effectuer une reconnaissance préalable du terrain à investiguer. C'est souvent à cette étape que l'on peut s'assurer de la « faisabilité » du travail.

Toutefois, les contraintes associées à la pratique de la recherche peuvent se situer à différentes étapes et il y a toujours une possibilité de rencontrer des événements imprévus. C'est pourquoi il faut planifier dans les moindres détails tout le parcours de la recherche.

Lecture suggérée

Il n'existe pas à notre connaissance de livres ou d'articles concernant les aléas dans la pratique de la recherche. Cependant, si vous consultez des thèses de doctorat, des mémoires de maîtrise et des articles publiés dans les périodiques en communication, vous pourrez parfois remarquer que dans la section intitulée « Méthodologie », il y a des précisions concernant certains problèmes rencontrés par les chercheurs dans l'exécution de leur recherche par rapport aux sujets, au budget ou à d'autres événements inattendus.

LA RECHERCHE EN COMMUNICATION AU QUÉBEC

OBJECTIF

Initier l'étudiant à l'historique, aux courants
théoriques, à l'évolution et à l'état de la
recherche en communication au Québec.

INTRODUCTION

Dans ce dernier chapitre, nous ferons un survol de l'état de la recherche en communication au Québec. Nous ne présentons pas un portrait exhaustif de l'appareil de recherche en communication; nous nous contentons de tracer un historique de la recherche en dégageant la phase d'émergence, puis la phase d'institutionnalisation, et enfin nous aborderons la recherche dans les entreprises privées.

Après avoir rapidement examiné comment s'organise la diffusion des recherches, nous verrons quels sont les principaux courants théoriques qui ont marqué le développement de ces études communicationnelles.

La deuxième grande section du chapitre décrira l'évolution de la recherche en communication dans le contexte des innovations technologiques. Cette perspective permet de voir le lien entre la recherche et les périodes d'innovations et d'implantations technologiques. Nous verrons également à travers cette évolution les effets socio-économiques et politiques qui ont influencé le développement de la recherche en communication au Québec.

1. HISTORIQUE DU DÉVELOPPEMENT DE LA RECHERCHE EN COMMUNICATION AU QUÉBEC

Lacroix et Lévesque (1985) nous expliquent que deux phases ont marqué la structuration de la recherche en communication au Québec. Une première phase d'émergence (1957-1967) est caractérisée par les transformations de la société québécoise durant la Révolution tranquille. Cette période fut un important moment de réflexion sur les communications sociales. La généralisation de la télévision et la concentration de la propriété des médias suscitent de nombreux commentaires dans les revues culturelles et politiques de l'époque, telles que *Cité Libre*, *Liberté*, *Parti Pris* et *Socialisme*. Au même moment, le Centre catholique national, le service des recherches de Radio-Canada et le CROP (Centre de recherches sur l'opinion publique) constituent les principaux lieux de recherche sur les communications sociales. On observe aussi quelques recherches universitaires.

Les premiers lieux spécialisés de recherche en communication apparaissent à la suite de la mise en place, au Québec, de l'État interventionniste au sein duquel les médias et la recherche sociale appliquée détiennent un rôle très important. Lacroix et Lévesque (1985) prétendent que deux facteurs expliquent le surgissement de ces lieux spécialisés : la rapide généralisation de la télévision et l'affirmation du processus de privatisation de la radiotélévision. Avec l'arrivée du CROP (première firme privée), en 1965, s'achève la période d'émergence.

La deuxième phase est celle de l'institutionnalisation (de 1968 à aujourd'hui). Cette phase se subdivise en deux temps. D'abord, de 1968 à 1974, c'est la demande de recherches provenant de l'État qui joue le rôle déterminant, et de 1975 à aujourd'hui, la demande provenant de la marchandisation du culturel s'ajoute à celle du contrôle social.

Le domaine des communications sociales devient un enjeu et contribue à une prise en charge formelle des études en communication. Outre l'omniprésence de la télévision qui suscita des études sur les effets de l'écoute de ce média et le contenu des émissions, la constitution des réseaux et le développement de la concurrence imposa peu à peu l'idée que la communication concernait désormais un ensemble de médias, de techniques et de pratiques s'articulant en un réseau global d'information-communication à travers la société québécoise. Cet impact de la communication se propagea aux niveaux social, politique et économique et amena progressivement une forme d'institutionnalisation du champ des communications.

1.1 La recherche institutionnalisée

L'État fut le rouage principal de cette institutionnalisation. L'apparition des ministères des Communications, fédéral et provincial, consacra la prise en charge étatique de la diffusion et de la réglementation ainsi que de la gestion centralisée.

Le ministère des Communications du Québec (MCQ) a connu une croissance très rapide marquée, dans les années soixante-dix, par des énoncés politiques affirmant la nécessité pour le Québec d'avoir sa propre politique en matière de communication. Les efforts de recherche de ce ministère portent surtout sur les nouvelles technologies (*Bâtir l'avenir*, MCQ, 1982 et *Un futur simple*, MCQ, 1983). Cet axe de recherche est traversé par des considérations d'ordre économique dont le but est la description des conditions de développement des communications au Québec ainsi que l'assurance d'une appropriation et d'un contrôle.

Le ministère des Communications du Canada (MCC), fondé en 1968, consacre ses principaux efforts de recherche aux nouvelles technologies avec un accent sur le développement d'instruments et de technologies (applications spatiales et télécommunications, Télidon). Le MCC oriente également ses recherches dans le domaine économique. Les études sur les stratégies de commercialisation du matériel de télécommunication, sur les entreprises de télécommunications et sur l'industrie de la production illustrent ce type de recherches.

En même temps que furent fondés les ministères des Communications, on a créé le CRTC (Conseil de la radiodiffusion et des télécommunications canadiennes) qui est chargé de réglementer et de « surveiller » les communications au Canada. En plus de cette tâche, le CRTC effectue des études d'auditoire, de contenu des émissions et de programmation. Les problématiques de ces études sont largement déterminées par le mandat « politique » du CRTC qui consiste à travailler pour l'unité canadienne.

Les appareils de diffusion constituent un autre apport important à l'institutionnalisation de la recherche en communication. Le service de la recherche de Radio-Canada a d'abord effectué des recherches fonctionnelles ou administratives puis des recherches sur l'auditoire. Ce service fut, dans les années soixante, une véritable école pour ceux qui décidèrent de fonder des firmes privées. Il y a aussi le service de la recherche de Radio-Québec qui a effectué des études dans trois ordres de préoccupations : l'auditoire, la définition de la télévision éducative et les politiques d'information.

La recherche institutionnelle s'est aussi développée dans les départements universitaires. D'abord au collège Loyola en 1965 (aujourd'hui « Concordia »), puis à l'Université Laval en 1968 et en 1972 à l'Université du Québec à Montréal. L'Université de

Montréal et l'Université McGill offrent un programme de maîtrise en 1974 et McGill offre le programme de doctorat en 1976. L'UQAM, l'Université de Montréal et Concordia ont depuis peu mis sur pied un programme de doctorat conjoint en communication. Salter (1983) affirme que les départements anglophones sont surtout influencés par la culture, la littérature et la rhétorique alors que les départements francophones sont alimentés par des sciences humaines comme la sociologie. La recherche universitaire a été marquée par des analyses de contenu d'une part, et par les effets psychologiques, pédagogiques, culturels et économiques des médias d'autre part. Aujourd'hui, plusieurs des recherches sont orientées autour de l'impact des nouvelles technologies.

1.2 La recherche dans les entreprises privées

Les firmes privées de recherche en communication au Québec sont principalement CROP (Centre de recherches sur l'opinion publique), Sorecom (Société de recherche en sciences du comportement) et Multi-Réso. CROP se spécialise dans les enquêtes sur l'écoute de la télévision (CROP, 1977), mais aussi sur l'industrie cinématographique québécoise (Biro et CROP, 1981), sur le comportement des Québécois en matière d'activités culturelles de loisir (CROP, 1983), et sur les études de marché et de marketing. Sorecom a réalisé, entre autres, une évaluation de l'expérience de la télévision éducative (Sorecom, 1970), une analyse des modes et des coûts de distribution de la presse écrite au Québec (Sorecom, 1978). Multi-Réso a réalisé une enquête sur les Québécois et la télévision (Multi-Réso, 1980) et des analyses sur la rentabilité de la télévision payante (Gousse et Lafrance, 1982). Enfin, mentionnons que Cegir et Secor sont d'autres firmes privées qui font, à l'occasion, des recherches sur les communications.

1.3 Les instruments de cohésion pour la diffusion de la recherche

Les instruments de cohésion ont été mis en place afin d'assurer la circulation d'informations sur les recherches et les publications effectuées dans les sciences de la communication. Nous avons présenté ces instruments d'ordre bibliographique dans le chapitre six (bibliographies, périodiques, annuaires, etc.). Cependant, il nous paraît important de souligner ici l'apport particulier de la revue *Communication et information* qui constitue un des instruments de diffusion universitaires parmi les plus importants. Publiée en 1975, la revue a fait paraître plus de 100 articles de fond et elle joue ainsi un rôle moteur dans l'unification disciplinaire de la recherche en communication au Québec. Il faut aussi mentionner la série des *Working Papers in Communication* du département de communication de l'Université McGill et *The Canadian Journal of Communication*.

Les autres instruments qui participent au développement de la cohérence du champ de recherche en communication, sont les revues *En quête* du MCC, *Antenne* et *Bulletin de Communication* du MCQ, et *Bulletin CROP* de la firme privée du même nom. Ce tableau sommaire doit inclure l'Association de recherche en communication du Québec (ARCQ). Fondée en 1980 par le milieu universitaire, gouvernemental et privé, l'ARCQ a l'objectif d'organiser la concertation entre ses membres par un bulletin de liaison et par son congrès annuel présentant des thèmes d'actualité québécoise.

2. LES COURANTS THÉORIQUES DE RECHERCHE EN COMMUNICATION AU QUÉBEC

Lacroix et Lévesque (1985) affirment qu'il est difficile de recenser d'une manière exhaustive l'ensemble des sujets qui ont été traités au Québec dans les sciences de la communication. Cependant, il est possible de présenter les principales tendances théoriques de la recherche.

Tous les courants théoriques sont présents dans la recherche au Québec et cela s'explique en partie par les antécédents des chercheurs en communication. En effet, ceux-ci se répartissent ainsi : près d'un tiers des chercheurs proviennent des sciences sociales et les autres se répartissent entre les sciences de la communication, la psychologie, les lettres et les autres disciplines comme l'administration, l'éducation, l'histoire et la philosophie.

Au point de vue théorique, Lacroix et Lévesque (1985) ont identifié les cinq courants suivants.

1. **Le courant fonctionnaliste**
   D'inspiration américaine et porté par la sociologie, ce courant a inspiré des travaux sur la fonction des médias, leur influence, leurs effets ainsi que des recherches sur le changement social.

2. **Le courant néo-behavioriste ou « Uses and Gratifications »**
   Également d'inspiration américaine, ce courant apparaît comme un renouvellement du fonctionnalisme car il s'intéresse à l'utilisation que font les gens des médias. La montée soudaine des firmes de recherche sociale appliquée et les demandes d'études des besoins de l'État expliquent la montée de ce mouvement.

3. **Le courant du structuralisme sémiologique et sémiotique**
   Ce courant domine plutôt dans la recherche universitaire et concerne les contenus des messages médiatisés. Il est d'inspiration européenne et il se préoccupe de la question du rapport entre le sens et les conditions de production.

4. **Les courants cybernétique et systémique**
   Le premier courant a influencé des recherches en communication organisationnelle et le second s'est manifesté d'une manière plus diffuse à travers, entre autres, l'interactionnisme.

5. **Le courant critique**
   On retrouve dans ce courant deux tendances : le marxisme et l'école de Francfort. Les recherches marxistes en communication se rattachent surtout à la problématique des industries culturelles et l'école de Francfort apparaît à travers l'influence de Jürgen Habermas.

Dans ces courants théoriques, les principaux sujets de recherche en communication sont les suivants : entreprise et secteurs, produits et contenus, organisation du travail et conditions de travail, consommation et effets sociaux, communication et pouvoir, alternatives et résistance, nouvelles technologies, etc.

Il existe un certain rapport entre les courants théoriques, les sujets de recherche, les formes de diffusion et les lieux d'expertise. On peut déduire, d'une façon générale, que les recherches publiées sous la forme de livres ou d'articles ont porté surtout sur l'influence et la consommation des médias ainsi que sur le contenu de ceux-ci. Les rapports de recherche à diffusion restreinte et les publications gouvernementales traitent surtout des nouvelles technologies et de la dimension économique des entreprises.

On peut aussi affirmer sans trop se tromper que les firmes privées et les radiodiffuseurs étatiques furent les lieux d'expertise des études de la consommation, des effets et de l'influence des médias de masse jusqu'au début des années soixante-dix. Dans les années soixante-dix, à peu près tous les lieux d'expertise se consacrent, pour plus de la moitié de leurs publications, aux analyses de contenu. La sémiologie devient un courant théorique dominant en milieu universitaire.

Actuellement, l'État, par les ministères des Communications et leurs instances réglementaires, effectue directement la recherche concernant les nouvelles technologies et celle portant sur les fondements juridiques du contrôle de l'ensemble du champ des communications. Ces recherches visent des retombées rapides. Les recherches des firmes privées se font surtout sur la consommation et les études de marché. Les changements sociaux sont étudiés comme indicateurs culturels et courants. Les représentants de ces firmes prétendent que le fonctionnalisme est devenu trop mécanique et ils se tournent de plus en plus vers des méthodes qualitatives afin de mieux s'ajuster à un marché devenu très diversifié.

Dans les départements universitaires de communication, la provenance multidisciplinaire des corps professoraux explique qu'il se fait un peu de tout en matière de recherche. Lacroix et Lévesque (1985) notent que ce sont les recherches concernant le contenu qui constituent l'axe le plus important de la recherche en communication. Cette recherche s'inspire beaucoup de la sémiologie. On peut aussi noter qu'il se fait de la recherche sur les nouvelles technologies ainsi qu'une certaine émergence de la recherche sur la communication organisationnelle.

Le courant de recherche en communication s'inscrit très bien dans le contexte de « société de l'information » et il semble devoir jouer un rôle aussi important que le fut celui de la sociologie dans le contexte de l'élargissement de l'État dans les années soixante et soixante-dix.

3. L'ÉVOLUTION DE LA RECHERCHE QUÉBÉCOISE DANS LE CONTEXTE DES INNOVATIONS TECHNOLOGIQUES

Nous présenterons dans cette section, l'évolution de la recherche en communication au Québec. Il ne s'agit pas ici de reprendre l'historique de la recherche ou de présenter d'une autre façon les divers courants théoriques, mais de voir le lien entre la recherche en communication au Québec et les périodes d'innovation et d'implantation des technologies de communication. Du même coup, cette perspective tente de saisir les effets des conjonctures de nature socio-économique ou politique ayant favorisé le développement de certains types de recherche. Cette synthèse devrait permettre de mieux comprendre comment et pourquoi, au Québec, les sciences de la communication ont évolué de telle ou telle façon.

Cette présentation met donc l'accent sur les développements technologiques, qui s'imposent comme un enjeu majeur des luttes politiques, entre les divers paliers de gouvernement ou entre l'État et les divers groupes de pression, privés ou associatifs. C'est un peu dans ce contexte que l'on octroie les fonds de recherche en communication. Cette présentation s'inspire largement de Tremblay et Sénécal (1987) qui constatent que les facteurs technologiques sont des aspects plus visibles du champ des communications. Mentionnons que le portrait de cette évolution est principalement relié au secteur de la recherche universitaire. Nous retraçons donc par segments l'évolution de ces développements technologiques, lesquels se produisent par intervalles approximatifs d'une dizaine d'années.

Sommairement, ces périodes débutent dans les années soixante alors qu'on observe une prédominance des problématiques entourant les médias de masse. On favorise l'étude des appareils de diffusion et une attention moindre est accordée à l'utilisation du film dans le cadre d'expériences de cinéma d'intervention sociale et de formation. À partir de 1970, l'apparition du magnétoscope et de la vidéo, puis de la câblodistribution, amorce la réflexion à propos de l'utilisation interactive de l'audiovisuel. Au milieu de la décennie, on entre dans l'ère des satellites de communication avec Hermes et Anik. Les années quatre-vingt témoignent de la poussée de la micro-informatique et de la téléinformatique par le biais du microprocesseur qui ouvre la voie à l'avènement de nouveaux services fondés sur la télématique grand public.

3.1 Les années soixante et le début des années soixante-dix : les médias de masse et le film

À cette époque, la problématique des médias de masse (radio-diffusion et radiotélévision) se présente comme l'objet central de réflexion des chercheurs universitaires. Les thèmes des médias de masse, de la publicité, de la propriété et de la réglementation sont à ce moment au cœur des études en communication.

Le chercheur canadien Marshall McLuhan publie à cette époque deux best-sellers : *La galaxie Gutemberg* (1968) et *Pour comprendre les médias* (1970 dont les éditions anglaises ont précédé de deux ou trois ans les éditions françaises), ce qui contribua à susciter un engouement pour la question des médias de masse.

On s'inquiète aussi au même moment, des effets de monopolisation et de concentration des entreprises de communication sur la qualité et la diversité de l'information. En même temps, les décrets gouvernementaux forcent la canadianisation de la radio-diffusion. Cette intervention du gouvernement fédéral donne le ton à ce qui se fera comme recherche dans les universités.

À cette époque, la révolution tranquille poursuit sa réforme de l'éducation et cela donne naissance à nombre d'expériences dans lesquelles sont conjuguées l'animation sociale et l'utilisation du film. Ces expériences concordent avec les volontés de groupes de cinéastes de l'ONF (Office national du film), formés à l'école du cinéma direct, qui désirent engager des processus de communication où le citoyen pourra se réaffirmer face à l'envahissement des grandes structures mass-médiatiques.

On assiste à travers cette grande réforme de l'éducation, à l'invasion de l'équipement audiovisuel dans les écoles. C'est aussi à cette époque qu'est créé le réseau de l'Université du Québec. En communication, on revendique un rôle actif des gens dans le processus de communication et cette idéologie de participation contribue à développer la réflexion autour de ce que l'on appelle la technologie éducative.

Au niveau politique, il y eut à cette époque l'historique contentieux fédéral-provincial en matière de réglementation. Le Québec s'affirmera désormais par le chemin de l'éducation, la culture et les communications. C'est dans cette foulée que l'on créera Radio-Québec en 1968.

Il faut mentionner, en terminant la présentation de cette période, que les expériences sur les médias communautaires ont pris le relais sur l'expérimentation sociale dans le domaine de l'éducation. Ces expériences s'inscrivent dans l'idéologie de l'accessibilité au processus de communication ainsi que dans une critique du modèle dominant de communication à sens unique.

3.2 **De 1972 à 1980 : du magnétoscope aux satellites**

C'est au début des années soixante-dix que s'organisent les premiers départements de communication et c'est dans la deuxième moitié de la décennie qu'apparaît une production de recherche originale. Les principales problématiques de recherche gravitent autour du câble, des médias communautaires et des expériences en technologie éducative.

Sous l'égide du gouvernement fédéral, on assiste aux premières expérimentations par satellite qui vont générer une foule de projets d'étude. Le satellite devient le secteur technologique le mieux couvert par les rapports de recherche et cela s'inscrit dans les espoirs de mise en marché internationale des satellites canadiens.

La réflexion universitaire, d'abord développée en regard des médias de masse, s'est élargie et transposée aux nouvelles techniques de production et de diffusion que sont le câble, le satellite et la magnétoscopie légère, celle-ci s'inscrivant dans le courant du développement de l'industrie de l'audiovisuel domestique.

L'arrivée au Québec d'un gouvernement nationaliste n'a pas entraîné d'augmentation dans les commandes et les subventions de recherche du secteur des communications. Cependant, la querelle politique entre les gouvernements fédéral et provincial, à propos de la question constitutionnelle en général et du dossier des communications en particulier, s'est amplifiée. La bataille du « câble » en 1977 fut un des moments clés de ces démêlés. En effet, à cette époque, il y eut une hausse du nombre des études portant sur la câblodistribution et sur les médias communautaires (la télévision). Le développement de Radio-Québec, des radios et des télévisions communautaires a donc suivi les fluctuations des querelles fédérales-provinciales.

3.3 **Les années quatre-vingt : l'informatisation des techniques de communication**

Comme l'explique Tremblay et Sénécal (1987), avec la fin des années soixante-dix et le début des années quatre-vingt s'amorce une ère de profonde transformation qualifiée d'informatisation de la société. Cette société de l'information semble succéder à la société de consommation des dernières décennies. Les études universitaires sur les nouvelles technologies voient le jour.

Tremblay et Sénécal (1987) rapportent que les discours qui accompagnent l'avènement de ces technologies ne sont pas si éloignés de ceux qui ont présidé à l'expérimentation d'autres technologies qui, en leur temps, étaient tout aussi nouvelles. Ces auteurs rapportent plus précisément que les espoirs de démocratisation, de décentralisation et de participation sont très redondants par rapport aux discours de la précédente décennie et que les problèmes de concentration, de juridiction et de réglementation sont à peine évoqués. Ainsi, les réflexions sur la nouveauté technologique ne font que déplacer le problème.

On peut affirmer que l'essence des nouvelles technologies se trouve dans la généralisation du microprocesseur ainsi que dans les processus de miniaturisation. Ces développements technologiques ouvrent de nombreuses possibilités à des utilisations interactives des systèmes de communication par le biais de la télématique. L'introduction du micro-ordinateur au travail et à la maison crée une révolution dans les modes de communication.

Les études reliées à ces phénomènes ne peuvent plus être désormais dans l'optique de diffusion et de consommation mass-médiatiques mais dans l'optique interactionnelle qui implique tous les secteurs de la vie quotidienne, tant professionnelle que privée.

Le phénomène des nouvelles technologies a suscité une hausse importante de la production de travaux universitaires de tous genres : 29 travaux produits en cinq ans. Ces travaux proposent en général une intégration des systèmes de communication et favorisent ainsi une vision globale de la problématique des transformations technologiques qui intégrerait les systèmes de communication préexistants.

Les gouvernements annoncent le « virage technologique » et ils accentuent les thèmes économiques au détriment des aspects sociaux et culturels. Dans cette perspective, les gouvernements soutiennent des projets qui visent à mettre sur pied de nouveaux services rentables de communication en collaboration avec l'entreprise privée. Les recherches soutenues par le gouvernement fédéral sur les nouveaux services à domicile (Télidon) en sont un bon exemple. L'expérience Télidon, qui coûta très cher, n'aboutit pourtant jamais.

Il y eut durant le début des années quatre-vingt un ralentissement de la recherche universitaire en communication. Tremblay et Sénécal (1987) se demandent si ce ralentissement s'explique par une diminution du soutien de l'État. Si tel est le cas, affirment-ils, force est de constater que le développement de la recherche en communication est paradoxal. En effet, les transformations technologiques ont des incidences socioculturelles majeures et décisives et c'est justement cette dimension que les gouvernements tendent de plus en plus à négliger.

3.4 Bilan de l'évolution de la recherche québécoise en communication

Ce bilan est inspiré de Tremblay et Sénécal (1987). Les auteurs constatent qu'il n'existe pas de programme de recherche précis en communication. Ils suggèrent d'abord de tenir compte de ce que l'on sait afin de ne pas répéter pour les nouvelles technologies, les erreurs commises en rapport avec les technologies antérieures, notamment l'audiovisuel. Les auteurs suggèrent d'adopter des programmes de recherche de cinq ou dix ans, qui permettent d'élaborer un cadre d'analyse suffisamment structuré pour rendre compte de la complexité de la situation. La durée trop brève des contrats de recherche a conduit à des coupures théoriques qui nuisent à l'élaboration des domaines de recherche.

De plus, l'engouement pour le « nec plus ultra » technologique compromet fréquemment l'approfondissement. Par exemple, après deux ans d'expériences sur satellite, on passe à l'étude de la fibre optique ou du courrier électronique sans jamais utiliser vraiment les premiers résultats obtenus pour améliorer le design expérimental. Le progrès est impossible, disent les auteurs, sans un cumul des connaissances. Un programme de recherche qui change au gré des modes ne peut guère produire de résultats durables.

En terminant, il serait bon de consulter le tableau 15.1 qui montre l'évolution de la recherche québécoise en communication[1] pour la période de 1960 à 1986 environ. On y présente les technologies à l'étude, le contexte socio-économique et politique, les principales expérimentations, les organismes de recherche ainsi que le développement des idées importantes dans la recherche en communication.

---

1. Tiré de Tremblay et Sénécal (1987), « La science des communications et le phénomène technique » dans *Sciences sociales et transformations technologiques : les actes d'un colloque*, Conseil de la science et de la technologie, Gouvernement du Québec, p. 178-179.

TABLEAU 15.1 **Évolution de la recherche québécoise en communication**

PÉRIODE	TECHNOLOGIE	CONTEXTE SOCIO-ÉCONOMIQUE ET POLITIQUE	EXPÉRIMENTATIONS	RECHERCHE	DÉVELOPPEMENT DES IDÉES
1960-1970	– Mass-médias (TV) – Film	– depuis 1960, Révolution tranquille – Rapport Parent Réforme dans l'éducation Création MEQ (1964) Expériences sociales ARDA/BAEQ – Création du CRTC (1968) – Décret canadianisation de la Radiodiffusion – Rapport Davey, 1970	– Politique animation sociale – Travaux cinéastes à l'ONF (cinéma direct) – GRS/Société Nouvelle – TEVEC (1967) – Multimédia – Introduction de l'audiovisuel comme moyen d'enseignement – Création de Radio-Québec en 1968	– Centre de recherche Radio-Canada – Pionniers universitaires – sociologie Université Laval	– Travaux de McLuhan • La Galaxie de Gutenberg • (1967) • Pour comprendre les médias • (1968)
1970	– Magnétoscope (vidéo légère, « Portapak ») – Développement industrie de l'audiovisuel domestique – Développement accéléré de la câblodistribution	– Contentieux fédéral-provincial sur les communications se continue – Mouvement nationaliste – Événements d'octobre 1970 – Front commun de 1972 – Mouvements populaires et syndicaux – Projets PJ et PIL (fédéral) (1971)	– Médias communautaires (TVC) – Création du réseau de l'U.Q. – Travaux de l'ICEA (éducation aux adultes et communications)	– Services de recherche du MEQ et MCQ – Création de départ de communications dans les universités québécoises – U de M – Concordia (Arts) – McGill (études anglaises et philo) – UQAM – Laval – Départements technologie éducationnelle	– Sémiologie } Europe – Linguistique } – Pragmatisme – Behaviorisme – Fonctionnalisme } É.-U. – Sociologie des minorités Alinski Etzioni Frere – Annerberg School – Stanford – Approche socio-économique – Analyse critique – École Palo Alto

1975	– Satellites (Hermès/Anik)	– Élection du PQ, 1976 – Bataille du câble (dénouement en 1977) – Stratégies électorales du PQ	– Satellites et éducation (U.Q.) – Régionalisation de Radio-Québec	– Autour de 1975, venue des professeurs-chercheurs sur le marché de la recherche commanditée	– Rapport Nora-Minc (1978) sur l'informatisation de la société – Rapport Mac Bride (1980) [droit à la communication]
1980	– Micro-processeur – Télé-informatique – Vidéotex – Micro-informatique	– Référendum et débat constitutionnel (1980) – Rapport Kent (1981) concentration entreprises de presse écrite – Politiques gouvernementales québécoises : « Bâtir l'avenir » (1982) « Futur simple » (1983) – Nouvelle politique gouvernementale fédérale sur la radiodiffusion (mars 1983)	– Télévision à péage – Canaux spécialisés – Expériences Télidon Agora, etc. – Nouveaux services spécialisés, interactifs développés avec l'utilisation du câble	– Fondation ACC (1980) ARCQ – (préoccupation, théorique, relation entre chercheurs) – Interruption de l'axe de recherche du MCQ	

Source : Tiré de Tremblay et Sénécal (1987), « La science des communications et le phénomène technique » dans *Sciences sociales et transformations : les actes d'un colloque.* Conseil de la science et de la technologie, Gouvernement du Québec, p. 178-179.

CONCLUSION

Notre survol est certes incomplet mais il permet de voir le contexte dans lequel s'est forgée la discipline de la communication au Québec. Il est difficile de dégager de grandes conclusions sur l'état de la recherche. Cependant, on peut constater que les problématiques structurant l'évolution du champ des communications sont fortement liées aux recherches sur l'influence globale des techniques de communication. Le secteur technologique n'est pas exclusif au domaine communicationnel car il existe aussi un certain nombre de recherches sur la communication interpersonnelle.

Quoiqu'il en soit, on constate que l'État détermine grandement les priorités et les grandes orientations de la recherche. Toutefois, on peut reprocher à ces orientations de se cantonner dans le court terme. Il ne faut pas oublier que la recherche ne se limite pas à la recherche-développement et la production d'un corpus de connaissances scientifiques demande temps, argent, énergie, connaissances et talent, entre autres qualités.

La publication scientifique en communication au Québec est originale, riche et diversifiée. Elle possède des affinités théoriques et thématiques avec les recherches effectuées à l'étranger. La discipline est donc solidement implantée. La diversification des lieux d'expertise en témoigne : gouvernemental, universitaire et privé.

Lectures suggérées

Pour obtenir des informations plus complètes sur l'état et l'évolution de la recherche en communication au Québec, nous vous suggérons de lire l'article de J. C. Lacroix et B. Lévesque paru dans la revue *Communication et information*, vol. 7, no 3, 1985, p. 153-211, intitulé « Principaux thèmes et courants théo-riques dans la littérature scientifique en communication au Québec ».

Pour le lecteur qui s'intéresse plus particulièrement à la recherche en communication dans le contexte des innovations technologiques, nous suggérons la lecture de l'article de G. Tremblay et M. Sénécal paru dans *Sciences sociales et transformations technologiques : les actes d'un colloque*, Conseil de la science et de la technologie, Gouvernement du Québec, 1987, p. 143-193, intitulé « La science des communications et le phénomène technique ».

CONCLUSION GÉNÉRALE

Dans ce volume, nous avons d'abord examiné les caractéristiques de la méthode scientifique, sous l'angle de l'épistémologie, et les particularités de la recherche en communication.

Nous avons poursuivi notre démarche en entrant au cœur du processus de la méthode scientifique. Ainsi nous avons explicité les cinq moments forts de la méthode scientifique soit : l'identification d'un problème de recherche, la définition d'une problématique, le développement d'une perspective théorique, la construction des hypothèses ou des questions de recherche, la validation et l'opérationnalisation des hypothèses et des questions de recherche.

Par la suite, nous nous sommes immiscés dans la pratique de la recherche. Nous avons vu quels étaient les divers types et méthodes de recherche utilisés dans les sciences de la communication. Ce qui nous a conduit à réfléchir sur les problèmes de déontologie et les notions d'éthique en recherche, notions qui constituent des préoccupations morales trop fréquemment négligées par les chercheurs. Puis nous avons illustré les aléas et les contraintes de la recherche en « action ». Au moyen d'un exemple concret, nous avons constaté que la pratique de la recherche pouvait présenter des problèmes particuliers que la théorie et la méthode n'avaient pas prévus.

Enfin, dans le dernier chapitre, nous avons présenté une brève rétrospective de la recherche en communication au Québec.

Cependant, comme nous l'avons mentionné à plusieurs reprises dans le volume, spécialement à la fin du chapitre huit, les étapes logiques de la méthodologie scientifique ne s'arrêtent pas à l'opérationnalisation des hypothèses, car si tel était le cas il n'y aurait pas de recherche mais que des projets de recherche. Le

lecteur trouvera donc les informations nécessaires à la compréhension de ces étapes dans un second volume qui portera
exclusivement sur : *le choix des méthodes de collecte des données, la collecte des données comme telle, l'analyse des données
cueillies, l'interprétation des données, la discussion des résultats
par rapport à la perspective théorique retenue et la rédaction du
rapport de recherche.*

BIBLIOGRAPHIE

Chapitre 1

GAUTHIER, B., sous la direction de (1984), *Recherche sociale*, Presses de l'Université du Québec, Sillery.

SELLTIZ, C. *et al.* (1977), *Les méthodes de recherche en sciences sociales*, traduit par D. Bélanger, les éditions HRW ltée, Montréal.

Chapitre 2

BUNGE, M. (1983), *Épistémologie*, Maloine S.A. Éditeur, Paris.

COMTE, A. (1963), Discours s*ur l'esprit positif,* Union générale d'édition, Paris.

DARWIN, C. (1921), De l'*origine des espèces,* A. Costès, Paris.

DESCARTES, R. (1637), *Discours de la méthode,* (1964), Éd. Urin, Paris.

GRAWITZ, M. (1984), *Méthodes des sciences sociales*, Précis, Dalloz, Paris.

KUHN, T.S. (1970), *La structure des révolutions scientifiques*, Flammarion Éditeur, Paris.

MORIN, E. (1981), *Pour sortir du XXe siècle*, Seuil, Paris.

OUELLET A. (1981), *Processus de recherche : une approche systémique*, Presses de l'Université du Québec, Sillery.

Encyclopædia Universalis.

Chapitre 3

BERELSON, B. (1952), *Content Analysis in Communication Research*, The Free Press, Glencoe.

BUNGE, M. (1983), *Épistémologie*, Maloine S.A. Éditeur, Paris.

CARON, A.H., GIROUX, L., DOUZOU, S. (1987), *L'appropriation du « virage technologique » : le micro-ordinateur domestique*, Cahiers de recherches en communication, Université de Montréal, Montréal.

CHARRON, D. (1989), Une introduction à la communication, coll. Communication et société, Presses de l'Université du Québec, Télé-université, Sillery.

DE SAUSSURE, F. (1969), *Cours de linguistique générale*, Payot, Paris.

FAYOL, H. (1949), *General and Industrial Management*, Pitman and Son, London.

KATZ, E., LAZARSFELD, P. (1955), *Personnel Influence*, Free Press, Glencoe.

McQUAIL, D. (1972), *Sociology of Mass Communication*, Longman, London.

MORIN, E. (1977), *La méthode : la nature de la nature*, coll. Point, Seuil, Paris.

PROULX, S. (1979), « Les communications : vers un nouveau savoir savant? » dans *Recherches sociographiques*, vol. 20, no 1.

STOHL, C., REDDING, C.W. (1987), « Messages and message exchange processes » dans *Handbook of Organizational Communication*, Jablin, Putnam, Roberts, Porter (éd.).

TAYLOR, F. (1919), *Principles of Scientific Management*, Harper and Row, New York.

TREMBLAY, G., SÉNÉCAL, M. (1987), « La science des communications et le phénomène technique » dans *Sciences sociales et transformations technologiques : les actes d'un colloque*, Gouvernement du Québec, Conseil de la science et de la technologie, Québec.

WATZLAWICK, P., HELMIK-BEAVIN, J., JACKSON, D. (1972), *Une logique de la communication*, Seuil, Paris.

Chapitre 4

CARON, A.H., GIROUX, L., DOUZOU, S. (1987), *L'appropriation du « virage technologique » : le micro-ordinateur domestique*, Cahiers de recherches en communication, Université de Montréal, Montréal.

OUELLET, A. (1981), *Processus de recherche : une approche systémique*, Presses de l'Université du Québec, Sillery.

ROGERS, E. (1983), *Diffusion of Innovation*, (3e édition), The Free Press, Glencoe.

Chapitre 5

CARON, A.H., GIROUX, L., DOUZOU, S. (1987), *L'appropriation du « virage technologique » : le micro-ordinateur domestique*, Cahiers de recherches en communication, Université de Montréal, Montréal.

GAUTHIER, B., sous la direction de (1984), *Recherche sociale*, Presses de l'Université du Québec, Sillery.

MACE, G. (1988), *Guide d'élaboration d'un projet de recherche*, Presses de l'Université Laval, Québec.

OUELLET, A. (1981), *Processus de recherche : une approche systémique*, Presses de l'Université du Québec, Sillery.

Chapitre 6

BEAUD, D., LATOUCHE, D. (1988), *L'art de la thèse*, Boréal, Montréal.

CARON, A.H., GIROUX, L., DOUZOU, S. (1987), *L'appropriation du « virage technologique » : le cas du micro-ordinateur domestique*, Cahiers de recherches en communication, Université de Montréal, Montréal.

GAUTHIER, B., sous la direction de (1984), *Recherche sociale*, Presses de l'Université du Québec, Sillery.

GRANGER, G.G. (1982), « Modèles qualitatifs, modèles quantitatifs dans la connaissance scientifique » dans *Sociologie et Sociétés : La sociologie : une question de méthodes?*, vol. XIV, no 1, Presses de l'Université de Montréal, Montréal.

OUELLET, A. (1981), *Processus de recherche : une approche systémique*, Presses de l'Université du Québec, Sillery.

ROGERS, E. (1983), *Diffusion of Innovation*, (3ᵉ édition), The Free Press, Glencoe.

TREMBLAY, R. (1989), *Savoir-Faire : précis de méthodologie pratique pour le collège et l'université*, coll. Savoir-plus dirigée par Alain Jacques, McGraw-Hill Éditeurs, Québec.

Chapitre 7

BILLETTE, A. (1984), « Évolution de la bureautique et de l'organisation du travail » dans *La recherche en communication : une priorité?*, Actes du Congrès, Association de la recherche en communication du Québec (ARCQ), 5ᵉ congrès de l'ARCQ, Télé-université, Sainte-Foy.

CHARRON, D. (1989), *Une introduction à la communication*, coll. Communication et société, Presses de l'Université du Québec, Télé-université, Sillery.

DAGENAIS, B. (1988), « Octobre 1970 : le discours social et les médias » dans *Communication et information*, vol. 10, no 2-3.

GAUTHIER, B., sous la direction de (1984), *Recherche sociale*, Presses de l'Université du Québec, Sillery.

KUNKEL, D. (1988), « Children and host-selling television commercials » dans *Communication Research*, Sage Publications, vol. 15, no 1.

LÉTOURNEAU, J. (1989), *Le coffre à outils du chercheur débutant : guide d'initiation au travail intellectuel*, Oxford University Press, Toronto.

MORIN, E. (1968), « Pour une sociologie de la crise » dans *Communications*, no 12.

OUELLET, A. (1981), *Processus de recherche : une approche systémique*, Presses de l'Université du Québec, Sillery.

SIMON, H.A. (1980), *Le nouveau management, la décision par ordinateur*, Economica, Paris.

TREMBLAY, R. (1989), *Savoir-Faire : précis de méthodologie pratique pour le collège et l'université*, McGraw-Hill Éditeurs, coll. Savoir-plus dirigée par Alain Jacques, Québec.

Chapitre 8

CARON, A.H., GIROUX, L., DOUZOU, S. (1987), *L'appropriation du « virage technologique » : le cas du micro-ordinateur domestique*, Cahiers de recherches en communication, Université de Montréal, Montréal.

DAGENAIS, B. (1988), « Octobre 1970 : le discours social et les médias » dans *Communication et information*, vol. 10, no 2-3.

GAUTHIER, B., sous la direction de (1984), *Recherche sociale*, Presses de l'Université du Québec, Sillery.

KUNKEL, D. (1988), « Children and host-selling television commercials » dans *Communication Research*, Sage Publications, vol. 15, no 1.

ROGERS, E. (1983), *Diffusion of Innovation*, (3ᵉ édition), The Free Press, Glencoc.

Chapitre 9

BARRETTE, J. (1984), *Le scénario*, Document inédit, Département de Psychologie de l'Université de Montréal, Montréal.

BORDELEAU, Y. (1987), *Comprendre et développer les organisations : méthodes d'analyse et d'intervention*, les éditions Agence d'Arc inc., Montréal.

GODET, M. (1977), *Crise de la prévision. Essor de la prospective*, Presses universitaires de France, Paris.

IERONCIG, A. (1983), *La méthode Delphi*, Document inédit, Département de Psychologie de l'Université de Montréal, Montréal.

JANTSCH, E. (1967), *La prévision technologique*, OCDE, Paris.

SELLTIZ, C. et al. (1977), *Les méthodes de recherche en sciences sociales*, traduit par D. Bélanger, les éditions HRW ltée, Montréal.

WILSON, I.H. (1978), « Scenarios » dans Fowles, J., *Handbook of Future Research*, Greenwood, Westport.

Chapitre 10

BARTHES, R. (1964), « Éléments de sémiologie » dans *Communications*, vol. 4.

BERELSON, B. (1952), *Content Analysis in Communication Research*, The Free Press, Glencoe.

CHARRON, D. (1989), *Une introduction à la communication*, coll. Communication et Société, Presses de l'Université du Québec, Télé-université, Sillery.

GAUTHIER, B., sous la direction de (1984), *Recherche sociale*, Presses de l'Université du Québec, Sillery.

GOLDHABER, G.M. (1986), *Organizational Communication*, (4ᵉ édition), W.C. Brown Publishers, Iowa, Dubuque.

GRAWITZ, M. (1984), *Méthodes des sciences sociales*, Précis, Dalloz, Paris.

MAINGUENEAU, D. (1976), *Initiation aux méthodes de l'analyse de discours : problèmes et perspectives*, Classique Hachette, Paris.

RIGNY, A.J. (1982), *Diagnostic organisationnel*, Les éditions Agence d'Arc inc., Montréal.

Chapitre 11

BRYANT, J., CARVETH, R.A., BROWN, D. (1981), « Television viewing and anxiety : An experimental examination » dans *Journal of Communication*, Hiver.

GERBNER, G., GROSS, L. (1976), « Living with television : The violence profile » dans *Journal of Communication*, vol. 26, no 2.

OUELLET, A. (1981), *Processus de recherche : une approche systémique*, Presses de l'Université du Québec, Sillery.

SELLTIZ, C. *et al.* (1977), *Les méthodes de recherche en sciences sociales*, traduit par D. Bélanger, les éditions HRW ltée, Montréal.

Chapitre 12

BOISVERT, M. (1980), *L'approche socio-technique*, les éditions Agence d'Arc inc., Montréal.

BRIGHT, J. (1958), *Automation and Management*, Harvard University, Boston.

BRUYNE, P. de, HERMAN, J., De SCHOUTHEETE, M. (1984), *Dynamique de la recherche en sciences sociales*, Presses universitaires de France, Vendôme.

DAVIS, L.E. (1971), « The coming crisis for production management : Technology and organization » dans *International Journal of Production Research*, vol. 9.

GAUTHIER, B., sous la direction de (1984), *Recherche sociale*, Presses de l'Université du Québec, Sillery.

GOYETTE, G., LESSARD-HÉBERT, M. (1987), *La recherche-action : ses fonctions, ses fondements et son instrumentation*, Presses de l'Université du Québec, Sillery.

LIU, M. (1983), *Approche socio-technique de l'organisation*, Les éditions d'Organisation, Paris.

WOODWARD, J., éd. (1965), *Industrial Organization : Theory and Practice*, Oxford University Press, New York.

Chapitre 13

CONSEIL DE RECHERCHES EN SCIENCES HUMAINES (CRSH) (1988), *Subventions de recherche : guide des candidats*, Ministère des Approvisionnements et Services Canada, Annexe H.

CRÊTE, J. (1984), « L'éthique de la recherche sociale » dans Gauthier, B. sous la direction de, *Recherche sociale*, Presses de l'Université du Québec, Sillery.

SELLTIZ, C. *et al.* (1977), *Les méthodes de recherche en sciences sociales*, traduit par D. Bélanger, les éditions HRW ltée, Montréal.

Chapitre 14

KREPS, G.L. (1987), « Using interpretive research : The development of a socialization program at RCA », chap. 11 dans *Communication and Organizations : An Interpretive Approach*, Edited by Putnam L.L., Pacanowsky, M.E., Sage Publications, California, Beverly Hills.

Chapitre 15

BIRO et CROP (1981), *Industrie cinématographique au Québec : 1978-1979*, Étude effectuée pour l'Institut québécois du cinéma, Montréal.

CROP (1983), *Le comportement du Québécois en milieu d'activités culturelles de loisir au temps 2*, SODICC et MAC, Québec.

CROP (1977), *Étude sur la radiodiffusion canadienne*, Étude effectuée pour le CRTC, Ottawa.

GOUSSE, C., LAFRANCE, J.P., sous la direction de (1982), *La télévision payante : jeux et enjeux*, Albert St-Martin, Montréal.

LACROIX, J.C., LÉVESQUE, B. (1985), « Principaux thèmes et courants théoriques dans la littérature scientifique en communication au Québec » dans *Communication et information*, vol. 7, no 3.

LACROIX, J.C., LÉVESQUE, B. (1985), « L'émergence et l'institutionnalisation de la recherche en communication au Québec » dans *Communication et information*, vol. 7, no 2.

McLUHAN, M. (1970), *Pour comprendre les médias*, HMH, Montréal.

McLUHAN, M. (1968), *La galaxie Gutenberg*, HMH, Montréal.

MINISTÈRE DES COMMUNICATIONS DU QUÉBEC (1983), *Le Québec et les communications : Un futur simple?*, Gouvernement du Québec, Québec.

MINISTÈRE DES COMMUNICATIONS DU QUÉBEC (1982), *Bâtir l'avenir. Les communications au Québec*, Gouvernement du Québec, Québec.

MULTI-RÉSO INC. (1980), *Les Québécois et la télévision : la place de Radio-Québec*, Service de recherche de Radio-Québec, Montréal.

SALTER, L. (1983), « L'étude de la communication : évolution d'une discipline au Canada » dans *Communication et information*, vol. 5, no 2-3.

SORECOM (1978), *La distribution des journaux et périodiques au Québec*, Étude réalisée par R. Pelletier pour le MCQ, Québec.

SORECOM (1970), *Étude longitudinale sur l'expérience TEVEC (Télévision éducative) au Lac St-Jean*, Étude réalisée pour le MEQ, Québec.

TREMBLAY, G., SÉNÉCAL, M. (1987), « La science des communications et le phénomène technique », dans *Sciences sociales et transformations technologiques : les actes d'un colloque*, Conseil de la science et de la technologie, Gouvernement du Québec, Québec.

Achevé d'imprimer en septembre 1991
sur les presses de l'Imprimerie
d'Édition Marquis Ltée
à Montmagny